D0279643

Meer dan een belofte

Meer dan een belofte

Ali C. Drost-Brouwer

CIP-GEGEVENS KONINKLIJKE BIBLIOTHEEK, DEN HAAG

Ali C. Drost-Brouwer.

Meer dan een belofte / Ali C. Drost-Brouwer.
- Goes: De Ramshoorn. -
ISBN 97890-76466-59-0
NUR 343
Trefw.: roman, abortus

Overzicht verschenen drukken:
- 1e druk 1991, 2e druk 1992, 3e druk 1998 bij
  Oosterbaan & Le Cointre, Goes.
- 4e gewijzigde druk 2007 bij uitgeverij De Ramshoorn, Goes

Putwei 6 - 4464 BT Goes - tel. 0113-230340 / fax. 0113-218691,
www.ramshoorn.nl

Gij zijt ons geweest een Toevlucht van geslacht tot geslacht.

Psalm 90 vers 1

Gij zijt, o HEER, van d' allervroegste jaren
Voor ons geweest een Toevlucht in gevaren!
Eer berg en rots uit niet geboren waren
Eer d' aarde rustt' op hare grondpilaren
Van eeuwigheid, o God, Die eeuwig leeft,
Zijt Gij de God, Die eind noch oorsprong heeft!

Hoofdstuk 1

'Wat zou je doen als ik tóch eens in verwachting geraakt was?'
Laag en dromerig klinkt de meisjesstem door de nacht. De jongen naast haar beweegt zich plotseling heftig. 'Dacht je... ik dacht dat dat nu niet kon!'
'Nee, het kán ook niet. Maar stel je voor dat het wél zo was. Hoe zou je dat vinden?'
'Dat is geen eerlijke vraag.'
'Waarom niet?'
'Je hoeft je hoofd toch niet te breken over iets dat niet gebeurt?'
'Nee, maar één procent kans is er natuurlijk altijd.'
'Hmm...'

Een tijdje blijft het stil, dan zucht de jongen: 'We hadden het niet moeten doen.'
'Heb je er spijt van?' De teleurstelling is duidelijk in de meisjesstem te horen.
'Nee, dat niet, maar… het is niet goed wat we gedaan hebben, het is ... zonde.'
'Zonde? Hoe kan zoiets nu zonde zijn? Ik begrijp niets van jullie. Niets. Je hebt zelf gezegd dat God ook de liefde gegeven heeft, nou dan.' Uitdagend gooit ze de laatste woorden eruit.
'Toch was het niet goed', herhaalt de jongen. 'Ik had me moeten beheersen.'
'Nou, als ik wél in verwachting ben, zal ik er wel wat aan laten doen. Dan kun je je zonde vergeten. '
'Je weet niet wat je zegt.'

Het meisje wil wat van de jongen wegschuiven, maar hij slaat zijn arm al om haar heen. 'Als het ooit zo zou zijn, die éne procent waar jij het over hebt, beloof me dan dat je zoiets

nooit zult doen.'
'Ach, waar hebben we het over?'
'Beloof het me.'
'Goed, ik beloof het je.'
Het meisje ligt een tijdje stil tegen hem aan, dan richt ze zich wat op. 'Nu weet ik nog niet wat je zou doen. '
'Hard weglopen natuurlijk.'
Ze hoort de plagende toon in zijn stem, maar ze gaat er niet op in. Daarvoor is haar vraag te ernstig.
Wanneer het stil blijft, is ook hij weer serieus. 'Ik zou met je gaan trouwen, en wel zo gauw mogelijk.' Zijn zoenen zetten zijn woorden kracht bij.
'Maar je vader.'
'Die laat ik met de jouwe vechten.'
Om die woorden moet ze zenuwachtig lachen. 'Ik weet niet wie van onze vaders erger is. Het zou misschien beter zijn als je een ander meisje zocht.'
'Zeg dat nooit weer. Ik hou van jou en nu horen we helemaal bij elkaar. Of zou jij graag een ander willen?'
'Nooit.'
De jongen haalt eens diep adem. Hij drukt het meisjeslichaam nog vaster tegen zich aan. 'Je hebt eens gezegd dat je met me mee zou gaan, later...'
Het meisje weet direct waar hij op doelt. 'Dat wil ik ook.'
'Het zal moeilijk voor je zijn.'
'Dat geeft niet. Ik doe het voor jou.'
'Zul je proberen om het niet alleen voor mij te doen, maar ook om het te leren begrijpen?'
'Ik zal mijn best doen. '
Na die woorden blijft het opnieuw stil. Een stilte, waarin ze beiden de woorden en hun betekenis overdenken, totdat een ontspannende slaap alle problemen wegneemt.

Hoofdstuk 2

De gemeentesecretaris is rood en dat weet heel de plaatselijke bevolking. Deze aanduiding slaat echter niet alleen op zijn vlammende haardos, het geeft ook voor de volle honderd procent zijn politieke overtuiging weer. Vuriger PvdA-er dan Marten Nordholt is nauwelijks te vinden. Boze tongen beweren dat hij zelfs de politiek boven zijn werk stelt, doch dit zijn verzinsels.
Marten Nordholt voelt zich boven dergelijke praatjes ver verheven. Wanneer iemand zich geroepen voelt om hem zo'n gezegde over te brengen, gromt hij dat dit natuurlijk weer van die 'fijne kliek' afkomstig is. Hij heeft een hartgrondige afkeer van de beide éénmansfracties in de raad. De kleinste partijen zijn het en hun vertegenwoordigers schijnen altijd hun mening naar voren te moeten brengen, al of niet met de Bijbel als achtergrond.
Marten Nordholt haat dat vrome gepraat. Dat is iets voor oude vrouwen die met een breikous achter de kachel zitten. Maar niet voor kerels in de kracht van hun leven, die over het wel en wee van de gemeente moeten beslissen. Ongelooflijk dat er nog zoveel mensen in die stomme verzinsels geloven. Goed, laat de Bijbel een Boek zijn dat honderden jaren oud is. Akkoord. Maar daaraan kan men nog niet het recht ontlenen om voor waar te moeten houden wat er in staat. De schrijver, of liever schrijvers, want het moeten er meer dan één geweest zijn, hebben een enorme fantasie bezeten, plus het vermogen om indringend te schrijven. Hoe is het anders te verklaren dat er nog steeds zoveel mensen weglopen met dat Boek? Verlakkerij is het en anders niet. Alle kerken zouden gesloten moeten worden.
Hoe zei zijn vader dat vroeger toch al weer? 'Alle kerken moeten platgebrand worden', of zo iets. Stel je voor dat dit werkelijk eens gebeurde. Dat zou een ramp zijn voor die fijnen. En een geluk waarschijnlijk voor de aannemers, denkt

hij er grimmig achteraan. Want reken maar dat ze binnen de kortst mogelijke tijd weer een 'bedehuis' zouden bezitten. Offeren kunnen ze.

Marten Nordholt is in een niet al te best humeur wanneer hij van zijn werk naar huis rijdt. Het gesprek met de personeelsfunctionaris van de gemeente is daar debet aan. Hij mag die Verhoog niet. Die man hoort ook ergens in die fijne kliek thuis. Niet dat dit zijn werk verkeerd beïnvloedt, hij weet uitstekend zaak en privé te scheiden. Maar in persoonlijke gesprekken brengt hij zijn mening goed naar voren. En die mening druist vaak regelrecht tegen die van Marten in.
Ze hebben zojuist een gesprek gehad over Tinie, de jongste typiste, zeventien jaar en pas een paar maanden bij de gemeente. Ze is nu een tijdje met ziekteverlof en zowel de secretaris als Verhoog weten de oorzaak daarvan. Tinie is op een avondje uit wat zorgeloos geweest en de gevolgen bleven dan ook niet uit. Natuurlijk kan zoiets niet. Stel je voor, een meisje van zeventien die moeder zal worden van het kind van een getrouwde man, wiens naam ze niet eens kent. Onmogelijk. De vrucht is weggehaald en Tinie is met ziekteverlof.
'Dat was het enige wat dat meisje kon doen', was Martens commentaar.
'Vindt u dat?'
'Jij niet soms?'
'Ik heb medelijden met dat meisje.'
'Hoezo, medelijden?'
Martin wist wel zeker dat Verhoog daar iets anders mee bedoelde dan voor de hand lag. Dat bleek ook wel uit zijn antwoord.
'Niet in de eerste plaats medelijden om het feit dat ze in verwachting geraakt is. Veel meer om haar opvoeding, waarin vrije liefde bedrijven, zoals dat heet, heel gewoon is. Eén van de mooiste dingen die God gegeven heeft, de liefde en daaraan verbonden de gemeenschap tussen man

en vrouw, die dan ook alleen in het huwelijk thuishoort, wordt tot een alledaags consumptieartikel gemaakt. Van de ene naar de andere. En wanneer er nieuw leven ontstaat dan moorden we maar weer raak. Het gaat toch om onze eigen lusten, nietwaar?'

De rimpel in het voorhoofd van Marten Nordholt wordt dieper. Natuurlijk heeft hij de ander lik op stuk gegeven, maar die kerel is niet van het idee af te brengen dat abortus provocatus moord is. Belachelijk gewoon. Zelf heeft Verhoog vijf kleine kinderen, nogal vlug na elkaar. Zijn vrouw zal ook een prettig leven hebben!
Wat drommel, moet hij zich nu nog opwinden over dat gesprek? Laat hij toch wijzer zijn. Er zijn wel belangrijker zaken. Eerst naar huis, hij is warempel wel aan een uurtje rust toe.

Korte tijd later stopt de wagen op het oprijpad van een riante bungalow. Bloeiende heesters en voorjaarsbloemen omringen het grote gazon dat de bungalow omgeeft. Die tuin is het werk van Martens vrouw, het is haar grote hobby. Marten is daar trots op, maar vandaag heeft hij geen oog voor die bloeiende pracht.
Hij sluit zijn wagen af en gaat over het flagstone-pad naar de voordeur. Zoals hij daar gaat zijn hem zijn vijfenvijftig jaar beslist niet aan te zien. Hij vertoont nog geen spoor van een buikje, maar wat het meeste opvalt, is zijn vlammende bos haar, waartussen pas een enkele grijze draad loopt.
Ja, ondanks alle strubbelingen in het leven is Marten Nordholt een gelukkig mens. Gelukkig met zijn werk, zijn partij, zijn vrouw en kinderen. Gelukkig met zijn gezondheid en met het wonen hier aan de rand van de stad. Wat heeft een mens nog meer nodig?

Sarah Nordholt-van Mechelen, dochter uit een oeroud liberaal geslacht, hoort haar man thuiskomen. Zeer beheerst in haar doen en laten is zij dikwijls het tegenbeeld van haar man.

Marten komt de kamer binnen. 'Zo, heb je je nog al vermaakt?' Hij bukt zich en geeft zijn vrouw een kus.
Dit is geen gewoontegebaar, nee, Marten en Sarah hebben elkaar echt lief. Dit is wel opvallend, gezien de vele echtscheidingen die er in de loop van de jaren in hun kennissenkring voorgekomen zijn.
Nu staat Sarah op uit haar stoel. Ze strijkt even met haar hand langs de wang van haar man, een klein gebaar vol liefde.
'Je bent moe', stelt ze dan zonder meer vast. 'Een drukke dag gehad?'
'Het is altijd druk.'
Marten denkt onwillekeurig aan het gesprek van deze middag terug en hij kan niet verhinderen dat de rimpels weer in zijn voorhoofd komen.
'Wat wil je, sherry of witte wijn?'
'Geef maar sherry.'
Het is al sinds jaren de gewoonte dat ze voor het eten iets drinken. Het is een kleine rustpauze in een druk bestaan. En onder het genot van een glas goede wijn is menig serieus gesprek gevoerd.
Wanneer Sarah aan haar glas nipt, kijkt ze terloops naar haar echtgenoot. Zijn geest is blijkbaar nog niet thuis. Ze zal hem niet overvallen met haar plan. Eerst maar eens terrein verkennen.
'Mellie heeft gebeld.' Ze zegt het schijnbaar terloops, maar haar woorden hebben effect. Marten keert zich naar zijn vrouw.
'Ha, Mellie. Hoe was het? Alles goed?'
Nu denken ze beiden aan hun oudste, die vier maanden geleden getrouwd is met de jongste burgemeester van Nederland. Mellie zal het goed doen als burgemeestersvrouw. Zij heeft ook dat fijne over zich, dat haar moeder siert.
Sarah ziet Martens gezicht opklaren. Ze weet wel dat het leven van hun kinderen in Martens volle belangstelling staat.
'Ze heeft nog iets grappigs meegemaakt', vertelt ze dan. 'Ze zijn naar de intrededienst van een nieuwe predikant geweest.

Tom had zijn speech op papier gezet, omdat hij geen blunder wilde maken. Maar toen hij op de preekstoel stond om de nieuwe predikant toe te spreken, bleek dat hij zijn notities thuis had laten liggen.'
Terwijl Sarah vertelt, is het Marten of hij de stem van zijn dochter hoort: 'Oh mam, u had er bij moeten zijn. Ik zag Tom in zijn zakken zoeken en toen hij niets vond, zei hij doodleuk: "Wel dominee, ik heb mijn preek thuis laten liggen." En de mensen lachen natuurlijk. Zoiets kan alleen Tom maar overkomen, maar hij trekt er zich niets van aan. Ik zou in zijn plaats doodzenuwachtig worden.'
Marten glimlacht. 'Die Tom redt zich wel. Hoewel...'
De frons komt terug. ''t Zou niets voor mij zijn.'
Het blijft even stil na zijn woorden. Alleen de zachte tik van de klok is te horen.
'Maar het hoort bij zijn werk', zegt Sarah dan.
'Je hebt gelijk.' Marten steekt zijn hand uit naar de stapel post die op een tafeltje naast zijn stoel ligt. 'Mellie is daar op haar plaats', zegt hij nog. Er klinkt trots in zijn stem. Dan vouwt hij een dagblad open. Sarah kijkt even peinzend naar buiten, neemt dan blijkbaar een besluit. Het onderwerp moet toch eens aangesneden worden.
'Nog een paar weken, dan komt Nicolien weer thuis.'
Marten reageert niet op de woorden van zijn vrouw. Maar aan het samentrekken van zijn wenkbrauwen ziet Sarah dat hij haar heel goed gehoord heeft. Ze staat op. 'Ik moet even naar het eten zien.' Met deze woorden gaat ze de kamer uit. Zodra de deur achter haar dicht is, sluit Marten zijn ogen. Voor zijn geest staat nu het beeld van zijn jongste dochter. Nicolien, de vrolijke levenslustige Nicolien, in alles het tegenbeeld van haar moeder en zuster. Marten maakt beslist geen onderscheid tussen zijn twee dochters, maar in zijn hart weet hij dat het sprankelende dat Nicolien bezit, hem diep bekoort. Zij doet hem aan zichzelf denken. Ze heeft hetzelfde temperament, dezelfde onverzettelijkheid, wanneer ze ergens haar zinnen op gezet heeft. En dat is juist de reden waarom hij haar zo hard heeft moeten aanpakken. Marten opent zijn

ogen en doet een greep naar zijn glas. In één flinke teug drinkt hij het leeg, zet het dan gedachtenloos weer neer.
Hij ziet Nicolien als kind, een echt kruidje-roer-me-niet. Altijd haantje de voorste, nooit bang. De eerste strubbelingen kwamen in haar studiejaren. Hoewel ze een helder verstand had, had ze een broertje dood aan leren. En in tegenstelling tot Mellie, ging Nicolien steeds op het nippertje over. Marten was ervan overtuigd dat ze beter kon.
Toch was dit het ergste niet. Nicolien werd verliefd. Natuurlijk is dit heel normaal, dat begreep Marten ook wel. Ontelbaar veel vriendjes heeft Nicolien in de loop van de jaren mee naar huis genomen. Dat ging allemaal op die prettig kameraadschappelijke manier, waar je als ouders alleen maar om glimlacht. Nee, dat was niet iets om bezorgd over te zijn. Maar opeens waren al die vriendschappen van de baan. Nóg hadden Sarah en hijzelf nergens erg in, totdat hij van een kennis te horen kreeg: 'Je dochter is van plan je later een 'fijne' schoonzoon te bezorgen, kerel.'
Meer wilde de man niet loslaten, maar Marten was gealarmeerd. Nicolien werd op het matje geroepen. Nóg ziet Marten haar voor zich staan. Uitdagend had ze hem aangekeken op zijn vraag wat dit te betekenen had.
'Gunst pap, doe niet zo gek. Mag ik niet met een jongen van de reformschool fietsen?'
'Reformschool', zei ze. Martens eigen benaming voor die fijne scholengemeenschap in de stad. Een school die fijner dan fijn probeerde te zijn en waar Marten de pest aan had.
'Wanneer je maar weet dat ik niet wens dat mijn dochter omgaat met leerlingen van die school. Dat moet afgelopen zijn.' Schouderophalend was Nicolien weer verdwenen en voor het eerst in zijn leven had Marten zich machteloos gevoeld. Wat moest hij doen als Nicolien toch doorzette? Hij kende haar koppige aard.
Hij had Sarah heftige verwijten gemaakt dat ze haar dochter niet voldoende onder controle had. En voor het eerst in hun huwelijk stonden ze radicaal tegenover elkaar.
Sarah zag het niet zo somber in, maar ze kende haar man en

zijn afkeer van alles wat met God of kerk te maken had. Zelf was zij zoveel soepeler van karakter. Nicolien was nog jong, het zou wel weer een bevlieging van haar zijn. En anders... komt tijd, komt raad.
Wel heeft ze haar dochter voorzichtig gepolst. Maar Nicolien, anders een open boek, was op dit punt zo gesloten als wat. Wat kon Sarah nog meer doen? De neutrale scholengemeenschap waar Nicolien heenging, lag dicht bij die andere. Voor jongelui die elkaar per se wilden spreken, was er dus voor of na schooltijd of in een tussenuur gelegenheid genoeg. En wie zou hen dát kunnen beletten? Alles scheen echter voorbij te gaan. Nicolien was niet vaker van huis dan vroeger. Alleen haar cijfers lieten te wensen over.

Marten was het hele voorval al weer vergeten, tot hij er op een pijnlijke manier met zijn neus bovenop gedrukt werd. De commissaris van de koningin bracht een werkbezoek aan de stad. Op het programma stond ook een bezoek aan enkele pas gerestaureerde panden in de binnenstad. Het illustere gezelschap, compleet met burgemeester en wethouders, ging te voet van het ene pand naar het andere. Het was mooi weer en vrij druk in de binnenstad.
Marten was juist in gesprek met een wethouder, toen binnen zijn gezichtskring een jongen en een meisje verschenen, dicht omstrengeld en alleen oog voor elkaar. Het meisje had rossig haar, zoals Nicolien. Op het moment dat dit tot Marten doordrong, boog de jongen zich en kusten ze elkaar ongegeneerd midden op straat. Alsof er geen andere mensen op de wereld bestonden dan zij tweeën. Toen ze weer verder liepen keek het meisje lachend op.
Op dit ogenblik was het gezelschap met Marten dichtbij. Marten keek naar het meisje en het meisje zag hem. Een trek van felle schrik gleed over dat jonge gezicht en toen wist Marten dat dit die knaap van de reformschool moest zijn.
Ook de wethouder had naar het jonge stel gekeken, getuige zijn woorden: 'Zo is de jeugd, Nordholt.'
Klonk er spot in zijn stem?

Het werkbezoek van de commissaris werd een beproeving voor Marten. Het liefst zou hij al die leuterende kerels de rug hebben toegekeerd, maar werk gaat voor privé en Marten zong de dag uit.
Maar 's avonds barstte de bui boven Nicoliens hoofd los. En had Nicolien haar hoofd nu maar gebogen, integendeel. Dat trotse nest stond hem aan te kijken alsof het haar kouwe kleren niet raakte. En toen hij uitgesproken was, zei ze: 'Pa, we houden van elkaar en dat kunt zelfs u niet veranderen.'
'Wàt niet veranderen', had hij gebulderd. 'Zodra je examen achter de rug is, stuur ik je naar school in Frankrijk, Engeland of desnoods Amerika. Maar je zult die vent vergeten.'

Nicolien haalde haar diploma en Marten scheen zijn bedreiging ten uitvoer te zullen brengen. Nicolien weigerde echter pertinent om nog verder te gaan studeren. Ze kreeg uiteindelijk Sarah aan haar kant en die wist Marten zover te krijgen dat Nicolien niet verder hoefde te leren.
Maar dat ze een tijdje naar het buitenland moest, stond voor hem als een paal boven water. Ze wilde niet meer leren, welnu, dan moest ze haar handen maar gaan gebruiken.
Een kleine advertentie bracht hem op een lumineus idee.

> *AU-PAIR wanted by family in London to help with two girls aged 4 and 3 and light house-work. Beginning september for 1 year and 3 months. Own room in modern bungalow in pleasant part of Hampstead. Please write to Mrs A. White...*

Engeland, dat was een uitkomst. Het was niet ver weg en toch niet zo gemakkelijk te bereiken, zodat haar vriend het wel uit zijn hoofd zou laten om haar na te reizen.
Marten had informatie ingewonnen en Nicolien was gegaan. Een paar keer is ze voor een korte vakantie terug geweest. De laatste keer voor de installatie van Tom. En nu zal ze dus binnenkort voorgoed terugkomen.

Verwilderd kijkt Marten om zich heen. Er zijn misschien tien minuten voorbijgegaan, maar het is hem of er uren verlopen zijn. Automatisch neemt hij de krant. De vette koppen op de voorpagina dwingen hem tot lezen. 'Bomaanslag in Madrid, 3 doden.' 'Twee Nederlandse militairen bij een ongeluk in Duitsland om het leven gekomen.' 'Vrouw springt van flat.' Marten slaat de pagina om, zijn hoofd staat nu niet naar al die ellende.
Wat later zitten ze tegenover elkaar aan de keurig gedekte tafel. Zwijgend snijdt Marten zijn vlees. Plotseling laat hij mes en vork rusten.
'Zou die vent nu werkelijk definitief van de baan zijn?'
Direct weet Sarah waar hij op doelt. Behoedzaam schept ze wat doperwtjes uit de schaal op haar bord, kijkt Marten dan aan. 'Onze jongste wordt groot, Marten. Ik bedoel dit, je zult een andere dochter thuis krijgen dan die uit huis is weggegaan. Ze is ongetwijfeld zelfstandiger geworden en je zult daar respect voor moeten hebben, hoezeer haar handelen misschien ook met je eigen gevoelens in strijd is. En wat die jongen betreft, ik hoop voor je dat hij werkelijk uit haar leven verdwenen is. Jij hebt gedaan wat je meende te moeten doen. Is het anders dan je hoopt, dan zul je dat moeten accepteren.'
'Je bedoelt?' vraagt Marten heftig.
'Ik bedoel dit', zegt Sarah rustig, 'dat wij uiteindelijk de levenspartner voor onze dochter niet kunnen kiezen. Dat zal zij zelf moeten doen.'
Het blijft even stil. Dan vervolgt Sarah en haar stem klinkt zacht: 'Gelovige mensen zijn dikwijls heel trouw in hun liefde.'
'Alsof ik dat niet ben...' Verontwaardigd kijkt Marten zijn vrouw aan.
'Je moest ook eens proberen om het niet te zijn.' Plagend steekt Sarah over de tafel heen haar hand naar hem uit. Marten legt zijn bestek neer en neemt de hand van zijn vrouw in zijn twee handen. Gretig neemt hij haar beeld in zich op. 'Ik hou van je, Saartje. En dat zal nooit veranderen.'

Dan zegt Sarah ernstig: 'Marten Nordholt, veroordeel dan je dochter niet die jouw karakter bezit. '
Hoeveel méér zit er in deze woorden dan zo ogenschijnlijk lijkt. Zwijgend eten ze verder.
Pas aan het eind van de maaltijd zegt Marten- en Sarah weet wat deze woorden hem kosten - 'Ik hoop in de toekomst aan je woorden te denken.' En dan, zonder overgang: 'Wat denk je te doen als ze thuiskomt?'
Sarah legt peinzend haar vingers tegen elkaar. 'Ik had gedacht een feestje te geven om haar thuiskomst te vieren. Dat is dan meteen een geschikte gelegenheid om wat aardige jongelui uit te nodigen.'
'Trommel dan maar flink wat huwelijkskandidaten op. Hoe eerder ze met een van hen in het bootje stapt hoe liever het me is', zegt Marten cru. Dan staat hij op, hij moet zich nog voorbereiden voor de vergadering van vanavond.
Wanneer hij naar zijn werkkamer loopt, zet hij de gedachten aan zijn jongste dochter met geweld van zich af.

Hoofdstuk 3

'Nicolien, wat ga je nu doen?'
Voor de zoveelste keer krijgt Nicolien die vraag te beantwoorden. In een wanhopig gebaar haalt ze haar schouders op. 'Ik weet het nog niet, echt niet. Eerst maar eens een tijdje vakantie houden en daarna zie ik wel verder. Misschien ga ik het land wel weer uit.'
'Weer terug naar Engeland?'
'Wie weet. En anders naar het eind van de wereld.'
Tom van der Griend hoort Nicoliens woorden. Hij kijkt zijn schoonzusje eens oplettend aan. Sinds hij haar vanmiddag heeft begroet, kan hij het idee niet van zich afzetten dat er iets met haar is. In tegenstelling met Mellie was Nicolien altijd een echte kwajongen. Hij heeft plezier in haar gevatheid en als schoonzusje mag hij haar dan ook bijzonder graag. Wat is er dan in haar veranderd? Ze is dit laatste jaar volwassen geworden, maar dat is het toch niet alleen. Ze is niet zo spontaan meer als voorheen, dat moet het zijn. En wat is dat nu voor gezegde om misschien naar het eind van de wereld te gaan? Hij kent de reden waarom zijn schoonvader haar indertijd naar Engeland heeft laten gaan. Je zou denken dat ze nu blij is om terug te zijn. Of...? Zijn gedachten nemen een sprong. Heeft zijn schoonvader soms succes gehad? Is alles uit tussen die twee? Wil Nicolien daarom weer weg?
'We zouden je toch liever een tijdje wat dichter in de buurt hebben. Wanneer kom je eens bij ons logeren?'
'Hè ja, Nicolien, daar moet je niet te lang mee wachten', valt Mellie haar man bij. 'We hebben al zoveel aardige kennissen. Je hebt in Engeland je tennis toch wel bijgehouden?'
'Oh ja, dagelijks. Cherry en Ann waren prima tegenspeelsters.'
Even fronst Mellie haar wenkbrauwen, dan lacht ze met de anderen mee. Cherry en Ann zijn immers de twee kinderen die onder Nicoliens hoede vielen.

'Of had je daar geen tijd voor?' vraagt ze wat aarzelend.
'Niet zo bar veel', geeft Nicolien toe. 'Maar bovendien had ik er helemaal geen zin in. Met leeftijdgenoten ging ik niet zoveel om en de rest vond ik maar melig.'
'Toch jammer', vindt Mellie. 'Je bent vast achteruit gegaan.'
'Wat hindert dat nu', neemt Tom zijn schoonzusje in bescherming.
'Je gaat straks maar met ons naar de baan, dan zullen wij je wel weer oppeppen.'
'Burgemeesters hebben natuurlijk plenty tijd, hè Tommie?'
Daar is Nicoliens oude plaagtoon weer. Even lachen ze naar elkaar.
'Jij bent tenminste prima op de hoogte', geeft Tom toe. 'We praten daar nog eens over.'
'Zeg Nicolien, ik heb pas een nieuwe wagen.'
Arnold Scholten neemt Toms plaats in.
'Nieuw?'
'Nou ja, tweedehands natuurlijk. Ik kon er geschikt aankomen en ik heb hem helemaal opgeknapt. Maar nu is het een juweel geworden. Heel wat anders dan mijn eerste voertuig. Wanneer ga je een keer mee?'
'Moet ik dat nu beslissen?'
'Natuurlijk. Morgen ben ik vrij. Voel je ervoor?'
'Ik weet niet...', weifelt Nicolien. Dan ziet ze de teleurstelling op Arnolds gezicht. Voor ze echter een besluit genomen heeft, komen anderen haar aandacht opeisen. 'Ik zeg je straks wel wat ik doe.'
Arnold knikt dat hij haar begrepen heeft.
Nicolien weet zich te gedragen deze avond. Om háár is dit feestje immers georganiseerd. Ze zal geen roet in het eten gooien, nóg niet. Ze praat met vrienden en vriendinnen uit haar oude examenklas. Hoe ter wereld is het haar moeder gelukt om er zoveel hier te krijgen? Met sommigen heeft ze vroeger maar een oppervlakkig contact gehad.
'Ha Suzan, je bent al verloofd, hoor ik.'
'Ja, Bert heeft vanavond dienst. Hij werkt bij de politie, zie je. Anders was hij wel meegekomen.'

'Zeg Nicolien, je begint op je zus te lijken.'
'Op Mellie? Ik denk dat je tipsy bent, Niek. Mellie is blond en heel charmant, terwijl ik rood ben en heel gewoon.'
'Jouw haar is niet rood, jouw haar is bijzonder.'
'Dank je voor het compliment, maar ik zou maar appelsap gaan drinken als ik jou was.'
Grinnikend kijkt Niek haar aan. Wat een katje is die Nicolien toch. Ze is nog niets veranderd. Eigenlijk best de moeite waard om eens uit te proberen.
'Ga je morgen mee zeilen?'
'Nee, ik heb al een andere afspraak.'
'Een andere keer dan?'
'Dank je, ik hou niet van zeilen.'
'Zeg Nicolien...'

Hoelang zal dit zo nog doorgaan? Hoelang zal ze zich nog moeten beheersen? Waarom gaat de tijd zo afschuwelijk langzaam?
'Zeg Nicolien...'
En Nicolien is weer vol aandacht voor de gesprekken om haar heen.
Het is al laat wanneer de laatste gasten vertrekken. Arnold is daar ook bij.
'Weet je het al?'
'Ja, morgenmiddag half twee?'
'Prima, tot morgen. '
Marten heeft de laatste woorden opgevangen. Deze avond is een groter succes geworden dan hij verwacht heeft. Hij zal de jongelui geen haarbreed in de weg leggen.
Maar later op de slaapkamer tempert Sarah zijn optimisme. Natuurlijk weet Marten ook wel dat één afspraak niets te betekenen heeft. Maar het feit dát Nicolien een afspraak maakt, opent voor hem een nieuwe toekomst. Wat drommel, ze is toch zijn dochter. Natuurlijk heeft haar gezond verstand gezegevierd. Waar Engeland al niet goed voor geweest is. En Arnold is de zoon van zijn vriend en huisarts Jaap Scholten. 't Kon gekker. Tevreden stapt Marten Nordholt in bed, hij

kan gerust gaan slapen.

'Met je trouwen... trouwen... trouwen.'
'Nee!'
Met een snik wordt Nicolien wakker. Wild draait ze zich om. Daar is die droom weer. Trouwen! Dat woord is een nachtmerrie geworden, een bespotting. Ze duwt haar hoofd in het kussen. 'Oh God, ik háát je, ik háát je!'
Het bed kraakt onder haar wilde bewegingen. Laat ze toch stil zijn. Straks komt haar moeder nog vragen of er iets is. Of er IETS is. Stel je voor, alles is er en niets. Ze wordt nog gek van het denken aan dat éne. Opnieuw draait ze zich om, veegt het zweet van haar gezicht. Het is vreselijk om juist nu weer thuis te zijn. Nicolien trekt het dekbed over haar hoofd.
'Oh Anne.'
Hoe heeft ze uitgekeken naar het eind van haar verblijf in Engeland. Als ze maar voorgoed terug was, dan moest haar vader toch begrijpen dat ze recht had op een eigen leven met wie zij wilde? En Anne's vader moest dat toch ook inzien? Waarom was Anne ook zo orthodox-gereformeerd? Toen zijn ouders er achter kwamen dat hij scharrelde met de dochter van secretaris Nordholt, hebben ze hem te verstaan gegeven dat ze nooit een schoondochter uit zo'n goddeloos nest zullen accepteren. Anne heeft haar letterlijk die woorden overgebracht, ook heeft hij verteld van de felle ruzies die hij daarom thuis gekregen heeft. Het deed Nicolien pijn toen ze dat alles hoorde. Het was immers net of zij minder was, omdat ze niet naar de kerk ging.
Bij haar thuis was het juist andersom. Vader minacht in feite mensen als Anne's ouders. Nicolien heeft dat nooit kunnen begrijpen. Waarom maken mensen zich zo druk over het wel of niet naar de kerk gaan? Eigenlijk begrijpt ze van de hele godsdienst geen sikkepit, maar om Anne...
Daar is die pijn weer omdat het niet kan, omdat het nooit meer zal kunnen. Juist nu, nu ze Anne zo heel hard nodig heeft, is alles voorbij. Haar vader zal zich nooit meer zorgen hoeven te maken dat ze met Anne wil trouwen. Ze kán niet

meer met hem trouwen. Nicolien bijt in haar kussen om geen geluid te maken.
Wat later zit ze op de rand van haar bed. Ze moet rustig zijn nu. Nuchter overdenken wat haar te doen staat. Nooit mag haar vader Anne's naam nu met haar in verband brengen. Hij zou in staat zijn om naar Anne's ouders te gaan. Wat zou dat een vernedering zijn. Ze heeft Anne's vader één keer gezien en ze moet er niet aan denken dat haar vader haar zal dwingen om naar die man toe te gaan. Voor geen geld van de wereld doet ze dat. Trouwens, dat lost ook niets op, want Anne's vader weet immers niets van dit laatste jaar. Hij zal alles ontkennen, haar expres vernederen.
Alleen Greet weet iets. Greet heeft haar ook dat vreselijke nieuws geschreven, buiten haar ouders om, zoals ze schreef. Maar wat heeft ze aan Greet? Ze kent haar nauwelijks.
Nicoliens mond wordt een smalle streep. Ze staat alleen, helemaal alleen en ze heeft Anne beloofd...
Ze kán zijn naam niet noemen, tegen niemand. Tegen haar ouders al helemaal niet. Alleen door hem te verzwijgen kan ze Anne's naam hoog houden, al zal dit dan ook ten koste gaan van haar eigen eer. Even een klein geluidje. Stil. Geluiden dragen ver in de nacht. Ze moet gaan slapen, of in elk geval weer gaan liggen, zodat ze rust. Morgen gaat ze met Arnold rijden. Arnold! Herinneringen komen. Arnold liep vroeger al zo'n beetje achter haar aan. Daar heeft ze heimelijk plezier om gehad. Eigenlijk vond ze hem vroeger maar een slome. Later viel dat wel mee, maar ze sprak hem toen minder. Gek dat Arnold nog geen meisje heeft. Hij zal toch niet...? Nicoliens gedachten staan even stil, nemen dan een geweldige vaart. Ze gaat met Arnold rijden, hij verklaart haar zijn liefde. Ze accepteert hem, natuurlijk accepteert ze hem, wat moet ze anders? Ze zal hem uitdagen. Er is vast wel ergens gelegenheid... Als ze dan later zwanger blijkt te zijn... Er worden immers bendes kinderen te vroeg geboren. Nee, dat is gemeen, gewoon gemeen.
Nicolien schaamt zich voor haar fantasieën. Arnold moest eens weten wat ze denkt. En zou ze zijn vader kunnen

misleiden als er een kind kwam? Misschien is dat ook niet nodig. Ze kan een miskraam krijgen of misschien gebeurt er morgen wel een ongeluk. Met zoiets gaat het gauw mis. Nee, dit zijn weer slechte gedachten. Waarom moet Arnold de dupe worden omdat zij...? Het is het beste om morgen maar helemaal niet met Arnold mee te gaan. Ze kan wel een smoes bedenken, hoofdpijn of zoiets. Dat kan na een feest, ook al heb je alleen fris gedronken. Ze zal...
Vogelgefluit. Feestmuziek op de grens van het bewustzijn. Er is een groene weide, midden in de bossen. Uit de bosrand komt Anne. Hij heeft een witte broek en een wit shirt aan en hij loopt met blote voeten over het gras. Er bloeien bloemen in het gras, gele boterbloemen, witte margrieten en blauwe klokjes. 'Pas op de bloemen', wil ze roepen. Maar dan ziet ze dat dit helemaal niet nodig is. Het is of Anne over het gras zweeft, geen bloem wordt geknakt. Nu blijft hij staan, hij wenkt haar. Ze wil naar hem toe maar haar benen voelen als lood. Ze kan haar voeten bijna niet optillen en wanneer het eindelijk toch lukt, valt haar voet met een plof op de bloemen neer. Er klinkt een brekend geluid, ze heeft de blauwe klokjes van hun stengel getrapt. Nu durft ze niet verder te gaan, want dan zullen alle bloemen breken. Hulpzoekend steekt ze haar handen naar Anne uit. Maar hij staat daar zo stil, zijn gezicht wordt hoe langer hoe ernstiger.
Dan schudt hij zijn hoofd en keert zich om. Ze wil gillen: 'Niet weggaan, niet weggaan', maar haar mond zit vol bloemen, allemaal bloemen die bitter smaken. Straks stikt ze er in. Ze ziet Anne in het bos verdwijnen. Even schemert er iets wits, dan zijn er alleen nog de bomen. Bomen, gras en bloemen. En de vogels die zingen. Hoor toch eens hoe die vogels zingen...
Verwezen kijkt Nicolien haar slaapkamer rond. Het is morgen, zij is weer thuis en Anne is weg, voorgoed. Diep haalt ze adem, ze voelt zich uitgerust. Komt het door de slaap, de zingende vogels, of is het het zonlicht dat blij door een gordijnkier haar kamer in schijnt, waardoor het bittere verdriet van deze nacht wat verzacht is? Een nieuwe dag ligt

voor haar waarop zij haar houding zal moeten bepalen.
Ze kijkt op haar wekker, half tien. Wat is het nog stil in huis. Slapen de anderen soms ook uit?
Nicolien staat op en trekt het gordijn iets verder open. Dan blijft ze kijken. In de tuin zijn twee mensen. Haar moeder zit gehurkt bij wat bloemen, terwijl ze praat tegen haar man die bij haar staat. Ze plukt wat, staat dan op en laat het haar man zien.
Marten antwoordt wat, slaat zijn arm om de schouders van zijn vrouw en langzaam lopen ze verder tot de hoge coniferen Nicolien het uitzicht benemen.
Geboeid heeft ze dit kleine tafereel gadegeslagen. Toch is er iets dat pijn doet. Het was zo harmonieus. Binnen enkele dagen al zal zij die vrede moeten verstoren. Ze kan daar nu niet meer te lang mee wachten.
Wat zal vader kwaad zijn, woest zal hij zijn, ook omdat ze niet alles vertellen wil. Vertellen kán. Maar ook dat zal overgaan. En dan? Niet aan denken nu. Vandaag moet ze doen of er niets is, helemaal niets. En vanmiddag gaat ze met Arnold rijden. Ze zal zich mooi maken, daar houden jongens van. Hoewel, met Arnold weet je het nooit. Die let meestal alleen op auto's.

Maar Arnold heeft wel terdege oog voor het meisje dat die middag naast hem zit. Nadat de hele familie zijn wagen bewonderd heeft, rijdt hij met Nicolien weg. Het is een stralende zomerdag en daardoor extra druk op de wegen. Half Nederland gaat uit.
Eerst is er over en weer een aftasten. Maar Nicolien ontdekt al vlug dat Arnold beslist in zijn voordeel veranderd is. Was hij vroeger wat teruggetrokken, verlegen bijna, de Arnold die nu naast haar zit, is een vlotte vent. Hij vertelt over het garagebedrijf waar hij werkt. 'Later hoop ik nog eens een eigen zaak te beginnen.'
Is Arnold mededeelzaam over zijn doen en laten, Nicolien is het tegengestelde. Over alles wil ze praten, maar niet over zichzelf. Ze draait het raampje nog wat verder open. "t Is warm.'

Arnold beaamt dat, vraagt dan: 'Zullen we straks een poosje uitstappen?'
'Ik dacht dat je me meegevraagd had om te rijden. Je wilt je wagen toch showen?'
'Moet ik eerlijk zijn? Die wagen is eigenlijk maar bijzaak. Het was me er om te doen om eens met je uit te gaan voor er andere kapers op de kust komen.'
Bij deze openhartige mededeling is Nicolien even uit het veld geslagen. Nu moet ze wel aan haar plannen van deze nacht denken. Maar hoe groot de verleiding ook is, dit wil ze niet. Arnold is te goed om hem er op zo'n manier in te laten lopen.
'Je bent toch niet kwaad om wat ik zeg?'
Een beetje bezorgd kijkt Arnold even opzij. Heeft hij teveel gezegd? Sinds hij wist dat Nicolien terugkwam, heeft hij lopen denken wat hij zou doen. Die schoolliefde van haar zal wel van de baan zijn en als hij een kans wil maken, moet hij zorgen om andere jongens voor te zijn. Nicolien is een vlotte meid, hij is al sinds zijn puberteit verliefd op haar. Ze moest eens weten dat hij gedichten over haar geschreven heeft. Misschien zal hij haar die later nog eens laten lezen. Als hij er zeker van is dat ze hem niet uit zal lachen. Waarom zegt ze nu niets? Onwillekeurig trapt Arnold het gaspedaal wat dieper in.
'Je mag hier maar honderd.'
De snelheidsmeter loopt weer terug. Het is of de zon niet zo feestelijk meer schijnt. Hoe heeft Nicolien kunnen denken dat ze nog wel één middag onbezorgd uit kan gaan? Levensgroot is het probleem. Altijd en overal is het bij haar. Geen seconde kan ze het uit haar gedachten zetten. Arnold moest eens weten, wat zou hij schrikken.
'Kwaad?' komt dan haar antwoord. 'Waarom zou ik kwaad zijn? 'Maar...' Even is er een zoeken naar woorden, ze wil Arnold niet beledigen. 'Je moet niet boos worden om wat ik nu ga zeggen. Ik mag je graag, als een gewone vriend. Maar het kan nooit méér tussen ons worden. Onmogelijk.'
Nicolien slikt, weet niet wat ze verder nog moet zeggen. Het blijft even stil. Maar Arnold heeft er ook niet op gerekend dat

het zo gemakkelijk zal gaan. Alleen als er een ander is, dan moet hij zich terugtrekken, maar anders...
'Heb je verkering? Vroeger op school heb ik je wel eens met een jongen gezien.'
'Arnold, asjeblieft, laten we over iets anders praten.'
Aan de lichte trilling in Nicoliens stem hoort Arnold dat er iets is. Natuurlijk wat met een jongen, iets minder leuks waarschijnlijk en ze wil er niet over praten. Kan hij zich ook wel indenken.
'Wat deed je in Engeland in je vrije tijd?'
'Oh, soms ging ik zwemmen, er was een overdekt zwembad dichtbij. Soms naar de stad, winkelen. Een enkele keer naar een concert of film. Maar dan moest ik wel met iemand mee kunnen gaan.'
'Ik hoorde van je moeder dat je daar langer gebleven bent dan eerst de bedoeling was.'
'Ja, het is anderhalf jaar geworden.'
'Heb je daar een fijne tijd gehad?'
'Tja, anders dan ik me had voorgesteld, heel anders.'
Nicolien moet in haar arm knijpen, anders gaat ze gillen. Arnold kan niet weten wat hij met zijn onschuldige vragen bij haar oproept. Het was immers de mooiste tijd van haar leven, toen Anne er was. Anne...!!! Hij moest hier naast haar zitten. Dan gingen ze samen naar haar ouders. Dan hoefde ze niet alleen... Waarom zit ze hier eigenlijk naast Arnold? Ze is gek dat ze met hem meegegaan is. Ze wil zo gauw mogelijk weer naar huis. Maar dat kan ze nu toch niet zeggen? Ze rijden nog geen half uur.
''t Is warm, we zullen zien dat we ergens wat te drinken krijgen.'
Arnolds woorden leiden Nicoliens gedachten wat af. Het is ook heet.

Een paar kilometer verder staat een restaurant aan een grote plas. Arnold parkeert de wagen. Het is er druk en met moeite vinden ze nog een paar plaatsen, gelukkig onder een parasol en met uitzicht over het water. Daar is het een drukte van

belang. De smalle strook wit zand die de plas omringt, lijkt wel een mierenhoop. De luidruchtige geluiden van de baders zijn tot ver voorbij het terras te horen. Nicolien staart naar al die mensen. Vaders en moeders met kleine kinderen. Die éne jongeman daar lijkt op Anne. Hij heeft een klein meisje aan de hand. Het kleintje durft het water blijkbaar niet in, maar de man doet het voor, stap voor stap. Dan zet ook het kind haar ene voetje in het water.
'Dromelot, wat wil je drinken?'
Nicolien schrikt op. 'Sorry, ik keek naar die kinderen. Doe maar appelsap.'
Arnold geeft de bestelling door, slaat z'n benen over elkaar. "t Zit hier goed, alleen een beetje vol.'
"t Is daar nog drukker.'
Nicolien wijst naar het strandje.
'In het water valt het mee', vindt Arnold. 'Wij hadden ons zwemgoed ook mee moeten nemen. '
'Ben je mal.'
'Waarom niet? Er zijn vast wel plassen waar het minder druk is.'
Nicolien moet er niet aan denken. Stel je voor, zij in haar bikini. Dat is vast geen gezicht. Hoelang duurt het voor ze iets aan je figuur zien? Stel je voor dat Arnold wat zag. Ze krijgt het er warm van.
Gelukkig is het appelsap heerlijk koud. Zal ze haar gewone broeken nog lang kunnen dragen? Met een wijde bloes erover heeft niemand er erg in. Kijk, daar loopt een zwangere vrouw. Zal zij er straks ook zo uitzien? Zo dik? Durft ze dan nog wel naar een gelegenheid als deze te gaan? Waarom eigenlijk niet. Maar Arnold zal haar dan niet meer mee vragen. Arnold zou het nu ook niet gedaan hebben als hij het geweten had.
'Waar zit je met je gedachten?'
'Ik keek naar die zwangere vrouw.' Fout. Daar moet ze het helemaal niet over hebben. "t Is warm.'
Nicolien wrijft over haar nu vuurrode wangen. Arnold denkt vast dat ze niet wijs is. Maar Arnold veegt met zijn zakdoek over zijn voorhoofd. 'Het lijkt wel of het steeds warmer

wordt. Het is gewoon drukkend. Er zal wel onweer komen.'
'Dat is niet te hopen. Mellie is als de dood voor onweer.'
'Daar hebben meer mensen last van. Vader is wel eens bij een patiënt geroepen die tijdens een flinke onweersbui gewoon hysterisch werd.'
'Wat deed hij daaraan?'
'Oh, bepaalde spuitjes werken perfect.'
'Gemakkelijk', vindt Nicolien.
'Mensen zijn net auto's. Als ze niet soepel lopen, moet je ze oliën. Een beetje smeer hier en daar en klaar is Kees.'
'Bah, dan liever dit.'
Nicolien drinkt haar laatste sap. 'Heerlijk.'
Arnold bestelt nog eens.
Nu praten ze niet veel meer, de warmte maakt loom.
Een spuitje ... dat woord klinkt nog door Nicoliens hoofd. Artsen hebben bijna overal een oplossing voor. Overal zijn spuiten voor. Voor haar? Nee, daar mag ze niet aan denken. Ze heeft Anne beloofd... Maar Anne heeft niet geweten dat het echt zo was. Dat wisten ze geen van tweeën. Anne wist ook niet dat zij alleen zou komen te staan. Dan zou hij haar dat vast niet hebben laten beloven. Nee, dat is niet waar. Dat zou voor Anne geen verschil maken. Anne vond abortus moord. MOORD!
'Ai.' Arnold kijkt bevreemd opzij, maar Nicolien heeft er geen erg in dat ze geluid gemaakt heeft. Ze staart naar de spelende kinderen. Als al die moeders die kinderen ook eens hadden laten weghalen... Maar die moeders stonden er niet alleen voor. Daar zijn vaders die met hun kinderen spelen. Als Anne... Nee, nu moet ze daar niet steeds aan denken. Ze is met Arnold uit. Als ze Arnold eens vertelt hoe het er met haar voorstaat, wat zal hij dan doen? Zeker zo vlug mogelijk weer naar huis gaan.
'Nicolien, ik heb een leuke middag gehad, maar je moet mijn woorden maar vergeten. Dat begrijp je zeker wel. Ik wens je het allerbeste.'
Nicolien moet even haar neus snuiten. Het leven dat zo heerlijk was, is nu zo verschrikkelijk moeilijk geworden.

Eens heeft ze gedacht met Anne al de problemen wel aan te kunnen. Maar nu er een onoverkomelijk groot probleem is, staat ze er alleen voor. En van de oplossing die er voor dit probleem is, mag ze geen gebruik maken. Waarom eigenlijk niet? Niemand hoeft het toch te weten? Dan schudt ze haar hoofd. Ze heeft het beloofd.
'Vliegen zijn lastig', zegt Arnold, die haar beweging ziet.
Nicolien kijkt hem niet begrijpend aan, gaat ook niet op zijn woorden in. Ze wil naar huis, naar huis. Even nog kijkt ze naar de drukte bij het water. 'Zullen we weer gaan?'
Ze staat gelijk op, moet even met haar hand op het tafeltje leunen, omdat ze zo licht in haar hoofd wordt. Gelukkig merkt Arnold niets en na een paar tellen trekt het vreemde gevoel weg. Ze heeft dit de laatste dagen al vaker gehad, ze zal toch naar een dokter moeten gaan. Ze kan tegen Arnold zeggen: 'Ik ga straks met je mee, want ik moet je vader spreken. Nee, er is niets bijzonders, alleen...'
De wagen lijkt wel een oven. Arnold zet alle portieren open maar het helpt weinig. 'Als we rijden, wordt het wel beter. Laat je raam maar zo ver mogelijk open staan.'
Dan kijkt hij Nicolien oplettend aan. 'Voel je je wel goed? Je bent zo wit.'
'Dat zal wel door de warmte komen. Ik voel me prima.'
'We gaan naar huis', beslist Arnold dan. 'Dit is ook geen weer om in een auto te zitten. 't Wordt tijd dat er een flinke bui komt, misschien koelt het dan wat af.'

Maar het duurt nog tot de avond voordat er werkelijk regen komt. Regen en onweer. Arnold is naar huis gegaan. Hij heeft het aanbod van mevrouw Nordholt om te blijven eten afgewimpeld met een vaag: 'Ik heb nog wat te doen.'
Nicolien weet dat ze op de terugweg niet zo gezellig is geweest. Alles is immers onbelangrijk. Er is alleen dat éne. Nu, na een bad, voelt ze zich behoorlijk opgefrist. Tijdens de maaltijd, die buiten genuttigd wordt, is ze zelfs opgewekt. Tom plaagt en zij geeft lik op stuk.
Marten voelt zich zeer behaaglijk. Dit is zijn ideaal. Een gezin

in goede harmonie, de kinderen van tijd tot tijd samen in het ouderlijk huis. En, wie weet, over wat jaren kleinkinderen erbij. Het leven is goed. Hij heeft aan Tom een flinke schoonzoon. Met hem kan hij over gemeentezaken praten. Soms vraagt Tom hem advies. Niet altijd zijn ze het eens, soms debatteren ze heftig, maar dat heeft een mens wel eens nodig. Er zitten zoveel haken en ogen aan het besturen van een gemeente.
Tom schijnt in zijn gemeente op een behoorlijke manier met alle politieke partijen om te kunnen gaan. Dat is voor een burgemeester dan ook een eerste vereiste. Hijzelf zou dat niet kunnen. Hij is soms te fel in zijn reacties, te impulsief ook.
Marten kijkt het kringetje rond. Sarah en Mellie praten over kleding. Net iets voor Mel. Nu ja, het is voor haar natuurlijk ook belangrijk hoe ze er uitziet. Reken maar dat daar in zo'n gehucht nog op gelet wordt. En Mel is altijd erg precies geweest op haar kleren. Net Sarah, die ziet er ook altijd goed gekleed uit. Dat is een van de dingen die hij zo in zijn vrouw waardeert. Zelfs bij het tuinieren blijft ze nog een dame.
Nicolien moest wat meer van haar moeder hebben. Zie haar daar eens zitten, in een witte lange broek en een bloes waar geen model aan zit. Ze loopt het liefst in flodderkleren rond.
'Ik geloof dat het daar lichtte', zegt Tom plotseling.
Mellie schrikt op. 'Nee toch. Laten we dan naar binnen gaan.'
'Welnee, de bui is hier nog lang niet. Misschien trekt hij wel langs.'
Marten kent Mellies angst.
'We kunnen de boel vast naar binnen brengen', vindt Sarah. 'Anders moet het straks misschien vlug-vlug.'
En dan zijn ze allemaal bezig. De zon verdwijnt nu achter de wolken. Nicolien spoelt de borden en plaatst ze in de afwasmachine.
'Zal ik de ramen vast sluiten, mam?'
Dat is natuurlijk Mellie. 'Welnee kind. Het regent nog lang niet. Zet maar vast koffie.'
Mellie komt de keuken in. 'Ik vind onweer doodeng.'

'Je bent toch niet alleen', stelt Nicolien nuchter vast.
'Nee, stel je voor. Ik geloof dat ik dan dood zou gaan van angst.'
'Wat overdreven, je gaat maar zo niet dood.'
'Jij hebt goed praten, jij bent nergens bang voor.'
Nicolien geeft geen antwoord. Je moest eens weten, Mellie, dat er iets is waar ik wél doodsbang voor ben. Dat is mijn toekomst. Maar dat kun jij je niet indenken. Als het straks onweert, ga jij bij Tom zitten, maar ik... Een felle lichtflits schiet door de plotseling donker wordende keuken. Mellie geeft een gilletje, dat overstemd wordt door een ratelende donderslag.
'Nu zou ik de ramen toch maar sluiten', zegt Nicolien.
'Ik ga nu niet naar boven, ik denk er niet aan.'
'Dan zal ik het wel doen.'
Wanneer Nicolien de trap opgaat, komt Sarah in de hal. 'Sluit jij boven, Nicolien? Dan doe ik het beneden.'
Nicoliens antwoord gaat verloren in een nieuwe slag. Ze haast zich naar boven. Eerst de logeerkamer, dan haar eigen kamer. Het lijkt wel of het nacht wordt. Bij het raam schrikt ze toch van een nieuwe flits die één seconde de tuin in een roze gloed zet. Nu moet ze het raam sluiten, het is immers gevaarlijk om bij onweer voor een open raam te staan. Maar Nicolien doet het nog niet. Ze blijft staan, haar handen op de vensterbank. Toe maar, laat de bliksem haar nu maar treffen. Als het goed raak is, voel je er niets van, dan is alles voorbij. En niemand zal HET weten. Plotseling stroomt de regen neer. Nu moet Nicolien het raam wel sluiten. Automatisch verricht ze die handeling. Dan hoort ze beneden roepen.
'Ja, ik kom.'

Wel een uur lang woedt het noodweer. Sarah heeft terwille van Mellie de schemerlampen aangedaan. Mellie zelf zit op de bank in de beschermende boog van Toms arm. Marten vertelt van een onweersbui uit zijn jeugd, waarbij dit van nu maar kinderspel is. 'Na afloop was er brand op drie plaatsen tegelijk.'

'Hoe kunt u zulke afschuwelijke dingen vertellen.'
Mellies stem slaat over. Even is ze wat rechter gaan zitten, dan duikt ze weer bij Tom weg.
'Kind, ik wou alleen maar zeggen dat het nu wel meevalt.'
Een knetterende slag logenstraft Martens woorden en tegelijk valt het licht uit. Mellie gilt. Ook de anderen zijn geschrokken. Marten gaat de kamer uit en even later branden de lampen weer.
'Nu wordt het toch minder', vindt Sarah.
''t Wordt ook lichter', vult Tom aan. 'Het is bijna voorbij, vrouwtje.'
Dat bijna is nog ruim een kwartier, dan trekt de bui over. De wolken breken en de ondergaande zon schijnt op duizend druppels. Het is nu heerlijk op het terras.
Mellie fleurt weer op, maar ze kan het niet waarderen wanneer Tom haar 'Hazenhartje' noemt. Het wordt een korte woordenwisseling. Wat doet Mellie kinderachtig, denkt Nicolien. Ze mag blij zijn dat Tom zich niet aan haar ergert. Tom vangt haar blik op en knipoogt nadrukkelijk.
Op de een of andere manier gaat de zaterdagavond voorbij. Ook de zondag nadert zijn eind. In de namiddag vertrekken Mellie en Tom. Ze hebben 's avonds andere verplichtingen.
Nu moet ik het zeggen, weet Nicolien. Maar ze stelt het uit. Tijdens de maaltijd is ze stil.
'Ben je moe?' vraagt Sarah.
'Nee, niet echt.'
'Het zal de verandering zijn', vindt Marten.
Nicolien gaat er niet op in. Ze moesten eens weten. Na het eten vlucht ze naar haar kamer. Ze moet moed scheppen. Het raam staat wijd open. Natuurlijk, met dit weer. Wat zouden Cherry en Ann nu doen? Zouden ze haar missen? Ze kan morgen in het vliegtuig stappen en naar Engeland terug reizen. Dwaasheid! Morgen moet ze naar de dokter. Voordat ze met haar ouders praat, wil ze eerst zekerheid. Ach, zekerheid... Zal de dokter haar nog meer zekerheid kunnen geven dan ze nu al heeft? Nee toch?

Hoofdstuk 4

De volgende morgen belt Nicolien dokter Scholten om een afspraak te maken. Tot haar opluchting kan ze diezelfde morgen nog komen. Om half elf stapt ze de spreekkamer binnen.
Dokter Scholten komt haar met uitgestoken hand tegemoet.
'Wel Nicolien, dat is aardig dat je mij komt begroeten. Hoe is het? Ga zitten en vertel eens.'
Even zit Nicoliens keel dicht. Nu begint het, nu zal ze het respect van Arnolds vader verliezen. Ze slikt, het is immers alles of niets.
'Ik ben zwanger.'
Als arts is Jaap Scholten aan veel dingen gewend, maar deze mededeling van Nicolien Nordholt overvalt hem toch. In een flits gaan zijn gedachten naar Marten en Sarah. Hij is echter arts genoeg om de gedachte aan zijn vrienden direct weer van zich af te zetten.
Martens dochter zit hier in de eerste plaats als zijn patiënte. Hij ziet dat Nicolien zenuwachtig is. 'Dat was waarschijnlijk een hele schrik voor je?' Zijn stem klinkt mild.
Nicolien knikt, glimlacht even.
'Was het een ongelukje?'
Weer knikt Nicolien. Dat ze nu toch niets weet te zeggen.
'Hoever denk je dat je heen bent?'
'Twee en een halve maand.'
'Zo, dat is heel wat!'
Jaap Scholten denkt even na. 'We zullen eerst even wat onderzoek doen, daarna praten we verder. Heb je een plas meegebracht?'
Dat heeft Nicolien en dokter Scholten kan aan het werk. Nicolien vertelt ook van het lichte gevoel dat ze soms heeft. Een kleine bloedtest wijst uit dat ze wat bloedarmoede heeft.
'Ik zal je staalpillen voorschrijven, Nicolien, dan wordt het wel

beter.' Wanneer dokter Scholten de zwangerschap inderdaad bevestigd heeft, trommelt hij even met zijn vingers op het bureau. 'Je hebt gelijk, Nicolien. Je bent zwanger. Eigenlijk had je al eerder moeten komen, maar ik begrijp dat je in Engeland liever niet meer naar een arts ging?'
'Zo was het wel, ja.'
Dokter Scholten kijkt haar even onderzoekend aan. 'Ik neem aan dat je er zo vlug mogelijk vanaf wilt. Gezien de tijd kan ik je adviseren om er dan ook zo snel mogelijk werk van te maken. Wat zeggen je ouders ervan?'
'Die weten nog niets.'
'Aha, maar je wilt het hen toch wel zeggen?'
'Dat zal wel moeten.'
'Nu ja, moeten... Kijk eens, Nicolien, je zou het in principe helemaal voor jezelf kunnen houden, daar ben je oud genoeg voor. Toch adviseer ik je om er met je ouders over te praten. Een abortus op zich is een heel gewone ingreep. Het gebeurt heel vaak. Normaal gesproken ben je er ook niet ziek van, hoogstens een paar dagen wat slap. Toch is het voor de toekomst beter om er met je ouders over te praten. Je zou jezelf namelijk een verwijt kunnen maken. Dat is niet nodig, een abortus is niet iets bijzonders zoals ik je al zei. Maar sommige vrouwen reageren heel emotioneel. Dat zouden ze waarschijnlijk ook doen na een blindedarmoperatie. En daarom is het goed wanneer het thuisfront op de hoogte is. Om je, zo nodig, op te vangen. Begrijp je?'
Nu schudt Nicolien nadrukkelijk haar hoofd. Dokter Scholten kijkt wat verwonderd. 'Je begrijpt het niet?'
'Jawel, maar... ik wil geen abortus.'
Even is het stil in de spreekkamer, dan zegt dokter Scholten: 'Dus je vriend en jij willen nu al een kind? Hebben jullie dat wel goed overdacht?'
'Nee.'
'Dat dacht ik wel.'
'U begrijpt me niet.' Nicoliens stem klinkt nu gejaagd. Nu moet ze alles zeggen. 'Ik heb er heel goed over nagedacht. Het is alleen anders dan u denkt. Ik heb namelijk geen vriend.'

Nu slaat Nicolien haar ogen neer. Ze schaamt zich omdat ze iets suggereert dat niet waar is. Jaap Scholten is wat gaan verzitten. Dit is erger dan hij dacht. Arme Sarah. Maar ook: arme Nicolien. Wat heeft er zich in Engeland afgespeeld?
'Kind, vertel me alles maar. Misschien kan ik je helpen.'
Nicolien hoort die vriendelijke stem. Ze weet dat dokter Scholten meent wat hij zegt en groot is de verleiding om nu alles te vertellen. Maar het mag niet. Anne's naam mag ze niet noemen, ze moet het plan dat ze uitgedacht heeft, uitvoeren. Er komt iets straks over haar. 'Er is niets te vertellen, echt niet. Ik ben in Engeland met iemand uitgeweest die ik niet eens ken.'
Nicolien zwijgt. Dat liegen zó moeilijk is.
Jaap Scholten kijkt het meisje voor hem nadenkend aan. Er klopt iets niet. Nicolien verzwijgt wat. Zou het soms een getrouwde man zijn, met wie ze een relatie heeft gehad? Zulke dingen komen helaas voor.
'Je hebt geen verkering? Of misschien ben je een tijdje omgegaan met iemand met wie je niet kunt trouwen of samenwonen?'
'Nee, er is niemand. Ik ben ook nooit met andere jongens... als u dat soms bedoelt.'
'Nee Nicolien, dat bedoel ik niet. Jij bent geen allemansvriend. Maar meisje, als het echt een ongelukje was, waarom wil je er dan niets aan laten doen? Wees toch verstandig. Jij hoeft van zo'n gebeurtenis niet de dupe te worden. Echt, de ingreep op zich stelt niets voor, als je daar soms bang voor bent. Jij bent nog zo heerlijk jong. Je kunt je gewone leven weer oppakken, terwijl je met een kind toch altijd gebonden zult zijn. Je wordt beknot in je ontplooiing, dat moet je goed begrijpen.'
Nicolien slikt. 'Ik heb al weken aan niets anders gedacht, maar mijn besluit staat vast. Ik wil geen abortus.'
Jaap Scholten ziet dat hij niet verder komt. 'Weet je wat, Nicolien. Je denkt er nog eens een paar dagen rustig over na. Spreek er ook met je ouders over. Je zult zien dat ze me gelijk geven. Echt, abortus is in jouw geval de meest voor de hand liggende oplossing. Wanneer je een besluit genomen

hebt, laat het me dan zo gauw mogelijk weten. Hoe eerder de ingreep plaatsvindt, hoe beter het is. Zullen we dan zeggen: tot over een paar dagen?'
Dokter Scholten gaat staan, steekt zijn hand uit. 'Sterkte, Nicolien.'
Nicolien drukt zijn hand en een paar tellen later staat ze buiten. Dan gaat ze lopen, haar fiets aan de hand. Niet in de richting van huis, ze kan nu nog niet naar huis gaan. Wat is ze slap geweest, slap en laf. Ze heeft die paar dagen bedenktijd immers niet meer nodig! Ze heeft toch al besloten? Dat had ze dokter Scholten moeten zeggen. Nu denkt hij dat ze nog twijfelt.
Of...? Nicolien versnelt haar pas. Twijfelt ze ook? Zijn de woorden van dokter Scholten niet een laatste strohalm? Wil ze dan toch dit kind weg laten halen? Dokter Scholten is arts. Hij weet toch wat het beste is? Als ze het kind laat komen, dan vergooit ze haar leven. Dat heeft hij niet met zoveel woorden gezegd, maar de betekenis van zijn woorden was duidelijk.
Wat later zit Nicolien in het park op een bank. Hoe lang is het geleden dat ze met Anne in een park zat? Toen was het nog behoorlijk koud. In haar kamer in het hotel was het warmer. Ze hadden elkaar zolang niet gezien. Nu is dat allemaal verleden tijd en zij zit met de brokken. Wat een rotwoord is dat: brokken!
Ze verwacht een kind. Een kind van Anne. Dat is toch geen brok, geen afval? Maar als ze het weg laat halen? Vernietigen? Afval kun je vernietigen. Dokter Scholten vindt dat heel gewoon. Een ongelukje immers, een vergissing. Zoiets moet je zo vlug mogelijk herstellen.
Wat zou hij zeggen als hij het wist van Anne? Zou dat verschil maken? Nee, vast niet. Anne is er immers niet meer. Anne kan haar ook niet ter verantwoording roepen. Ze moet nu zelf beslissen. Maar ze heeft beloofd... Geldt zo'n belofte nu nog wel? Het is Anne's bedoeling niet geweest om haar in moeilijkheden te brengen. Het voorstel van dokter Scholten is zo verleidelijk. Daar denkt ze immers zelf ook zo vaak aan.

Ze heeft wel heel flink gezegd dat ze geen abortus wil, maar waarom niet? Wat is meer waard, een belofte of een leven vol problemen? Maar als je iets beloofd hebt, mag je er dan nog over denken? Is ze niet stapel om daar zo'n probleem van te maken? Niemand weet wat ze beloofd heeft. Niemand hoeft het te weten. Zelfs haar ouders kan ze er buiten houden. Alleen Arnolds vader weet het. Zelfs wanneer ze het advies van dokter Scholten opvolgt, zal ze nooit meer met Arnold uitgaan. Ze mag hem geen enkele aanmoediging geven. Nee, dokter Scholten zal Arnold niets vertellen, maar hij zal misschien denken dat zij... Nicolien haalt diep adem. Nu al zijn de problemen levensgroot. Dat zal alleen maar erger worden. Of?

Het is rustig in het park. Vogels zingen. Een enkele wandelaar met een hond. Langzaam ondergaat Nicolien de invloed van haar omgeving. En dan komt de droom.
Zij vertelt het haar ouders. Die zijn boos. Natuurlijk zijn ze boos en verdrietig. Haar moeder is vooral verdrietig. Maar ook dat gaat over.
Vader zegt: 'Gedane zaken nemen geen keer. Je moet ermee leren leven.' Moeder zegt: 'We zullen je helpen, Nicolien. Nu je er alleen voor staat zullen wij je helpen om de kinderkamer in orde te brengen. Wat dacht je van Mellie's oude kamer? Die ligt naast de jouwe. Dat is gemakkelijk voor de toekomst. Je zult de eerste jaren toch wel thuis blijven wonen met zo'n kleintje.' Later, als het kind er is, een jongetje dat sprekend op Anne lijkt, is haar moeder trots omdat ze oma geworden is. Opa en oma. Grootouders zijn toch altijd trots op hun eerste kleinkind? Het kind kan overdag naar een crèche, zij kan dan een baan zoeken. Alles is goed. Dat kan toch?
Die dag klemt Nicolien zich wanhopig aan haar droom vast. Maar 's avonds... De maaltijd is goed en Marten heeft een prima humeur. Er zijn weer een paar zaken uitstekend geregeld, de gemeente heeft er zelfs financieel voordeel bij. Daar zal de wethouder blij mee zijn. Morgen nog even een laatste afhandeling.

Pas wanneer ze aan het toetje beginnen valt het hem op dat Nicolien wel erg stil is.
'En, dochter, vertel jij nu maar eens wat je vandaag gedaan hebt.' Nicolien krijgt een schok. Nu! 'Ik ben vanmorgen bij dokter Scholten geweest. Ik ben zwanger.'
Eén seconde ademloze stilte. Dan knalt Martens stem: 'Wát zeg je?' Zijn gezicht wordt vuurrood. 'Jij bent...?'
'Ja', vult Nicolien aan. 'Zwanger. Ik verwacht een baby.'
'Kind toch, je weet niet wat je zegt.' Sarah is werkelijk geshockeerd.
'En dat zeg je zo maar, zonder blikken of blozen?' Keihard klinkt Martens stem. De aderen op zijn voorhoofd zwellen.
Nicolien zwijgt, kijkt alleen haar vader aan. Haar ogen doen een beroep op hem. Maar Marten ziet alleen dat nest daar bij hem aan tafel. 'Zeg op, welke schoft heeft dat op zijn geweten?'
'Dat weet ik niet.'
'Jij weet dat niet?' Marten benadrukt ieder woord. Zijn aderen staan op springen. 'Jij duikt met een vent in bed en je weet niet wie dat is? Je bent toch geen hoer?' Zijn vuist dreunt op de tafel. Een lepel rinkelt tegen een schaaltje. 'Zeg op, wie is de vader?'
Nicolien zit te trillen op haar stoel. Dat het zo erg zou zijn. 'Ik heb toch gezegd dat ik het niet weet. Ik ben gewoon een avond uit geweest.'
'Noem je dat gewoon uit? Met de eerste de beste... weet je wat je bent? Een slet, een gore meid. Bah! Ik had gedacht dat mijn dochter meer eergevoel zou bezitten. Wat een sloerie!' Martens ogen bliksemen.
Nicolien kijkt schuw naar haar moeder. Maar Sarah is te zeer van haar stuk gebracht om ook maar iets te zeggen. Zenuwachtig gaan haar vingers over de zilveren servetring heen en weer, heen en weer. 'Ga naar je kamer', gebiedt Marten.
En Nicolien gaat. Als een klein kind laat ze zich sturen. Er bestaan geen dromen meer.
Wanneer ze de kamer verlaten heeft, staat Marten op. Hij

ijsbeert het vertrek door. Er knettert een vloek. Hierdoor ontwaakt Sarah uit haar verdoving.
'Marten.'
Maar Marten hoort nauwelijks de noodkreet van zijn vrouw. Was het werkelijk nog maar dit weekend dat hij zo genoten heeft van zijn gezin? Van zijn volmaakte gezin? En nu!! Weer is het Nicolien. Altijd Nicolien. Maar nu in de overtreffende trap. Zwanger! Alsof dat de gewoonste zaak van de wereld is. Wat een... Plotseling staat hij stil. 'Wist jij daarvan?'
Maar zodra hij Sarah's ogen ziet: 'Sorry, natuurlijk wist je dat niet. Wat moeten we nu?'
Sarah is ook opgestaan. Automatisch loopt ze naar het raam, kijkt naar buiten. Daar ligt haar tuin, die ze altijd zo zorgvuldig onderhouden heeft. Nicolien is zwanger. Heeft zij te weinig aandacht voor haar dochter gehad? Hadden ze haar niet naar Engeland moeten sturen? Jonge planten kunnen ook niet lange tijd zonder goede verzorging. Heeft ze gefaald waar het Nicolien betreft?
'Wat hebben we verkeerd gedaan?'
'Wel p...'
Marten slikt het woord bijtijds in. 'Dat moet er nog bijkomen dat je jezelf de schuld geeft. Er is hier maar één schuldige, dat is Nicolien zelf. Die meid heeft zich vergooit als een...'
Opnieuw ijsbeert hij de kamer door.
'We moeten iets doen, Marten. '
'Mooi gezegd, maar wat?'
Plotseling staat Marten stil. In een flits is er een beeld voor zijn ogen verschenen: Tinie achter haar typemachine. Dat hij daar niet direct aan gedacht heeft. Dat is de enige oplossing.
'Ik ga Jaap bellen.'
Marten gaat naar zijn werkkamer. Bijzondere gesprekken voert hij altijd daar.
Automatisch zet Sarah de nog volle schaaltjes op een blad. Wie kan er nu nog eten? Ze brengt het blad naar de keuken, klopt het kleed uit en zet een vaasje met bloemen op de tafel. De handelingen van iedere dag. Dan gaat ze naar de zitkamer. De terrasdeuren staan nog open, vogels zingen.

Maar de vrede is gebarsten.
Hoelang zit Nicolien nu al op de rand van haar bed? Wat is het erg, wat is het verschrikkelijk zoals haar vader reageerde. Wat heeft hij haar vernederd. Ze zou hem willen tegenspreken, bewijzen dat het niet is zoals hij denkt. Maar dat kan niet, dat mag niet. Zij zal die vernedering moeten ondergaan ter wille van Anne.
Later, veel later komt haar moeder boven. Sarah heeft zichzelf weer enigszins onder controle. Marten heeft, na het telefoontje met Jaap Scholten, de zaak met haar besproken. Zij is het met haar man eens. Dat is de oplossing voor Nicolien.
'Kom maar beneden, Nicolien. We willen met je praten. Meisje toch, wat doe je jezelf en ons aan.'
Natuurlijk gaat Nicolien mee. Zij is nu niet in een positie om tegen de draad in te gaan. Ze volgt haar moeder, de trap af, zitkamer in. Het is nog zo licht. Bijna de langste dag van het jaar.
Marten zit in zijn stoel.
Nicolien blijft bij de deur staan.
'Ga maar vast zitten, ik zal eerst voor koffie zorgen', zegt Sarah.
Het is alsof ik een vreemde ben die op bezoek komt, denkt Nicolien. Er heerst een nadrukkelijke stilte tot Sarah weer binnenkomt. Eén voor één worden de kopjes op tafel gezet. Engels porselein, Sarahs trots. Nog steeds zegt niemand iets.
Nicolien neemt haar kopje, maar haar handen trillen zo dat ze voor een voetbad zorgt. Hindert niet. Schotel eronder houden. Haar moeder zal er nu niets van zeggen.
Marten zet als eerste zijn kopje weer neer. Hard wordt het op de tafel teruggezet. 'Zo, en vertel nu eens eerlijk wat er gebeurd is.'
Nicolien zwijgt.
'Toe, we zullen er toch over moeten praten.' Sarah probeert Nicolien te overreden voordat Marten weer losbarst. Hij is nu eenmaal niet in staat om geduld op te brengen.
Nicolien kijkt haar moeder aan. 'Wat moet ik zeggen? Er is

helemaal niets te vertellen. Het is gewoon gebeurd.'
'Weet je zeker dat je hem niet kent, dat hij niet op te sporen is?'
'Ja.'
'We zullen bij mr. White informeren.'
'Die weet van niets. Ik was een paar dagen in Londen. Ik had vrij.'
Marten gaat verzitten. Nóg houden Sarahs ogen hem in bedwang. Hij kucht. 'Je hebt het vertrouwen dat je moeder en ik in je hadden ernstig beschaamd. Voor je eigen bestwil hebben we je naar Engeland laten gaan. We hadden niet gedacht dat je daar zulke dingen uit zou halen.'
Nicolien wil iets zeggen, maar Marten legt haar met een kort gebaar het zwijgen op. 'Stil, ik ben nog niet uitgesproken. Ik heb straks dokter Scholten aan de telefoon gehad, daarna hebben je moeder en ik de zaak besproken. Gelukkig zijn er niet meer mensen op de hoogte, we kunnen het dus nog intern houden. Dokter Scholten wil een afspraak voor je maken bij de kliniek van het ziekenhuis. Je moet daar zelf ook heen. Waarschijnlijk ben je volgende week al aan de beurt. Niemand hoeft te weten wat er aan de hand is. Ik huur ergens een vakantiehuisje en als alles achter de rug is, ga je daar een paar weken met je moeder heen. Daarna praten we er niet meer over. Zelfs Mellie en Tom hoeven het niet te weten.'
Nicolien heeft het gevoel dat er iets om haar heen sluipt. Iets dat haar straks zal bespringen.
'We menen het goed met je', zo vult Sarah Marten aan. 'Dit is werkelijk de beste oplossing. Nare dingen moet je zo gauw mogelijk weer vergeten, anders blijf je er maar verdriet van houden.'
'Nu, wat zeg je ervan?' Er klinkt ongeduld in Martens stem. Langzaam schudt Nicolien haar hoofd. 'Nee.' Het is nauwelijks te horen.
'Wat bedoel je?' Marten schiet vooruit in zijn stoel. Jaap heeft hem gewaarschuwd. Maar het is toch te gek wat die gezegd heeft? Hij moet Nicolien vanmorgen verkeerd begrepen

hebben. 'Nou?'
Nicolien zet de nagels van haar ene hand in de vingers van de andere. Nu moet ze volhouden, ze heeft het beloofd. 'Ik wil er niets aan laten doen.'
'Maar Nicolien', verwijtend kijkt Sarah haar dochter aan. 'Misschien ben je bang voor de ingreep, maar dat hoef je niet te zijn. Dokter Scholten heeft verteld dat het echt niets voorstelt. Maak je daarover maar geen zorgen.'
Nicolien kijkt haar moeder aan. Even is er de gedachte: als ik alles eens vertel... Maar moeder is vaders vrouw. Ze staan samen tegenover haar. En de tijd in Engeland heeft voor een afstand gezorgd, dat voelt Nicolien nu pijnlijk goed. Ze kijkt van haar moeder naar haar vader en gaat staan. 'Ik laat geen abortus uitvoeren, ik wil dit kind.'
'Praat niet zo dom over een kind', windt Marten zich op. 'Het is nog lang geen kind. Het is nog niets anders dan een cel.'
'Maar eens zal het een kind zijn.'
'Eens is nu nog niet.' Martens stem wordt hard. 'Ik regel dit en jij zult luisteren. Je gaat morgen naar dokter Scholten voor die afspraak.'
Er verstart wat in Nicolien. De man die daar voor haar zit, gedraagt zich niet als haar vader. Hij is een vreemde geworden. Iemand die over haar leven heersen wil. Die ten koste van alles zijn wil aan haar wil opleggen. Vroeger kon hij dat, voordat zij naar Engeland ging. Toen heeft ze, hoewel onder protest, gehoorzaamd. Maar tussen toen en nu ligt de herinnering aan Anne. Voor Anne is ze naar Engeland gestuurd. Terwille van Anne zal ze nu stand houden. Ze heeft het beloofd. En die belofte zal ze houden. Ze laat haar leven niet meer door haar vader sturen. De periode in Engeland heeft haar zelfstandig gemaakt. Ze zal volhouden, koste wat het kost.
Langzaam glijdt de angst van haar af. Er is nu geen twijfel meer. In plaats daarvan komt een gevoel van opluchting. En dan... hoe kunnen er in zo'n ernstige situatie zulke lichtzinnige gedachten in haar opkomen? Het is haar vaders eigen schuld. Had hij haar maar niet naar Engeland moeten

sturen. Het is zijn schuld dat Anne daar bij haar gekomen is.
Nicolien merkt niet dat er een flauwe glimlach over haar gezicht glijdt. Maar Marten ziet het wel. Hij staat ook op.
'Bliksemse meid, wat valt er te lachen? Je zult doen wat ik zeg.'
Nicolien kijkt haar vader aan. 'Ik zal morgen dokter Scholten bellen.'
'Dat dacht ik ook.'
'Nee, niet om wat u wilt. Ik zal hem zeggen dat ik geen abortus wil. Nooit!'
Na deze woorden heeft Marten zichzelf niet meer in bedwang. Hij doet een stap vooruit.
'Jij zult niets. Jij zult doen wat ik zeg.' Zijn stem beeft van woede.
'Weet u wat u had moeten doen? Toen mama van mij in verwachting was, had u haar een abortus aan moeten raden. Dan had u nu geen problemen gehad.'
Bij deze woorden grijpt Marten zijn dochter bij de schouders en schudt haar heftig heen en weer. 'Laat je moeder erbuiten. Wij hielden van elkaar.'
'U?'
Nicolien is nu door alles heen, haar stem slaat over. 'U weet niet eens wat het is om van iemand te houden. U houdt alleen van uzelf.'
Heviger schudt Marten Nicolien. Zijn gezicht wordt grauw.
'Marten, Nicolien, toe nu!'
Maar Marten en Nicolien horen Sarah niet eens. Als kampvechters staan ze bij elkaar.
'Toe maar, slaat u me nu maar. Dat wilt u toch?'
Marten hijgt. Dan laat hij Nicolien zo plotseling los dat ze wankelt. 'Bah, denk je dat ik mijn handen aan jou vuil zal maken? Als jij dan een slet wilt zijn moet je het zelf weten. Maar weet dit...', dreigend komt hij weer een stap naar voren.
'Weet dit goed. Als jij niet wilt luisteren, is er voor jou in mijn huis geen plaats meer.'
'Oh, wees maar niet bang dat ik hier blijf. Voor geen geld. Ik

zal u de schande van een onecht kind besparen. Ik zal wel uit uw leven verdwijnen. Dat wilt u toch zo graag? Gelukkig is Mellie er nog. Daar zullen ook wel eens kindertjes komen. Dan kunt u de lieve opa spelen.'

Nicolien gilt de laatste woorden bijna. Ze weet ook niet goed meer wat ze zegt. Ze wil alleen maar kwetsen, kwetsen, omdat ze zelf zo verschrikkelijk gewond is.

Dan pakt iemand haar bij de arm, rustig maar beslist. 'Nu ga jij naar je kamer en ik wil je vanavond niet meer zien. Kom eerst maar eens tot jezelf.'

Sarah heeft zichzelf schijnbaar volkomen in bedwang, wanneer ze Nicolien naar de kamerdeur brengt. 'Morgen praten we verder.'

Nicolien vliegt naar haar kamer, daar laat ze zich voorover op haar bed vallen en huilt zoals ze nog nooit gehuild heeft.

Hoofdstuk 5

'Waar zijn die oorbellen nu toch?'
Driftig rukt Mellie een la uit haar sieradenkastje, keert hem boven het tafeltje om. Als een bonte verzameling liggen daar de hangers, knopjes, groot en klein, goudkleurig, zilverkleurig en verder alle kleuren van de regenboog. Mellies dunne vingers zoeken gejaagd tussen het kleine goed. Ha, daar heeft ze er een, nu de andere nog. Ja, hier. Gelukkig. Ze slaakt een zucht van verlichting.
Deze paarse hangers passen precies bij de kleur van haar schoenen. Ze steken ook goed af bij het witte pakje dat ze draagt. En dat moet ook, ze moet er goed uitzien, want straks zal ze voor het eerst in het openbaar als burgemeestersvrouw een handeling verrichten. De opening van een zaak in baby- en kindermode.
Dat Tom niet zolang thuis kon blijven! Hij weet hoe zenuwachtig ze is. In plaats van een beetje medegevoel heeft hij haar uitgelachen. 'Misschien moet je als openingshandeling wel een slabbetje breien', zo heeft hij haar geplaagd. Tom kan soms onuitstaanbaar zijn. Maar dat breien is natuurlijk onzin. Ze hoeft alleen maar een lint door te knippen. Als ze nu de schaar maar niet laat vallen… Stel je voor, dat zou een eersteklas blunder zijn.
Hoe laat is het? Half drie. Om vijf voor drie komen ze haar halen. Zo, de oorbellen zitten. Mellie keurt haar spiegelbeeld. Ze tuit haar lippen. Zijn die niet te fel aangezet? Je moet in dit gehucht ook aan alles denken. Nee, het kan ermee door. Dat Tom ook niet gebleven is… Ze moet even wat drinken, ze heeft zo'n droge keel. Allemaal zenuwen.
Gelukkig hoeft ze geen speech te houden. Dan had ze het vast niet gedaan. In de badkamer drinkt Mellie voorzichtig, met het oog op haar pakje, wat water. Dan gaat ze naar beneden. In de hal heft ze beide handen in een theatraal gebaar omhoog. 'Klaar voor de strijd.'

Het is warm in de kamer, ondanks de neergelaten zonwering. Mellie gaat op het puntje van een stoel zitten, veert weer op, trekt een kleedje recht dat niet scheef ligt. Dat ze nu toch zo zenuwachtig is. Dan heeft Nicolien het toch heel wat gemakkelijker. Die ligt nu natuurlijk prinsheerlijk in een luie stoel in de tuin onder een parasol. Ze zal wel goed verwend worden nu ze weer thuis is. Ze zal haar vanavond eens bellen om te vragen wanneer ze komt. Dan kan ze gelijk vertellen hoe het vanmiddag is gegaan.

Mellie kan onmogelijk weten dat Nicolien al op weg is naar haar toe. De treinreis is warm en Nicolien heeft hoofdpijn, ondanks de pijnstiller die ze genomen heeft. Het kan ook moeilijk anders na zo'n slapeloze nacht. Nicolien heeft haar vader niet meer gesproken, ze is op haar kamer gebleven tot ze hem weg hoorde rijden.
Later heeft Sarah nog geprobeerd om haar tot andere gedachten te brengen. Ze heeft haar ook aangesproken over haar gedrag van gisteravond. 'Hij is je vader, Nicolien, vergeet dat niet. Hij zoekt het beste voor je.'
Maar Nicolien is niet aanspreekbaar. Na deze doorwaakte nacht weet ze één ding zeker: ze zal niet nog een nacht onder dit dak blijven.
'Ik ga een paar dagen naar Mellie', heeft ze gezegd.
'Doe dat en denk er nog eens rustig over na.'
Nicolien weet dat het geen zin heeft om weer te zeggen dat ze niet meer hoeft na te denken. Ook haar moeder zal het niet begrijpen.
'U vertelt Mellie toch niets?'
'Nee kind.'
'Echt niet?'
Sarah schudt haar hoofd. 'Ik beloof het je. '
Even kijkt Nicolien haar moeder strak aan, dan glanzen haar ogen. 'Fijn dat u dat zegt. '
'Ach kind.' Er gaat nu zoveel door Sarah heen. Zo kort is haar dochter nog maar thuis geweest en nu al zal ze weer vertrekken. En dat ze na zo'n ruzie gaat is zo erg. Deze nacht

hebben zowel Marten als zijzelf bijna niet geslapen. Ze heeft wel gemerkt hoe dikwijls hij zich omkeerde in de andere helft van het lits-jumeaux. Dat Nicolien ook niet naar hen luisteren wil... Moeten ze nu werkelijk zo uit elkaar gaan?

Nicolien zeult met haar tassen over het perron. Ze is later vertrokken dan ze van plan was. Er was ook nog zoveel te doen. Eerst dat gesprek met haar moeder. Daarna heeft ze gepakt, dingen die ze voor het weekend juist uitgepakt had. Ook is ze nog naar de bank geweest. Ze heeft een bedrag van haar spaarrekening op haar lopende rekening gestort. Ze weet immers niet hoe de komende weken zullen zijn en ze wil over haar geld kunnen beschikken.
Haar moeder heeft haar naar het station gebracht. Daar heeft Sarah op gestaan. Nu is dat alles achter de rug. Nicolien gaat op zoek naar de bus die haar naar Mellie's dorp brengen zal. Gelukkig, de bus staat er al. Wat zal Mel opkijken. Als ze nu maar thuis is. In geval van nood kan ze altijd het gemeentehuis bellen.
Tegen drieën stopt de bus in het centrum van het dorp. Nicolien werkt zich met haar bagage naar buiten. Ziezo, de laatste etappe. Ze wacht even tot de bus weer verder rijdt.
Mellie en Tom moeten vrij dicht bij het centrum wonen, maar ze heeft geen idee waar ze het zoeken moet. Eerst maar eens even de weg vragen. Nicolien slaat een winkelstraat in. Wat een drukte is het verderop. Zou daar wat gebeurd zijn? Een ongeluk misschien? Onwillekeurig loopt Nicolien er ook heen. Een winkelier staat voor zijn zaak.
'Weet u wat daar gebeurd is?'
'Daar is nog niets gebeurd, daar gaat wat gebeuren. De vrouw van de burgemeester opent daar een nieuwe winkel.'
'Hè?'
Nicolien hoort zelf hoe bête dit klinkt. Vlug knikt ze naar de winkelier, doet nog een paar stappen en staat dan weer stil. Een winkelopening is in zo'n dorp natuurlijk een hele gebeurtenis. Die Mel.
Zou Tom er ook bij zijn? Nicolien kan niet zien wat er

gebeurt, er staan teveel mensen voor. Wel kan ze nu horen wat er gezegd wordt. Iemand nodigt mevrouw Van der Griend uit tot de openingshandeling. Wat een idee dat daar op luttele meters afstand haar zusje staat. Als zij zich nu eens tussen al die mensen doordrong? Opzij, mensen. Hier komt de zwangere zus van de burgemeestersvrouw aan. Het contrast is te groot. Mellie is een gerespecteerd figuur in deze samenleving. En zijzelf? Wat zouden al deze mensen van haar zeggen als ze het wisten? Zoiets is in een dorp immers veel erger.
Er wordt geklapt.
Nicolien draait zich om en loopt met haar bagage, die al zwaarder wordt, terug. Voor haar zullen de mensen nooit klappen. Haar zullen ze nawijzen.
Op de hoek van de straat is een café-restaurant. Nicolien gaat erbinnen en aan een tafel bij een van de ramen gaat ze zitten. Er zijn geen andere bezoekers.
Misschien komt Mellie hier straks langs. Dan kan ze tegen het raam tikken. Nee, natuurlijk doet ze dat niet, Mellie zal wel niet alleen zijn.
Een ober komt, Nicolien bestelt koffie. Ondanks de warmte heeft ze nu een hevige trek in koffie. Dat is vast abnormaal. Ze heeft wel eens gehoord dat zwangere vrouwen nooit koffie drinken en dat ze altijd misselijk zijn. Maar zij heeft nergens last van. Zou dat soms betekenen dat er iets niet goed met haar is? Of met het kind? Daar heeft ze nooit aan gedacht. Stel je voor, als haar kind eens gehandicapt is, lichamelijk of geestelijk. Of allebei? Dat komt toch ook voor? Wat moet ze dan? Een gehandicapt kind kun je niet zo gemakkelijk in een crèche onderbrengen. En zij moet toch werken, anders kan ze niet voor haar kind zorgen.
'Eigen schuld', zal haar vader zeggen als hij het hoort. En heeft hij dan geen gelijk? Ze kan er nu nog wat aan laten doen. Dokter Scholten vindt dat vanzelfsprekend. Iedereen vindt zoiets vanzelfsprekend. Maar zij vindt een belofte belangrijker. Is dat niet onwijs?
Zal ze er eens met Mellie over praten? Mellie is toch haar

zusje? Maar Mellie staat nu zover van haar af. Mellie leeft als in een sprookje. Het sprookje van de twee zusjes. Er waren eens twee zusjes. Ze woonden in een klein land aan de grote zee. Het ene meisje was knap, lief, gehoorzaam en werd door iedereen bemind. Ze trouwde met een knappe man (hm, zó knap vindt ze Tom nu ook weer niet, maar in sprookjes behoort zo iemand knap te zijn). Dat ene meisje trouwde dus met een knappe, jonge burgemeester, de knapste van het land. Het meisje was érg gelukkig. Ze verrichtte openingen van winkels, hotels, schouwburgen, enz. enz. Iedere dag stond haar foto in de krant. Het hele land kende haar en ze werd door iedereen op handen gedragen.
Het andere meisje was niet knap, niet lief, maar eigenwijs. Ze wilde altijd dingen doen die anderen niet deden. Daarom kreeg ze ruzie met iedereen. Er was maar één persoon geweest die haar liefhad... Nicolien gaat verzitten. Het heeft geen zin om stomme verhaaltjes te bedenken, want haar gedachten komen toch altijd bij Anne uit.

't Wordt drukker op straat, de scholen gaan zeker uit. Als zij haar kind laat komen, staat ze over ruim vier jaar ook bij een school te wachten. Bespottelijk idee.
Mellie zal nog wel een tijdje in die winkel blijven. Ze moet alles natuurlijk bekijken en de nodige hapjes en drankjes wegwerken. Wat voor een zaak zal het zijn? Een slijterij? Vreemd dat ze daar het eerst aan denkt. Komt zeker door die drankjes. Maar zo'n winkel is het vast niet, want dan hadden ze Tom beter kunnen vragen. Het zal wel een boekhandel zijn of zo iets. Kan haar ook niet schelen, niets kan haar meer schelen. Ze wou dat ze in bed lag en kon slapen.
Op een andere tafel liggen wat kranten. Ze kan wel iets gaan lezen, dat leidt misschien wat af. Nicolien staat op, neemt een blad en gaat weer zitten.
Het is blijkbaar een plaatselijk krantje. Uitgave van de handels- en middenstandsreclamevereniging staat er boven. Zal best interessant zijn voor de plaatselijke bevolking. Een

advertentie van een speciaalzaak in groente en fruit. Ze bieden ook verse eieren aan. Dat is wel even iets anders. Maar misschien ziet ze straks een advertentie van een eierboer die kiwi's aanbiedt. Een echtpaar is vijftig jaar getrouwd. Het echtpaar heeft vier kinderen, twee dochters en twee zoons, veertien kleinkinderen en een achterkleinkind. Goed dat die opa zijn kinderen geen abortus aangeraden heeft, anders had hij nooit een achterkleinkind gekregen.
Nicolien slaat een blad om, een topslagerij adverteert naast een aannemersbedrijf. Er staat een stukje over de gemeente. Dat doet haar teveel aan haar vader denken. Weer slaat ze om. Daar. Opening baby- en kinderkledingzaak 'Klein Duimpje'. Mevrouw M.A. van der Griend-Nordholt opent dinsdagmiddag om drie uur de nieuwe baby- en kinderkledingzaak 'Klein Duimpje'. Nicolien perst haar lippen op elkaar. Welk noodlot heeft dit zo geregeld? Is het niet om te gillen? Mellie opent een winkel in babymode. Daar hadden ze háár beter voor kunnen vragen. Dat was veel toepasselijker. Mejuffrouw Nicolien Nordholt, mogen we u als blijk van erkentelijkheid een van onze mooiste babytruitjes aanbieden? Was- en kleurecht.
Ze moet verder lezen, anders wordt ze echt gek. Advertenties van een autohandel, een Rabobank, weer een slagerij. Hoeveel slagerijen heeft zo'n dorp eigenlijk? De opbrengst van een collecte. Politieberichten. Nieuws over sportclubs. Die zullen ook wel gauw stilliggen. Weer slaat Nicolien om. Medewerker/ster gezocht in een supermarkt. Dat zou iets voor haar zijn als ze hier woonde, want een Havo-diploma stelt nu ook weer niet zoveel voor. Kan ze Tom mooi als referent opgeven. Nee, dat kan ze Mellie niet aandoen. Een zus in een supermarkt haalt haar waardigheid omlaag.

Op een van de laatste pagina's trekt een klein bericht plotseling Nicoliens aandacht. 'Hulp aan zwangere vrouwen.' Ze krijgt er een schok van en leest haastig verder. *Op donderdag houdt de VBOK, vereniging ter bescherming van het ongeboren kind, een voorlichtingsavond in café-restaurant 't Hoekje. Aanvang 20.00*

uur. Belangstellenden hartelijk welkom. Nog eens leest Nicolien het korte bericht. Het is of het daar speciaal voor háár staat. Twee woorden springen naar voren, hulp en bescherming. Hulp zal zij ook nodig hebben als zij het kind zal laten komen. En het kind heeft bescherming nodig, nu al. Iedereen wil immers dat ze het weg laat halen.
Iedereen, behalve Anne. Anne zou het nooit willen. En ze heeft het beloofd. Nicolien prent het bericht in haar hoofd, dan staat ze op. Ze heeft nu geen rust meer om te blijven zitten. Aan de ober vraagt ze naar de Larixlaan. Die is gemakkelijk te vinden. Tien minuten lopen, dan is ze er. Ze herkent het huis van Mellie en Tom. Er is niemand thuis, natuurlijk niet. Maar in de achtertuin staan de tuinmeubels, keurig in een kring. Bij Mellie is alles keurig. Er ligt een kleedje over de tafel. Ook onpraktisch, stel dat het gaat regenen.
Nicolien zet haar bagage neer, zoekt een gemakkelijke stoel uit en sluit haar ogen. Wat zal er donderdagavond allemaal verteld worden? Zijn er misschien alleen maar kerkmensen? Die zijn toch tegen abortus? Ze voelt zich daar vast niet thuis. Maar ze zal er heengaan. Niemand kent haar hier, niemand...
Verwonderde stemmen dringen tot haar door. Nicolien opent haar ogen, weet even niet waar ze is, want vader kwam met een knots op haar af. 'Ik zal je het ziekenhuis inslaan, daar weten ze wel raad met je.'
Iets van haar angst staat nog op haar gezicht te lezen.
'Nou nou, dat was ook geen prettige droom.' Toms lachende stem. 'Was je de bank aan het beroven? Je keek zo benauwd.'
'Hoe kom jij hier?' Dat is Mellie.
Verdwaasd komt Nicolien overeind. Nu weet ze alles weer. 'Ik heb geslapen.'
'Noem je dat slapen? Dat was gewoon hout zagen. Op de weg konden we je al horen', plaagt Tom.
'Hè Tom, doe niet zo banaal. Dat is helemaal niet waar, Nicolien. We zagen je pas toen we al in de kamer waren.'
Nicolien begroet haar zus en zwager, vertelt dat ze een paar

dagen komt logeren. 'Kan dat? Het leek me leuk om jullie te verrassen.' Dat is een leugen, maar dat kunnen zij niet weten.
'Natuurlijk kan het. Maar we moeten nog wel eens weg.'
'Dat hindert niet, ik vermaak me wel.'
Tom brengt Nicoliens bagage naar binnen. Mellie haalt wat te drinken en dan zitten ze gezellig bij elkaar. Zo hoort het ook. Mellie vertelt wat ze deze middag heeft gedaan.
'Ze hebben in die zaak zulke leuke kleertjes. Je moet morgen eens mee gaan kijken, Nicolien.'
'Denk je werkelijk dat Nicolien daar belangstelling voor heeft? Dat komt pas als ze zelf getrouwd is.'
Toms woorden, hoewel plagend bedoeld, doen Nicolien pijn. Ze zal immers nooit trouwen, zo'n slet als zij is. Want zoals vader denkt, zullen anderen ook denken.

De avond wordt een bezoeking voor Nicolien. Gelukkig kan ze, vanwege haar hoofdpijn, vroeg naar bed. En de slaap, dit keer zonder dromen, brengt vergetelheid.
De volgende dagen worden door Mellie goed geprogrammeerd. Ze vindt het echt leuk dat Nicolien er is en ze heeft het idee dat ze haar zus bezig moet houden. Ze doen samen boodschappen, fietsen door de omgeving die werkelijk mooi is. Ze gaan een keer naar de stad winkelen en zitten lang op een terrasje.
Nicolien vindt alles best. Er is eigenlijk maar één vraag die haar bezighoudt. Waar moet ze heen als ze bij Mellie weggaat? Maar moet ze hier wel weg? Ze kan Mellie vragen of ze hier mag blijven tot het kind er is. Zal Mellie dat goedvinden? En Tom? Het huis is groot genoeg, vijf slaapkamers. Zij staat dus andere logés niet in de weg.
Maar als vader en moeder eens komen? In geval van nood kan ze naar een hotel gaan, desnoods in een andere plaats, want ze wil haar vader niet meer zien. Ondertussen kan ze dan uitkijken naar werk en kamers, want ze wil toch op zichzelf gaan wonen. Wanneer zal ze er met Mellie over praten? Mellie vindt het vast leuk, ze is zo enthousiast over

die babyzaak.
Maar Nicolien stelt het gesprek uit. Onbewust is er een vage angst. Als Mellie het eens niet goedvindt? Wat moet ze dan? Er zijn genoeg kennissen, maar bij kennissen kun je niet met zo'n boodschap aankomen.
Woensdagavond gaan Mellie en Tom tennissen. Mellie wil dat graag. 'Je gaat toch wel mee, Nicolien?' Natuurlijk gaat Nicolien mee, maar ze wil zelf de baan niet op. Vanaf de kant kijkt ze naar de spelers. Als ze nu eens wél ging tennissen? Bij al die sprongen is de kans op een miskraam vast groot. Ze ziet het al, al dat bloed op de baan. Mellie in alle staten.
Andere bezoekers spreken haar aan. Nicolien antwoordt beleefd, maar haar gedachten zijn er niet echt bij. Na een half uur vraagt ze Tom om de sleutel.
'Ik wandel vast naar huis.'
'Ik wil je wel brengen, heb je weer hoofdpijn?'
'Nee, maar ik wil graag wat lopen.'
Bezorgd kijkt Tom zijn schoonzusje na. Er is wat met Nicolien, dat weet hij nu zeker. Vreemd dat Mellie daar geen erg in heeft. Zal hij zijn schoonouders eens bellen? Nee, toch maar niet doen. Misschien lost het zich vanzelf wel op.

Door de avond loopt Nicolien. Wat is het rustig in zo'n dorp, er is bijna geen verkeer. Dat is in de stad wel anders. Zal ze er morgen met Mellie over praten? Nee, eerst morgenavond maar afwachten. Ze wil Mellie niet zeggen waar ze heengaat. Hoe zal ze dat aanpakken?
Maar het probleem lost zichzelf op. Mellie en Tom moeten de volgende avond weg. Om half acht al wuift Nicolien hen na. Nu alles afsluiten. Ze kan het risico niet lopen dat er ingebroken wordt door haar schuld.
Om kwart voor acht gaat Nicolien de deur uit. 't Hoekje is de zaak waar ze maandagmiddag gezeten heeft, tien minuten lopen maar. Toch wat beschroomd gaat Nicolien erbinnen. Wàt zullen de mensen denken als een meisje naar zo'n avond gaat? De zaal lijkt heel anders. Dat komt omdat de gordijnen gesloten zijn, dikke groene gordijnen hangen voor de ramen.

De lampen branden. Er zitten mensen aan tafeltjes. Voor in de zaal staat een scherm, vandaar natuurlijk de gesloten gordijnen. Film of dia's.
Nicolien gaat aan een leeg tafeltje achteraan zitten. Ze is blijkbaar de laatste. De ober brengt haar koffie. Nee, ze hoeft niet te betalen. Iemand gaat achter een lessenaar staan. Hij heet de aanwezigen welkom, vertelt dan van het doel en het werk van de VBOK. Bescherming van het menselijk leven. Dat leven, dat niet pas bij de geboorte begint, maar direct vanaf de bevruchting. Dit leven, dat geen cel, geen propje slijm is, maar een uniek mens. En voor behoud van dit leven werkt de VBOK. Dit leven, dat zichzelf nog niet kan verdedigen. Dit hulpeloze leven, afhankelijk van volwassen mensen. Men wil de moeders helpen die dit leven dragen. Aanstaande moeders die het niet meer zien zitten of door hun omgeving min of meer gedwongen worden om een abortus te laten uitvoeren.
Nicolien zit op scherp. Door de woorden van de spreker heen hoort ze haar vaders bulderstem: 'Ik regel dit en jij zult luisteren.'
Even is er alleen een gesuis in haar hoofd, dan dringt de stem van de spreker weer tot haar door. Er wordt uitgelegd wat een abortus provocatus via de zuigcurettage inhoudt. Eerst wordt het kleine lichaam van het hoofd losgerukt. Dan worden een voor een de lichaamsdelen weggehaald. Het hoofdje wordt eerst met een tang in elkaar gedrukt, anders is het te groot.
Deze vreselijke dingen wil Nicolien helemaal niet horen. Ze heeft genoeg fantasie om het voor zich te zien, een uiteengerukt kind, dat stukje voor stukje uit je lichaam gezogen wordt. Het is of ze ergens onder in haar buik een weeë pijn voelt. Dat is natuurlijk onzin, ze moet het zich allemaal niet zo aantrekken.
Voor de pauze zullen er nog twee korte films getoond worden. De spreker waarschuwt voor de schokkende beelden van de eerste film. En schokkend zijn ze, vooral de laatste beelden van de eerste film. Een tafel waarop kleine armpjes

en beentjes liggen. Een vuilniszak in een afvalemmer, vol kinderlichaampjes, hoofdjes. Het is doodstil in de zaal.
Nicolien knijpt haar armen blauw. Ze zou willen gillen, haar ogen sluiten, om dat erge maar niet te zien. Want achter die aborteurs ziet ze haar vader. Even is er de gedachte: hij weet dit niet. Haar vader kan dit vreselijke niet weten. Zou hij zijn eigen kleinkind zo uit elkaar laten scheuren? Maar direct daarna: dokter Scholten weet dit toch wel, hij is arts en hij vindt het een heel gewone ingreep. Zou haar vader dan niet…?
De tweede film begint. Volgens de spreker is het verhaal echt gebeurd, maar voor de film nagespeeld door anderen. Het gaat over een zwanger meisje dat zelfmoord wil plegen. Gelukkig wordt ze in een pleeggezin opgevangen. Het slot is een gelukkige jonge moeder met een gezonde baby.
Nicolien voelt zich beroerd ondanks de goede afloop. Ze knippert tegen het licht van de lampen die weer aangaan.

Er is nu een kleine pauze, daarna kunnen er vragen gesteld worden. De mensen komen in beweging. Ook Nicolien gaat naar de tafels met folders.
'Je mag er rustig wat meenemen, daar liggen ze voor', zegt een vrouw achter de tafel.
Nicolien doet het. Dan ziet ze de foto. Een klein mensje in een glazen pot. Drie en een halve maand na de bevruchting, staat er achterop. Nicoliens handen trillen wanneer ze de foto vastheeft. Nog een paar weken, dan ziet haar kind er dus al zo uit.
Ze weet nog maar een ding, ik moet hier weg. Zo vlug mogelijk. Straks val ik flauw. Het is zo licht in haar hoofd als ze de zaal doorloopt, de hal door. Eindelijk buiten in de frisse lucht. Wat is het nog licht. Ze haalt diep adem. De frisse lucht doet haar goed, het lichte gevoel trekt weg. Nu naar huis en naar bed voordat Mellie en Tom terugkomen. Ze kan nu niet met hen praten. Ze moet eerst verwerken wat ze allemaal gezien en gehoord heeft.

Het is zo rustig buiten. Een paar jongens op de fiets, een ouder echtpaar dat wandelt. Verder niemand. Zit iedereen nu voor de televisie? Weet niemand dat zij hier loopt met een hoofd en een hart vol bange vragen?
Gelukkig is er nog niemand thuis. Nicolien gaat regelrecht door naar haar kamer. Daar zit ze op de rand van haar bed, de foto in haar handen. Zo'n klein, klein kindje draagt ze bij zich en haar vader wil dat ze het laat vermoorden. Hoe kan hij? Nu begrijpt ze plotseling iets van Anne. Waarom hij aandrong op haar belofte. Oh Anne, als je toch eens wist…
Wanneer Mellie en Tom thuiskomen, doen ze rustig aan, omdat Nicolien al slaapt. Ze weten niet dat Nicolien weer een slapeloze nacht ingaat. Pas tegen de morgen valt ze in slaap, ze wordt pas wakker als Mellie haar kamer inkomt.
'Nee maar, wat kun jij slapen, zeg. Het is al tien uur. Ik heb de koffie klaar. Kom je zo beneden?'
Natuurlijk staat Nicolien op. Even vlug-vlug een douche. Er zit weer zo'n zware bank in haar hoofd. Nu moet ze met Mellie praten.
'Je ziet er verpieterd uit', ontdekt Mellie wanneer Nicolien binnenkomt.
'Dat klopt. Ik ben... ik ben zwanger en ik wil je vragen of ik tot aan de bevalling bij jou en Tom mag wonen.'
'Wat? Je bedoelt…?' Mellie krijgt een kleur van schrik.
Maar Nicolien herhaalt haar woorden niet. Afwachtend blijft ze staan, midden in de kamer.
'Moet jij een...? Van wie dan wel?'
'Van niemand.'
'Doe niet zo gek.'
'Ik weet niet van wie, ik ken hem niet', zegt Nicolien vermoeid.
'Wat idioot. Je maakt zeker een grapje.'
'Nee, it's the truth, nothing but the truth.'
Mellie ziet dat Nicolien het meent. 'Weten vader en moeder dat?'
'Ja.'
'Wat zeggen die?'

'Niets.'
'Dat geloof ik niet.'
'Nu ja, ze willen dat ik het laat vermoorden.'
'Zeg niet zulke gekke dingen.'
'Het is zo.'
Mellie speelt zenuwachtig met haar ring. Wat Nicolien zegt, is zo absurd.
'Je bedoelt dat ze je een abortus aanraden?'
'Ja.'
'Nou, dat is in jouw geval dan wel het beste. Een kind, terwijl je niet eens een vriend hebt. Hoe kom je erbij? Schaam je je niet?'
'Nee.'
'Nou, dan ben je helemaal crazy. Maar je moet niet denken dat je al die tijd hier kunt blijven. Stel je voor. Dat zou een blamage voor Tom zijn.'
Mellie kijkt naar haar zusje alsof die aan een besmettelijke ziekte lijdt.
Nicolien staat doodstil. Opnieuw krijgt ze een dreun. Met Mellie's woorden is haar laatste hoop verdwenen. Ze draait zich om en gaat de kamer uit, de hal door naar de voordeur.
'Waar ga je heen?'
Maar Nicolien geeft geen antwoord. Ze moet lopen, lopen, lopen, net zo lang tot ze weer rustiger wordt.

Mellie staat in tweestrijd. Moet ze Nicolien nagaan? Maar een gevoel van trots weerhoudt haar. Wat denkt Nicolien wel? Zwanger!! En dat zonder vriend! Verschrikkelijk. En zo'n kind nog willen houden ook. Vader en moeder hebben groot gelijk. Nicolien moet haar kopje maar eens leren buigen. Wacht, ze zal naar huis bellen. Maar thuis neemt niemand de telefoon op. Jammer.
De tijd verstrijkt. Nicolien komt niet terug. Die wil haar natuurlijk in angst laten zitten. Nu, dat zal haar niet lukken. Ze gaat de planten water geven en honderd andere dingen doen.
Rond half twaalf komt Tom thuis. Wat is hij vroeg. Hij geeft

haar wat gejaagd een kus. 'Waar is Nicolien?'
'Nicolien? Oh, die is de deur uitgelopen.'
Tom verbleekt, maar dat merkt Mellie niet.
'Moet je horen, ze heeft me verteld dat ze notabene zwanger is. En ze weet niet eens van wie. Vader en moeder willen dat ze zich laat aborteren, maar dat wil ze zelf blijkbaar niet. Ze vroeg of ze tot de bevalling hier mocht blijven. Stel je voor, hier!' Er klinkt verontwaardiging in Mellie's stem.
Tom hoeft niet te vragen hoe haar reactie is geweest. 'Egoïste.'
'Ja, egoïstisch, hè?'
'Nee, jíj bent een egoïst.' Er zit een dreiging in Toms stem. 'Waarschijnlijk ligt je zusje op dit moment in het ziekenhuis.'
Nu verbleekt Mellie. 'Hoe?'
'De politie kwam bij me. Er is in onze gemeente een jonge vrouw aangereden. Niemand weet wie het is, want ze was buiten bewustzijn. Ik moest direct aan Nicolien denken. Die was deze dagen zo anders.'
'Anders?' Mellie's stem klinkt hoog.
'Ja, dat moest jou als haar zus toch opgevallen zijn.'
Mellie zwijgt bij deze terechtwijzing. Ze is ook van haar stuk gebracht. Nicolien een ongeluk? Hoe erg zal het zijn? 'Wat moeten we nu doen?' vraagt ze kleintjes.
Dit vertedert Tom. Hij slaat zijn arm om haar heen. 'Ik ga nu met een agent naar het ziekenhuis. Zodra ik iets weet, bel ik je op.'
'Mag ik mee?'
'Nee, beter van niet. Het is nog niet zeker dat het Nicolien is. Ik ga nu direct. Tot straks.'
'Ja, tot straks.'
Een vlugge zoen, dan kijkt Mellie haar man na.

'Goed zo, doe je ogen maar open. Word maar eens wakker.' Iemand tikt tegen haar wang. Is het dan al weer morgen? 'Doet dit pijn?'
Nee, waarom zou dat pijn doen? Nicolien zegt dit niet, maar

ze denkt het. Waarom staan er zoveel witte mensen om haar heen? Nee, het zijn natuurlijk geen witte mensen, ze dragen alleen witte kleren. Witte ziekenhuiskleren. Ziekenhuis...
Nicolien maakt een wilde beweging. Nu voelt ze toch pijn in haar been en in haar rug. Wat doen ze met haar? Heeft ze toch een abortus? Of gaat dat nu beginnen? Ze slaat van zich af. 'Ga weg, blijf van me af. Ik wil niet...'
'Stil maar, we onderzoeken je alleen. Je bent tegen een auto gevallen. Weet je dat niet meer?'
Nee, natuurlijk weet ze dat niet. Het is ook niet waar. Ze ziet helemaal geen auto. Of toch? Het is of ze heel vaag een claxon hoort en piepende remmen. Waarom praat die man toch nog steeds? Hoe ze heet? Anne. En waar ze woont? Nergens. Handen die haar ondertussen onderzoeken.
'Heb je hoofdpijn?'
'Ja.'
'Ben je duizelig als je overeind komt?'
'Ja.'
'Misselijk misschien?'
'Natuurlijk niet. Alleen zwangere vrouwen zijn misselijk.' De arts onderdrukt een lach. 'Doet dit pijn?'
'Nee, au, ja toch.'
Eindelijk is het onderzoek klaar. 'Nu moet je goed luisteren, Anne.'
'Ik heet geen Anne.'
'Nee? Hoe heet je dan?'
'Nicolien.'
'Weet je dat zeker?'
'Ja natuurlijk.'
'Wel, Nicolien dan. Je hebt een aanrijding gehad die gelukkig goed is afgelopen. Ik constateer voorlopig alleen wat gekneusde ribben en een hersenschudding. Verder heb je een flinke beenwond en wat lichte schrammen. Je bent er dus werkelijk goed vanaf gekomen. Maar voor de zekerheid zullen we je hier een paar dagen houden. Afgesproken? Maar nu moet ik nog wel weten waar je woont, dan kunnen we je ouders of andere familieleden bericht sturen.'

Nicoliens hoofd lijkt een draaimolen. Van een ongeluk kan ze zich niets herinneren, al moet het wel zo zijn. Hoe komt ze anders gewond hier? Maar haar adres opgeven? Wat gebeurt er als ze haar adres geeft? Dan komt haar vader. En vader zal er wel voor zorgen dat de dokter... dat mag niet. Onrustig gaan haar ogen langs de mensen om haar bed. 'Ik weet het niet.'
Zoiets geeft natuurlijk problemen, maar de arts blijft rustig. 'Wel, Nicolien, dan ga je eerst maar eens fijn uitrusten en als je het straks weer weet dan vertel je het ons.'
Nicolien knikt. Straks, dat is nog zover weg. Ze voelt zich zo moe. Ze wordt in een bed gelegd en weggereden, gangen door naar een zaaltje. Vaag ziet ze andere mensen in witte bedden. De zusters vertellen nog een paar dingen die niet tot haar doordringen, dan gaan ze weg.
Nu moet ze nadenken over wat er is gebeurd, maar het is zo'n warboel in haar hoofd. Het hamert en klopt. Straks weten ze waar ze woont. Dan komt haar vader hier met de dokters praten. 'Natuurlijk, meneer Nordholt, een abortus is de beste oplossing. Nu Nicolien hier toch is zullen we er meteen aan beginnen. Ze merkt er niets van, daar hebben we spuitjes voor. Dokter Scholten heeft ook overal een spuitje voor.'
Rammelt daar al iemand aan de deur? Met grote ogen staart Nicolien naar die deur, bevangen door een panische angst.
'Nee', gilt ze en begint dan hysterisch te huilen. Ze moet hier weg, voordat de dokter haar komt halen. Ze wil geen abortus. Al gillend gaat ze haar bed uit. Niet naar de deur, daar is het gevaar. Het raam! Misschien staat Anne wel buiten op haar te wachten. De vensterbank is zo hoog, ze probeert erop te klimmen om het raam te openen. Maar dat lukt niet. Haar rug doet ook zo'n pijn. Plotseling voelt ze dat iemand haar vastpakt. Er wordt wat tegen haar gezegd, maar in haar angst hoort Nicolien dat niet.
'Laat me los, ik wil naar Anne.'
Maar er zijn nu meer handen die haar vastpakken. Nicolien slaat en trapt van zich af. Ze voelt geen pijn meer. Er is alleen die ontzettende angst die haar doet gillen: 'Anne, Anne!'

Dan zijn er sterkere handen die haar vastpakken en vasthouden. Ze voelt een prik in haar arm. Haar kracht vermindert, ze wordt zo moe. Nu wil ze wel weer in bed liggen. Anne is er toch niet. Ze voelt dat ze weggereden wordt, dan is er niets meer.

Hoofdstuk 6

Nacht in het ziekenhuis. Ogenschijnlijk is alles in diepe rust. Toch zijn de dienstdoende broeders en zusters de hele nacht in de weer. Vooral als er zulke rumoerige patiënten zijn, zoals er nu weer een op het kleine kamertje ligt. Ze hebben de hele dag de handen vol aan haar gehad. Gelukkig dat er kalmeringsmiddelen zijn, maar ook die mag je maar beperkt toedienen.
Broeder Gert Jaght heeft bij het begin van zijn dienst ook de gegevens van deze patiënte doorgenomen. Een zuster vult mondeling de gegevens aan. 'Het is een schoonzusje van burgemeester Van der Griend. Die is hier vandaag zelf twee keer geweest. Ook haar moeder is hier vanavond geweest, maar patiënt Nordholt wordt hysterisch als ze een familielid ziet. Ze is zwanger en misschien heeft dat ermee te maken. Ze zal wel de schande van de familie zijn, 't arme schaap. Psychisch volledig in de knoei. Moet door rust genezen. Sterkte vannacht.' De zuster vertrekt met een armzwaai.

Gert Jaght werkt al een aantal jaren in dit ziekenhuis. Hij doet zijn werk met hart en ziel, leeft misschien wel eens teveel met zijn patiënten mee. Hij kan niet, zodra hij het ziekenhuis verlaat, de zorgen achter zich laten. Hij neemt ze mee naar huis. Zo zijn ook de gegevens over deze Nicolien Nordholt voor hem meer dan een zakelijke informatie.
Zodra het even kan, neemt hij poolshoogte in het kleine kamertje. Hij ziet dat de patiënte slaapt, tenminste, als je dit slapen kunt noemen. Geen seconde ligt ze stil. Lang kijkt hij naar dat meisjesgezicht. Zo jong lijkt het, zo hulpeloos, het rossige haar vochtig om het hoofd. Een klein krulletje bij het ene oor.
Voorzichtig verlaat hij het kamertje. Een andere patiënt heeft hem nodig. Met vaardige handen helpt broeder Jaght. Praat even met de ene, brengt een slaaptabletje bij een andere

patiënt. Er is zoveel te doen, zoveel te troosten. Hoe zouden de nachten door te komen zijn als er geen broeders en zusters waren?
Tegen tweeën is het even rustig. Tijd voor koffie en een praatje. Maar al na vijf minuten is het mis in de kleine kamer. Met z'n tweeën gaan ze erheen. Nicolien Nordholt zit op de rand van het bed. Vijandig kijkt ze naar de mensen die binnenkomen.
'Ga weg, ik wil hier weg.'
'Maar dat kan nu toch niet', praat de zuster opgewekt. 'Het is midden in de nacht.'
'Dat kan best, ik neem een taxi.'
Nicolien slaat de hand van de zuster weg. 'Ga weg, ik wil niet liggen.' Ze rilt plotseling.
'Zie je wel, je wordt koud boven de deken. Ga maar weer liggen. Heus, over een paar dagen mag je naar huis.'
'Nee, ik wil nu weg. Waar zijn mijn kleren? U hebt mijn kleren weggestopt. '
'Welnee, die hangen in de kast. Je mag ze aan als je naar huis gaat.'
'Ik ga nu!'
Voor de zuster er op bedacht is, staat Nicolien naast haar bed. Maar haar gewonde been protesteert. Met een kreet van pijn krimpt ze ineen.
Gert Jaght heeft zijn collega laten begaan. Zo heeft hij even tijd om de patiënte te observeren. Hij ziet aan haar wilde ogen dat ze ergens bang voor is. Maar waarvoor? Zodra ze van haar bed afwipt, schiet hij toe. Net op tijd om haar op te vangen. Zijn collega fronst de wenkbrauwen. Ze is niet een van de geduldigsten en een eigenwijze patiënt is eigenlijk niets voor haar. Gert Jaght seint haar met zijn ogen. Ondertussen probeert hij Nicolien in bed te leggen. 'Kom nu maar. Ga eerst maar eens liggen, dat is beter voor je. Je wilt toch beter worden? En dan praten we even. Ja?'
Er gaat zo'n rust uit van zijn stem dat het Nicolien werkelijk wat kalmeert. Ze laat zich weer neerleggen. Gerts collega ziet dat ze hier niet langer met z'n tweeën nodig zijn en gaat de kamer uit. 'Bel maar als er iets is.'

Gert knikt. Met een routinegebaar trekt hij de deken recht, stopt hem vast, neemt dan een stoel en gaat zitten. Dan steekt hij zijn hand uit.
'Zo, Nicolien, ik ben Gert Jaght. Jij hebt een mooie naam. Ik heb een zusje gehad, die heette bijna net als jij.'
Even is er interesse in Nicoliens ogen, heel even maar. Dan zegt ze opnieuw: 'Ik wil hier weg. Kunt u niet zorgen dat ik hier weg kan?' Ze heeft blosjes op haar wangen.
Verhoging, constateert Gert. 'Waarom wil je zo graag weg, Nicolien? Waar ben je toch zo bang voor?'
Even gaan Nicoliens ogen wijd open, dan trekt ze het laken over zich heen. 'Ik wil weg, laat me gaan', is alles wat er te horen is, gevolgd door een huilbui.
Gert haalt een washandje. 'Kom Nicolien', hij trekt het laken wat opzij, maar ze houdt haar handen voor haar gezicht.
Gert voelt medelijden, hij veegt het vochtige haar van haar voorhoofd. 'Stil maar, niemand wil je kwaad doen. Hier ben je veilig.' Nog veel meer dingen zegt hij, rustige, kalmerende woorden die hun uitwerking niet missen. Plotseling grijpt ze zijn hand. 'Wil niemand het?'
Nu oppassen, denkt Gert. Hij weet niet wat ze bedoelt. Een verkeerd antwoord kan funest zijn.
'Wil je het zelf?' polst hij voorzichtig.
'Nee.' Heftig schudt ze haar hoofd, ligt dan met een trek van pijn weer stil.
'Dan is het toch goed', sust Gert. 'Als jij het niet wilt dan hoeft het niet. '
'Echt niet?'
'Echt niet. '
Dit is blijkbaar een hele geruststelling voor haar. Even ligt ze stil, dan kijkt ze hem weer wild aan, grijpt hem bij de mouw. 'Maar mijn ouders willen het en Mellie en dokter Scholten en iedereen. Iedereen behalve Anne. Ik heb het beloofd.'
Ze wil opnieuw overeind komen, maar Gert drukt haar zacht maar beslist terug. Hij begint iets te vermoeden. 'Luister eens, Nicolien.'
Ze wringt zich in zijn handen, hij moet kracht gebruiken.

'Nicolien, hier wil niemand jou of je kindje kwaad doen.'
Ze zakt op haar kussen terug en kijkt hem strak aan.
'Echt, we willen juist graag dat alles goed met je gaat, met jou en met je kindje. Maar dan moet je daar zelf wel aan meehelpen. Als je nu al weg wilt, kan dat alleen maar slecht zijn voor je baby. En dat wil je toch niet?'
'Nee.'
'Dan moet je nu een paar dagen rustig hier in bed blijven. Dat is het beste voor jou en je kindje. Echt, wij zullen goed voor je zorgen. Wees maar niet bang.'
Gert praat en praat. Hij heeft een prettige stem om naar te luisteren. Nicolien wordt moe, ze sluit haar ogen. Ze hoeft niet bang te zijn, niemand zal haar hier tot een abortus dwingen.
Gert verlaat de kamer. Nicolien slaapt. Maar in haar slaap komt vader weer met zijn knots. 'Zie je wel dat ik je het ziekenhuis ingeslagen heb? Nu de rest nog. Je zult luisteren.'
Nicolien gilt.
Een zuster komt de kamer binnen, maar ze kan niets met haar beginnen. Gert Jaght wordt opgeroepen en pas wanneer Nicolien zijn stem hoort, kalmeert ze.

Zo gaat het die nacht nog een paar keer. Pas in de nanacht valt ze van uitputting in een diepe slaap.
Twee dagen lang wordt ieder bezoek bij haar weggehouden. Pas langzaam wordt ze rustiger. De wond aan haar been ziet er goed uit, de hoofdpijn wordt minder, maar ze eet slecht.
De derde nacht is het rustig op de afdeling. Gert gaat even naar het kamertje waar Nicolien ligt. Hij ziet dat ze wakker is en gaat naar binnen. Hij heeft nu wel even tijd.
Voor het eerst glimlacht ze tegen hem. Hij lacht terug. 'Gaat het goed?'
De lach trekt weg. Ze geeft geen antwoord op zijn vraag. In plaats daarvan vraagt ze: 'Waarom zitten hier stangen voor het raam? Denken ze dat ik gek ben?'
Dat is weer zo'n vraag waar je voorzichtig op moet antwoorden. 'Nee, Nicolien, gek ben je niet. Maar soms

moeten we iemand tegen zichzelf beschermen. Toen je hier pas was, was je erg in de war. Wij moeten goed voor je zorgen.'
'Maar ik wil hier weg. U moet me helpen.'
Dat is het oude liedje weer, maar nu klinkt er geen paniek in haar stem. Ogenschijnlijk is ze heel rustig. In hoeverre de medicijnen daar debet aan zijn?
'Zodra je naar huis mag zullen we je helpen.'
'Ik wil niet naar huis.'
'Waar wil je dan heen?'
'Dat weet ik niet en daarom moet u me helpen.'
Gert heeft geen idee waar ze heen wil met haar vraag. Eerst maar aftasten.
'Wat zou je willen dat ik voor je deed?'
'U moet iemand voor me bellen.'
'Wie dan?'
Het blijft stil. Gert ziet dat er zweet op haar voorhoofd staat. Dit gesprek grijpt haar meer aan dan goed voor haar is. 'Weet je wat, Nicolien, nu ga je eerst slapen, dan praten we morgen verder.'
'Nee nu!' Gebiedend. Dan zachter: 'Alstublieft. Nu durf ik.' Even kijkt ze hem smekend aan, dan dwalen haar ogen weer af.
'Goed, ik blijf.' Gert trekt weer een stoel bij het bed. Omdat het stil blijft, brengt hij zelf het gesprek op gang. 'Ik moet dus iemand voor je bellen. Is het familie en heb je het telefoonnummer?'
'Nee, geen familie. En ik weet ook geen nummer.'
Gert wacht rustig op wat er nog meer zal komen. Moet hij soms de vader van haar kind bellen? Heeft ze zelf niet durven vertellen hoe het is? Plotseling keert Nicolien zich weer naar hem toe. 'Ik kan niet met de vader van mijn kind trouwen. Nu wil iedereen een abortus, maar dat wil ik niet. Daarom mag ik niet thuisblijven. Ik wil ook niet meer thuis zijn, hoort u. Mijn zusje schaamt zich voor me. Ze denkt, ze denkt dat ik haar man blameer.' Beschaamd wendt Nicolien haar hoofd af.

Even is het stil in de kleine kamer. Zelfs van de gang komt geen gerucht. Haarscherp voelt Gert het drama dat achter de zo moeizaam gedane bekentenis zit. Dan praat Nicolien verder. 'Ik ben naar een avond van de VBOK geweest. Nu dacht ik... misschien weten zij een adres. Al is het maar tijdelijk. Ik kan dan later zelf kamers zoeken.'
Meer kan ze niet zeggen. Wat is het moeilijk om al deze dingen aan een vreemde te vragen. Maar broeder Jaght is zo sympathiek. Hij drukt haar hand. 'Fijn dat jij je kindje wilt houden. Daar heb ik respect voor.'
'Ik heb het beloofd', zegt Nicolien zacht.
'Aan de vader van je kind?' polst Gert.
'Ja.'
'Kan hij niet met je trouwen?'
'Nee.'
'Zijn er zulke grote bezwaren?'
'Hij leeft niet meer.' Bijna onhoorbaar komen deze woorden. Dan, heftiger: 'Maar dat mag niemand weten. U vertelt het toch aan niemand?'
'Nee hoor.'
'Beloof het!'
'Goed Nicolien. Ik beloof je dat ik het tegen niemand zeggen zal. Wees maar niet bang.'
Nicolien zucht, ze is zo moe. Nog even veert ze op. 'Wilt u iemand bellen?'
'Ja, ik zal op zoek gaan naar een adres. Maar dat zal waarschijnlijk niet in één dag lukken. Je moet een paar dagen geduld hebben. Afgesproken?'
'Ja.'
Nicolien lacht hem dankbaar toe. Gert laat haar wat drinken.
'Nu moet je gaan slapen, Nicolien.'
'Ja.'
'Welterusten.'
Broeder Jaght loopt naar de deur, kijkt nog een keer om. Nicolien ligt al met gesloten ogen.
Maar mocht Gert Jaght nu denken dat alles rustig zal blijven, dan vergist hij zich deerlijk. Tegen vijf uur 's morgens krijgt

Nicolien opnieuw een angstaanval. Zelfs met z'n tweeën kunnen ze haar nauwelijks de baas. Het duurt echter niet zo lang, al na een paar minuten ligt ze hijgend op haar kussen. Het is niet verantwoord om haar nu alleen te laten, dus blijft Gert bij haar.
Nicolien heeft niet opgekeken toen de deur ging, maar ze weet dat er nog iemand achter gebleven is, iemand die haar gezicht wast.
'Ga ook maar weg', zegt ze mat.
'Wil je dat graag?' Het is de stem van broeder Jaght.
'Ja.'
Nicolien houdt haar ogen gesloten. Ze wil broeder Jaght niet aankijken, nu ze tot rust komt, schaamt ze zich voor haar wilde bui.
'Ga je slapen als ik weg ga?' Weer die vriendelijke stem.
'Nee.'
'Wat ga je dan doen?'
'Weg!'
Plotseling opent Nicolien haar ogen. Secondenlang kijkt ze Gert Jaght strak aan. 'Ik moet hier weg, want niemand houdt z'n belofte. U hoeft me niet zo aan te kijken. Geen mens houdt een belofte. Ik zelf...'
Haar stem begint te trillen, krampachtig trekt haar mond. Dan draait ze haar hoofd om naar het raam waar, door de gordijnen heen, het daglicht al te zien is. Ze praat weer, maar zo zacht dat Gert zich moet buigen om haar te verstaan.
'Soms wil ik zelf mijn belofte niet houden. Dan wil ik dat mijn kind sterft, als het maar niet door een ingreep is. En dat is net zo erg als mijn belofte breken. Ziet u wel dat ik net zo gemeen ben als mensen die een abortus willen?'
Er komt weer angst in haar ogen. Gert begint iets te begrijpen van het dilemma waarin dit meisje verkeert. Aan de ene kant haar belofte en hierdoor haar heftige verzet tegen iedereen die haar een abortus aanraadt. Aan de andere kant een heimelijk verlangen om op een spontane manier van dit kind verlost te worden, zodat alle problemen opgelost zouden worden. De wetenschap dat ze hierdoor ook zelf een van die mensen is

die in staat zijn hun woord te breken, moet voor haar in deze omstandigheden wel een enorme schok zijn.
Gert haalt diep adem. Hier kan hij niet met goedkope woorden aankomen. Dit meisje heeft houvast nodig.
'Je bent van jezelf geschrokken?' vraagt hij zacht.
Nicolien knikt. 'Als ik al zo denk, hoe moet zo'n kind dan opgroeien, door iedereen ongewenst.'
'Nicolien', Gert aarzelt, zoekt naar woorden. 'Je voelt je nu door iedereen in de steek gelaten. Je twijfelt ook aan jezelf. Dat is heel begrijpelijk. Wanneer we ons vertrouwen ook alleen op mensen stellen, komen we dikwijls bedrogen uit. Gelukkig is er Eén waar we altijd met onze problemen terecht kunnen. Eén Die altijd doet wat Hij belooft. Weet je Wie ik bedoel?'
'Nee.'
Bij dit eerlijke antwoord van Nicolien schieten er tientallen gedachten door Gert heen. Daar ga je dan. Je dacht daar even te evangeliseren, nou vergeet het maar. Dit meisje snapt toch niet wat je bedoelt. Haar zwager, burgemeester Van der Griend, doet nergens aan. Het is dus heel goed mogelijk dat dit meisje ook ongelovig opgevoed is. Ze heeft waarschijnlijk meer aan een kalmeringstabletje dan aan een christelijk praatje.
Nicolien ziet dat haar antwoord op de een of andere manier broeder Jaght in verlegenheid gebracht heeft. Hij strijkt met zijn hand over zijn voorhoofd, dan kijkt hij haar weer aan. 'Ik bedoel onze Heere God', zegt hij dan. 'Hij is de Enige in Wie we een rotsvast vertrouwen kunnen hebben.'
Gert zwijgt. Hij zit hier als dienstdoende broeder bij een patiënt, hij kan nu niet dieper op dit onderwerp ingaan, hoe graag hij ook zou willen. Maar dan zegt Nicolien: 'Anne ging naar de kerk.'

Op dit moment kijkt de andere zuster om het hoekje van de deur. 'Kun je zo komen?'
Jammer, maar Gert begrijpt het. Tijd voor rustige gesprekken is er zelfs 's nachts niet. Gelukkig is Nicolien nu rustig. Nog

even praat hij met haar, dan moet hij haar alleen laten. Er zijn meer patiënten die verzorging nodig hebben.

Hoofdstuk 7

Dat wordt weer een mooie dag, denkt Erica Jaght wanneer ze de gordijnen van haar slaapkamer opentrekt. Ziezo, het raam ook maar helemaal open. Dat is het voordeel van het wonen hier tussen de weilanden. Geen inkijk van nieuwsgierige buren.
Terwijl ze haar duster aantrekt, hoort ze Willem in de badkamer zingen. Verrast blijft ze staan, haar ene arm nog maar half in de mouw. Wat is dat lang geleden! Nu moet ze even op de rand van het bed gaan zitten, omdat er zoveel herinneringen op haar afkomen. Het is ook pas tweeëneenhalf jaar geleden. Rosalyn zong ook altijd.
'Geslachten gaan, geslachten zullen komen', zingt haar man. Dan is het even stil. Nu komt er natuurlijk koud water over gezicht of armen. 'Wij zijn in uw ontferming opgenomen', gaat de stem verder.
Er glijdt een verdrietige glimlach over Erica's gezicht. Geslachten gaan, maar waarom zo jong? De vraag waar nooit een antwoord op zal komen. Dan vermant ze zich. Kom, ze moet naar beneden, Gert komt zo thuis. Het enige kind dat haar dagelijkse zorgen nog nodig heeft. Hoewel... niet zo dramatisch Erica, spot ze tegen zichzelf wanneer ze de trap afloopt.
Gert is bijna zevenentwintig. Hij is een volwassen vent die heel goed voor zichzelf kan zorgen. Ze mag blij zijn dat hij zich haar moederlijke zorgen nog laat welgevallen. Er zijn immers zoveel jongeren die koste wat het kost uit huis moeten. Zij heeft ze alledrie thuis gehad. Jaap tot aan zijn trouwen, Rosalyn tot aan... nee, daar niet steeds aan denken. Maar wat was het een fijne tijd toen het hele stel nog door het huis rumoerde. Jaap en Leni zijn al weer drie jaar getrouwd. Alleen Gert is er nog. Maar ook hij zal niet altijd thuis blijven wonen.
Erica doet ook beneden de overgordijnen open. Dan tafel

dekken. Drie bordjes, drie messen, drie vorken. Het is zo gebeurd. Wanneer de thee staat te trekken, komt Willem beneden en tegelijk hoort ze de wagen van Gert het gravelpad oprijden. Een paar tellen later staat hij in de kamer. Groeten over en weer.
'Je bent mooi op tijd, we willen net beginnen.'
'Dat voelt mijn maag. '
'Jongen, je hebt vannacht toch wel wat gegeten?'
'Stil maar, moeder, ik plaag je maar wat.'
Een kwartier later is Erica weer alleen. Gert is naar bed, die komt vanmiddag pas weer boven water en Willem is naar zijn werk. Nu eerst voor zichzelf zorgen en dan aan het werk. Veel heeft ze niet te doen en dat is maar goed ook, haar gedachten staan vanmorgen helemaal niet naar werken.
Ze zet koffie en neemt die mee naar de kamer. Dan bladert ze wat door de krant die zojuist gekomen is. Maar ook het nieuws en de familieberichten interesseren haar nu niet.
Willem heeft weer gezongen. In tweeëneenhalf jaar heeft ze hem bijna niet gehoord. Natuurlijk 's zondags in de kerk, maar dat is anders. Niet zomaar zoals vanmorgen, zo spontaan. Betekent dit dat hij Rosalyn vergeet? Nee, natuurlijk niet. Dat mag ze zelfs niet denken. Maar het toont wel dat het felle verdriet voor hem wat verzacht is. Tweeëneenhalf jaar!
Erica's handen liggen stil op de krant. Haar ogen dwalen door de zonnige kamer, blijven rusten op de schoorsteen. Daar staat de foto van Rosalyn. Tweeëntwintig is ze geworden. Geslachten gaan... Erica staat op. Het doet zo'n pijn, nog steeds. Maar het leven gaat door. Ze zal boodschappen gaan doen, dat is beter dan stil zitten.

Gert is weer helemaal fit als hij die middag met zijn moeder in de tuin zit. Erica heeft voor thee gezorgd. Ze praten over alledaagse dingen. Erica merkt echter dat Gert zijn gedachten er niet helemaal bij heeft. Op haar laatste woorden reageert hij zelfs niet. Ongemerkt slaat ze hem gade. Wat zou er zijn? Iets met een meisje? Ze moet er zelf even om lachen, want dat is blijkbaar het eerste waar moeders aan denken. Maar

wanneer zoiets het geval is, zal ze moeten wachten tot hij er zelf over begint.
Onbewust van zijn moeders gedachten drinkt Gert zijn kopje leeg. Hij is naar bed gegaan en opgestaan met het beeld van die Nicolien Nordholt voor zich en haar probleem staat nu weer levensgroot voor hem. Een ongehuwde, aanstaande moeder. Hij heeft beloofd een adres voor haar te zoeken. Nu hoeft hij maar iemand van de VBOK op te bellen en de zaak is aan het rollen gebracht. Er zal zeker op korte termijn een onderkomen voor haar gevonden worden. Dan is de zaak voor hem afgedaan.
Maar mág hij er zich zo goedkoop van afmaken? Dat is de vraag die hem bezig houdt sinds hij opgestaan is. Heel even is er ook een andere vraag. Wil hij er zich zo van afmaken? Maar die vraag wil hij liever niet beantwoorden.
Sinds hij Nicolien voor de eerste keer gezien heeft, heeft hij zich bijzonder voor haar geïnteresseerd. Dat angstige meisje, dat hij steeds maar weer moest geruststellen, is nauwelijks meer uit zijn gedachten geweest. Ook het gesprek van de afgelopen nacht laat hem niet los. Het is zeer onbevredigend verlopen. Hij heeft haar willen troosten, een houvast bieden door te wijzen op die Ene. Maar ze heeft het niet begrepen. Er was ook geen tijd om er later op terug te komen. Dat heeft een onvoldaan gevoel bij hem achtergelaten. Hij gaat wat verzitten.
De oplettende blik van Erica ontgaat hem. Hij zou dit meisje zo graag op de hoogste waarden in het leven willen wijzen. Maar die kans is nu voorbij. Hij kan de komende nacht hier moeilijk opnieuw over beginnen. Nee, hij zal zijn belofte aan haar zo gauw mogelijk moeten inlossen. Dat betekent dus: nu iemand van de VBOK bellen. Die weet waarschijnlijk wel een gezin waar Nicolien in past. Misschien bij iemand uit haar eigen milieu. Daar zal ze zich na verloop van tijd thuisvoelen en hij kan weer overgaan tot de orde van de dag. Het beste zal zijn om nu direct te bellen. Maar Gert maakt nog geen aanstalten om op te staan. Een paar woorden spoken door zijn hoofd.

Anne ging naar de kerk. Daar zit voor hem een wereld achter. De vader van Nicoliens kind is dus een gelovige jongen geweest. Dat mag je in ieder geval verwachten van iemand die naar de kerk ging. Hij was ook tegen abortus, het zal dus een serieuze jongen geweest zijn. Zou zo'n jongen willen dat zijn kind misschien in een ongelovig gezin opgroeit? Heeft hij met Nicolien over deze dingen gesproken? Over God? Die jongen leeft niet meer. Maar zijn ouders, kunnen die in dit geval het meisje van hun zoon niet opvangen? Of leven die ouders ook niet meer? Zoiets moet het wel zijn, anders zou ze daar toch terecht kunnen?
Nog aarzelt Gert om te gaan bellen. Eigenlijk moest hij zelf een adres voor haar zoeken. Of, zoeken? Zijn er niet al twee adressen waar hij aan denkt? Jaap en Leni. Maar hij kan niet voor honderd procent achter deze gedachte staan. Het huwelijk van zijn broer is nog steeds kinderloos. Dat is voor Nicolien geen bezwaar, maar of Leni er ook zo over zal denken? Leni lijdt erg onder haar kinderloosheid en niemand kan haar aan het verstand brengen dat ze na drie jaar huwelijk nog niet hoeft te wanhopen. Afleiding zou goed voor haar zijn, maar om nu zo met haar neus op een zwangerschap gedrukt te worden werkt waarschijnlijk averechts. En Nicolien heeft letterlijk een opvangadres nodig.
Het tweede adres waar Gert aan denkt, is dat van zijn eigen ouders. Plotseling is hij zich weer bewust waar hij is. Hij kijkt op.
'Zo, ben je wakker', plaagt Erica. Ze neemt de dubbelwandige theepot. 'Nog een kopje?'
'Graag.'
Even de gewone handelingen. 'Een zware nacht gehad?' vraagt Erica dan.
'Nogal', geeft Gert toe. 'Weet u, er is eigenlijk te weinig personeel, zodat je vaak niet kunt doen wat je zou willen doen. Een goede medische verzorging is natuurlijk een eerste vereiste, maar daarnaast is een beetje aandacht o zo belangrijk voor de patiënten. We proberen het wel, maar we komen altijd tijd te kort. Dat is zo jammer.'

'Er zouden gesprekshulpen moeten komen', denkt Erica hardop.
'Wie zal dat betalen?'
'Pro Deo misschien?'
'Een ideaal beeld, moeder. Maar tegenwoordig gaat er niets voor niets. Misschien dat een enkeling zou willen. Maar wat zijn een paar mensen op al die duizenden zieken?'
Voor een meisje als Nicolien zou je uren de tijd moeten hebben, denkt Gert. Voor haar en al die anderen. Zijn ogen volgen een vlinder die op de tuintafel gaat zitten en dan snel weer verder vliegt. Zo komen patiënten ook maar even binnen het gezichtsveld. Daarna zijn ze in de meeste gevallen weer voorgoed verdwenen. Straks is Nicolien ook weg. Hij kucht eens. 'U hebt het zeker wel rustig, zo de hele dag alleen thuis?'
Erica kijkt hem oplettend aan. Waar wil Gert heen? 'Wil je me alvast als gesprekshulp hebben?'
Gert glimlacht. 'Zover zijn we nog niet, hoewel u beslist geen gek figuur zou slaan in zo'n job. U kunt luisteren.'
'Dank je', zegt Erica droog.
Dan kijkt Gert zijn moeder vol aan. 'Ik ben op zoek naar een adres voor een ongehuwde, aanstaande moeder.'
Erica's schrikbeweging ontgaat Gert niet.
'Ik zal u vertellen wat ik mag zeggen. Het gaat om een meisje van negentien jaar uit een waarschijnlijk ongelovig gezin. Ze kan niet met de vader van haar kind trouwen. Vraagt u daar verder niet naar. Haar familie wil een abortus, zelf wil ze het kind houden. En zoiets geeft op z'n zachtst gezegd hommeles. Ze heeft me gevraagd of ik een adres voor haar kan vinden waar ze voorlopig kan wonen. Dat voorlopig betekent wel tot na de bevalling. Dat brengt dus een hele drukte met zich mee.'
'Hoe kom jij nu met zo'n meisje in contact?' vraagt Erica.
'Heb ik dat niet gezegd? Ze ligt in het ziekenhuis, heeft een ongeluk gehad. Niet ernstig, maar geestelijk heeft ze zeker zoveel hulp nodig.'
Gert zwijgt. Zijn woorden hebben Erica overvallen.

Razendsnel gaan haar gedachten. Een meisje in huis nemen. Een meisje in de plaats van Rosalyn, want zo voelt ze het aan. Dat mag Gert niet van haar verlangen. Nu nog niet. Haar ogen staan afwijzend.
Gert ziet de wisselende uitdrukkingen op het gezicht van zijn moeder. Hij vermoedt ook wel waar haar gedachten zich mee bezighouden. Maar zou dit niet juist de beste medicijn voor haar verdriet zijn?
'Moeder', hij buigt zich voorover. 'Rosalyn leeft niet meer. Maar als zij in een dergelijke situatie eens hulp nodig zou hebben, zou u het dan niet fijn vinden als er ergens mensen waren die haar wilden helpen?'
'Wij zouden haar zelf geholpen hebben', antwoordt Erica.
'Dat weet ik.' Gert legt even zijn hand op de arm van zijn moeder. 'Daarom durf ik u dit ook te vragen. U bent een fantastische moeder.'
'Welnee', weert Erica af.
'Jawel. Dat meen ik. En Jaap denkt er net zo over. U hebt alles voor uw kinderen over. En zou uw hart niet groot genoeg zijn om een kind van andere ouders tijdelijk in huis te nemen? Het is geen slet, moeder. Geen meisje uit bijvoorbeeld een asociaal milieu.'
Maar nu meent Erica haar zoon terecht te moeten wijzen. 'Het milieu waaruit dat meisje komt, is niet belangrijk. Denk je werkelijk dat het daar van af zou hangen? Dan ken je je moeder slecht, jongen.' Er klinkt werkelijk verontwaardiging in haar stem.
Gert lacht. 'Ziet u wel dat ik gelijk heb?'
'Hoezo?'
'Nou, dat u een geweldige vrouw bent.'
Maar Erica's hoofd staat niet naar complimentjes. 'Dwaasheid.'
Een dikke bromvlieg gaat op Gerts hand zitten, ze kijken er beiden naar. Wat glanst dat lijfje. Maar zodra Gert zijn hand beweegt, vliegt hij al brommend weg.
'Heb je niet aan de VBOK gedacht?' zo zet Erica na een tijdje het gesprek weer voort. Zonder dat ze het weet raakt

ze hiermee het punt aan waar Gerts gedachten steeds mee bezig zijn.
'Ze vroeg daar zelf ook om', geeft hij toe.
'Nou dan.'
Gert weet dat hij nu open kaart moet spelen. 'Ik zou haar zo graag in een christelijk gezin geplaatst zien. Het is zo gemakkelijk om eerst aan anderen te denken. Maar vraagt God dat van ons? Daarom heb ik aan onszelf gedacht.'
Het blijft even stil na zijn woorden. Dan zegt Erica zacht: 'De barmhartige Samaritaan.'
Gert knikt. Nu zwijgen ze weer, maar beiden denken ze aan die gelijkenis. Maar of dit hier van toepassing is?
'Jongen, je maakt het me moeilijk. Heb je ook aan Jaap en Leni gedacht?'
'Dat heb ik inderdaad. Maar vindt u Leni op het ogenblik de geschikte persoon om met zo'n meisje om te gaan?'
'Je bedoelt omdat ze zelf nog geen kinderen hebben?'
'Ja.'
'Het is moeilijk om dat vooruit te zeggen. Je kunt je vergissen. Misschien zou ze het graag doen. Het zou haar in ieder geval afleiding bezorgen.'
'Of juist niet', meent Gert.
'Je kunt het vragen.'
Gert knikt nadenkend. 'Ik kan er vanavond heengaan voordat ik naar het ziekenhuis ga. Maar wanneer ze het niet wil? Wat dan? Ik kan dat meisje in het ziekenhuis geen dagenlang in onzekerheid laten.'
'Ik wil er goed over nadenken, Gert. Wat je van me vraagt, is geen kleinigheid. Vanavond zal ik er ook met vader over praten.'
'Doet u dat. Morgen weten we dan hopelijk meer.'

In een nieuwbouwwijk van de stad wonen Jaap en Leni, in een twee-onder-één-kap-woning. Gelukkig is Jaap thuis. Gert vindt hem achter het aanrecht waarop een enorme afwas te wachten staat. Gert fluit. 'Dat is niet mis.'
'Man, je komt als geroepen. Moet je zien wat een bende. Hier,

dan kun je je nuttig maken.' En Jaap werpt Gert een theedoek toe.
'Is Leni ziek?'
'Welnee, die is er een paar dagen tussenuit', is Jaaps luchtige antwoord.
Maar Gert merkt dat hij heftiger de afwasborstel hanteert. 'Vrouwen hebben dat soms nodig', antwoordt hij dan rustig.
Nu komt er een brede lach op Jaaps gezicht. 'Waar jij al geen verstand van hebt. '
'Misschien beroepshalve', geeft Gert toe. Ze werken in goede saamhorigheid.
'Zo moest moeder ons zien', grinnikt Jaap. 'Weet je nog dat we vroeger altijd ruzie maakten als we moesten afwassen?'
'Dat was jouw schuld. Ik deed zoiets nooit.' Maar Gert heeft de woorden nauwelijks uitgesproken of een plens afwaswater spat in zijn gezicht.
'Zo, zie je dat ik gelijk heb', zegt Gert terwijl hij met de theedoek zijn gezicht droog veegt. Dan geeft hij zijn broer een dreun op de schouder die er niet om liegt.
Maar Jaap heeft alweer iets anders. 'Ik heb een nieuwe cd die moet je beslist horen. Machtig.' Hij laat de afwas de afwas, veegt zijn natte handen aan zijn broek af en loopt naar zijn geluidsapparatuur. 'Laat die rommel maar staan ook. Kom maar luisteren.'
Maar Gert blijft rustig aan het werk. 'Dat beetje afwas is toch zo klaar.'
Jaap zoekt tussen zijn cd's. 'Hier heb ik hem. De Messe Solonelle van Gounod. Ken je die?'
'Nooit van gehoord', erkent Gert eerlijk.
'Machtige muziek, op ons koor zijn we er ook mee bezig. Moet je horen.'
Even hoort Gert zachte koormuziek, die evenwel door Jaap weer afgebroken wordt. 'Hier, deel twee. Het Gloria. Machtig.' Jaap zingt de tenorpartij mee. Glimlachend wast Gert de laatste pannen. Jaap zit al jaren op een koor. Hoor hem zingen. Hij heeft werkelijk een goede stem.

'Kom je luisteren als we hem uitvoeren?'
'Als ik geen dienst heb, altijd.'
'Mooi, ik bel wel als de datum vastgesteld is.'
Wat later zitten ze samen achter een dampende mok koffie. De laagstaande zon schijnt de kamer in. Jaap zet de muziek uit. 'Bij zulke muziek kun je niet praten.' Hij vervangt de cd door een andere met zachte pianomuziek.
'Je kunt hier anders heel wat meer lawaai maken dan vroeger in je flat', denkt Gert hardop.
'Gelukkig wel. Man, wat was het daar gehorig. Leni moest me altijd waarschuwen. En als zij er niet was, dan klopten de buren wel op de muur. Ik heb uit reactie de radio wel eens zo hard gezet, dat de boxen op springen stonden. Maar dat heeft Leni nooit geweten.'
Jaap grinnikt kwajongensachtig bij de herinnering. 'O wacht, ik heb de koeken vergeten.' Hij is al op weg naar de keuken.
'Voor mij hoeft het niet', roept Gert hem na.
'Maar voor mezelf wel.'
Jaap inspecteert de inhoud van de koekjestrommel. 'Ook niet veel soeps meer.' Maar ondanks dat neemt hij twee koekjes tegelijk.
Gert schudt zijn hoofd. Wat een zoetekauw is die Jaap toch.

Op straat spelen kinderen. Gert kijkt ernaar. Uit een huis aan de andere kant van de straat komt een man naar buiten. Hij roept wat en even later huppelt een jongetje naar hem toe.
Gerts gedachten nemen een sprong. Misschien woont over een aantal jaren Nicolien Nordholt ook in zo'n huis. Alleenstaande vrouwen worden immers wel voortgeholpen. Dan zal zij 's avonds haar zoon of dochter moeten roepen. Een kind dat geen vader heeft. Nicolien zal overal alleen voor staan. Zal zij zo'n leven aankunnen? Gert ziet het meisjesgezicht met de onrustige ogen. Het rossige haar. Maar waarom zou zo'n meisje ongetrouwd blijven? Er zullen genoeg jongens zijn die haar kind wel voor lief zullen nemen als ze haar kunnen krijgen. Dat zou het beste zijn wat Nicolien kon overkomen, en ze zal heus wel zo verstandig zijn om een toekomstige

echtgenoot niet af te wijzen.
Er trekt iets over Gerts gezicht. Waarom bevalt deze gedachte hem niet? Heeft dat meisjesgezicht teveel indruk op hem gemaakt? Maar zo mag hij niet aan haar denken. Nicolien is een patiënt en anders niet.
De man is met het kind in huis verdwenen, de voordeur wordt gesloten.
'Jammer dat Leni er niet is', zegt Gert dan.
'Moet je haar ergens voor hebben? Ik kan haar wel bellen?'
'Nee, het gaat over iets wat je beter niet per telefoon af kunt handelen. Maar ik kan er ook wel met jou over praten.'
'Ik ben benieuwd.' Jaap kijkt zijn broer vragend aan. Hij heeft er geen idee van waar Gert heen wil.
'Ik ben op zoek naar een woonadres voor een zwanger meisje.'
Zo'n simpel zinnetje waar alles mee gezegd is. Gert zwijgt en Jaap is te verrast om direct te reageren. Hij begrijpt echter drommels goed wat Gerts bedoeling is. Hij staat op, zorgt nog een keer voor koffie. 'Dat is niet niks', zo komt dan eindelijk zijn reactie.
'Inderdaad. Daarom spijt het me ook dat Leni er niet is. Wanneer komt ze terug?'
'Dat duurt nog wel een paar dagen.'
'Jammer.'
Gert weet dat hij zolang niet kan wachten. Misschien is Nicolien dan al uit het ziekenhuis ontslagen. Voor die tijd moet alles geregeld zijn.
'Hoe sta je er zelf tegenover?' polst hij.
Jaap haalt zijn schouders op. 'Als zoiets tijdelijk is, zou ik er geen bezwaar tegen hebben. Ons huis is groot genoeg. Maar Leni...' Hij gaat wat verzitten, trommelt even met zijn vingers op de leuning van de stoel. Gert kijkt naar zijn gezicht dat nu ernstig is, bijna zorgelijk. Jaaps zwijgen zegt hem voldoende, zijn schoonzusje zal dit niet aankunnen.
'Ik had je dit niet moeten vragen', zegt hij dan. 'Vergeet het maar.'
'Waarom? Misschien zou het voor Leni wel een goede

afleiding zijn. Maar ze is soms zo verschrikkelijk eigenwijs.'
Jaap aarzelt, wat kan hij nu wel of niet zeggen. Hij wil niet unfair over Leni praten, hij is immers stapel op haar. Maar soms zit alles hem zo hoog. Dan kijkt hij zijn broer strak aan. 'Ik kan tegen jou wel zeggen dat Leni de laatste tijd erg moeilijk is. Er is maar één ding dat haar bezighoudt en dat is een kind. Ze wil kinderen. Natuurlijk wil ik die ook, dolgraag zelfs. Maar we zijn pas drie jaar getrouwd. We hebben ons laten onderzoeken en we zijn beiden kerngezond. Alles is dus nog mogelijk. We moeten alleen geduld hebben en dat heeft zij niet. Ze leeft hoe langer hoe krampachtiger.'
Nu zwijgt Jaap. Kan een vrijgezel als Gert ooit beseffen wat hij bedoelt? Maar Gert begrijpt meer van het dilemma waarin het huwelijk van Jaap en Leni verkeert, dan Jaap vermoedt. Met hoeveel ellende wordt hij in het ziekenhuis geconfronteerd?
'Ik begrijp je wel. Praat er maar niet met Leni over, jullie hebben voorlopig genoeg aan jezelf. Maar Jaap...' Gert kijkt zijn broer strak aan. 'Probeer je huwelijk gaaf te houden, ondanks deze problemen. Het is het waard.'
Jaap knikt. 'Je bent een best broertje.'
Hiermee is voorlopig het onderwerp van de baan. Ze praten over andere dingen, luisteren naar muziek. Maar wanneer Gert op het punt staat om te vertrekken, vraagt Jaap: 'Is er een alternatief voor dat meisje?'
'Ik heb er met moeder over gesproken. Zij stond in eerste instantie ook niet te jubelen.'
'Rosalyn?' Jaaps vraag is eigenlijk geen vraag.
Gert knikt en nu zwijgen ze beiden. Soms is het nog zo onwezenlijk, ondanks de jaren die voorbij gegaan zijn.
'Misschien zou het moeder helpen', zegt Jaap dan.
Gert knikt bedachtzaam. 'Dat hoop ik ook. Maar het mag natuurlijk nooit ten koste gaan van het bewuste meisje. Zij is er niet mee gediend om na verloop van tijd weer naar een ander adres te moeten verhuizen. Dat moet degene die haar accepteert goed begrijpen. Maar nu iets anders, waarom kom je niet thuis eten zolang Leni weg is? Toch veel gemakkelijker

voor je en je zou moeder er een plezier mee doen.'
'Beter van niet', vindt Jaap. 'Moeders hoeven niet alles te weten.' Gert begrijpt wel wat zijn broer bedoelt. Hij staat op. 'Het wordt mijn tijd.'
Jaap loopt mee naar buiten. 'Hoor ik nog eens hoe het afloopt?' En op Gerts bevestigende antwoord: 'Als ik je later nog eens met iets anders kan helpen?'
'Daar hou ik je aan.'
Jaap kijkt Gerts wagen na, dan gaat hij langzaam weer naar binnen. Wat is het nu opeens stil in huis. Er klinkt geen muziek meer. Dat Leni ook zolang wegblijft. Hij heeft zich tegenover zijn broer wel groot gehouden, maar Gert moest eens weten hoe hij zich soms voelt. Hij heeft het onaangename gevoel dat Leni bezig is een muur tussen hen op te trekken. Een ondoordringbare wand van zelfbeklag. En hij is niet bij machte om die wand af te breken.
Jaap haalt een pilsje uit de koelkast en gaat weer in de kamer zitten. Het begint al te schemeren. Wat zal Leni nu doen? Vindt ze het werkelijk fijn om zolang bij een vriendin te zijn? Mist ze hem niet? Hijzelf verlangt hartstochtelijk naar haar. Elke avond, wanneer hij alleen in dat kille bed stapt, neemt hij zich voor: morgen haal ik haar terug. Maar hij doet het niet.
De schemer wordt dieper, het eind van een mooie zomeravond. Nu zouden ze samen achter het huis moeten zitten en naar de sterren kijken die een voor een verschijnen. Of een wandeling maken, zoals ze vroeger zo dikwijls hebben gedaan. Dan liepen ze een eind tussen de weilanden door, dicht tegen elkaar aan en ze vertelden elkaar alles. Hoe lang is dat nu al geleden? Zijn ze bezig uit elkaar te groeien?
Kan zoiets al na drie jaar huwelijk? En wiens schuld is dat? Soms denkt hij dat Leni hem als man niet voor vol aanziet, omdat ze nog geen kinderen hebben. Alsof je daar zelf ook maar iets over te zeggen hebt. Ze kan hem soms zo treurig aankijken. En om de haverklap is ze in tranen. Hij heeft met haar gepraat en gepraat. Een huwelijk bestaat toch niet alleen uit het krijgen van kinderen? Het gaat toch in de eerste plaats

om hen tweeën als man en vrouw? Dat is toch een unieke eenheid? Natuurlijk zijn kinderen prachtig. Hij vermaakt zich best met het grut van Leni's broers en zussen. Maar zijn huwelijk staat of valt daar toch niet mee? Dat zou niet best zijn. Maar Leni reageert zo anders. 'Jij bent een man, jij kunt dat niet begrijpen.'
Is dat zo? Zijn voor een vrouw kinderen het belangrijkste? Dat kan toch niet waar zijn? Ze houden toch niet van elkaar alleen om kinderen te krijgen? Hij houdt van Leni om haarzelf. O, hij zou haar wel twintig kinderen gunnen, maar voor hem verandert er daardoor niets. Leni zelf is het belangrijkste. Zij is altijd het middelpunt van zijn leven geweest.
Maar blijkbaar is hij dat niet voor haar. Oom Frank en tante Mies hebben ook nooit kinderen gekregen en wat is dat een geweldig stel mensen. En wat houden die van elkaar. Waarom betekent hij voor Leni niet alles? Zijn alle vrouwen zo? Is een vrouw pas werkelijk vrouw als ze kinderen heeft? Of is Leni alleen zo? Ze is zo moeilijk de laatste tijd. Als hij heel eerlijk is, dan weet hij dat het eigenlijk een opluchting voor hem is om een paar dagen alleen te zijn. Om niet ieder woord dat je zegt te moeten wikken en wegen. Leni legt alles verkeerd uit. Gelukkig dat zijn ouders hier niets van weten. In hun bijzijn gedraagt Leni zich vrij normaal. En Gert zal niets zeggen.
Maar misschien doet dit uitstapje Leni wel goed, dan komt ze als herboren terug. Dat kan toch? Hij moet niet langer piekeren. Kom, hij gaat naar bed.

Hoofdstuk 8

Met snelle passen loopt Sarah door de gangen van het ziekenhuis. Ze is laat. Dat ze ook juist nu in een file moest staan.
Gisteren is ze voor het eerst even bij Nicolien geweest. Het is haar niet meegevallen. Dat weinig toeschietelijke meisje met die vijandige ogen leek eerder een vreemde dan haar eigen dochter. Toch is ze vandaag weer gegaan. Ze kan haar rebelse dochter toch niet aan haar lot overlaten?
Hoe het in de toekomst moet, weet Sarah niet. Marten houdt voet bij stuk. Er zal dus een andere oplossing voor Nicolien gezocht moeten worden. Maar wat? Sarah heeft haar kennissen de revue laten passeren, maar niemand komt in aanmerking om Nicolien onderdak te verlenen.
Gisteren heeft ze ook met Mellie en Tom gesproken, maar Mellie staat vierkant achter haar vader. Tom denkt genuanceerder, hoewel ook hij heel goed de bezwaren ziet die Nicolien staan te wachten als ze het kind laat komen. Maar Tom heeft een ander idee gelanceerd. Nicolien kan het kind laten adopteren, direct na de geboorte. Zoiets wordt vaker gedaan. Er zijn echtparen genoeg die dolgraag kinderen willen hebben. Zou dit, nu Nicolien beslist geen abortus wil, niet dé oplossing kunnen zijn? Sarah heeft er nog niet met Marten over gesproken. Voor het eerst in haar huwelijk zal ze iets belangrijks afhandelen buiten hem om. Misschien zal alles nu toch goedkomen. O, wat hoopt ze dat. Nicolien hoeft dan niet te leven met het absurde idee dat ze een moord begaan heeft en dan kan ze gewoon verder leven. Na verloop van tijd zal het tussen Marten en haar ook wel weer in orde komen, daarvan is Sarah overtuigd. Marten houdt van Nicolien, maar ze hebben hetzelfde eigenzinnige karakter en dat botst dikwijls.
Gelukkig, ze is bijna bij de kamer waar Nicolien ligt. Zal ze naar haar uitzien? Ze heeft immers gezegd dat ze vandaag

terug zal komen.
De deur van de kamer is gesloten, maar door het kleine raam in die deur kan Sarah naar binnen kijken. Ze staat stil, de hand op de deurknop. Bij het bed van Nicolien zit een vreemde jongeman. Wie kan dat zijn? Een arts misschien? Maar het is bezoekuur, dan doen de artsen hun ronde toch niet? Dit treft nu slecht, ze moet Nicolien immers alleen spreken. Maar wellicht vertrekt die vreemde als zij binnenkomt.
Sarah opent de deur. 'Goedemiddag.'
Nicolien kijkt op. Sarah ziet haar gezicht veranderen. Ook Gert Jaght kijkt om, gaat dan staan. Ook zonder dat Nicolien iets zegt, weet hij dat die elegant geklede dame Nicoliens moeder moet zijn. Hij groet terug, doet dan een stap opzij.
Sarah voelt de spanning die er plotseling in de kleine kamer hangt. Maar zij beheerst de situatie nu volkomen. Ze gaat naar het bed, groet Nicolien met een zoen, steekt dan haar hand uit naar de jongeman die haar zo ernstig aankijkt.
'Ik ben mevrouw Nordholt. Ik hoop niet dat ik u verjaag, maar ik zou mijn dochter graag een tijdje alleen willen spreken.'
Gert drukt haar hand, noemt zijn naam en ruikt de vleug parfum die met haar meegekomen is. Hij kijkt even naar Nicolien, dan wendt hij zich weer tot haar moeder. 'Nicolien en ik waren juist uitgesproken. Ik zal u alleen laten. Dag Nicolien, tot vanavond. Dag mevrouw Nordholt.'
Moeder en dochter kijken hem na als hij de kamer uitgaat.
'Wie was dat?' vraagt Sarah terwijl ze bij het bed gaat zitten.
'Dat is een broeder uit het ziekenhuis.'
'O.' Sarah is gerustgesteld.
'U hoeft niet iedere dag te komen. Ik verander toch niet van gedachten.'
Sarah gaat niet op Nicoliens woorden in. Ze glimlacht, haalt een bakje perziken uit haar tas. 'Ik heb wat voor je meegebracht. '
'Dank u.'
Er schijnt geen normaal gesprek mogelijk te zijn. Op de gang klinkt het geluid van andere bezoekers. Sarah kijkt op haar

horloge, ze heeft niet zo heel veel tijd meer. Ze legt haar hand op de hand van haar dochter, maar Nicolien trekt als gestoken haar hand terug. Het doet Sarah pijn, maar ze probeert dat niet te laten merken.
'Nicolien, ik wil iets met je bespreken. En nu moet je eens verstandig naar me luisteren en me laten uitspreken.'
En Sarah praat. Ze vertelt van Toms voorstel. Ze belicht het van alle kanten en ze pleit... ze pleit..., want ze weet dat dit waarschijnlijk een laatste oplossing is voor het probleem waarin ze geraakt zijn. Ze doet haar best, terwille van Marten, die zijn dochter toch niet voorgoed verliezen mag. En natuurlijk ook terwille van Nicolien zelf, die de gevolgen van haar gedrag beslist niet goed kan overzien.
Maar nog terwijl ze aan het woord is, weet ze al dat haar moeite tevergeefs is. Er is een minachtende trek op Nicoliens gezicht gekomen. Ze luistert, want het is haar moeder die daar bij haar zit. Maar tenslotte kan ze zich niet langer beheersen.
'Stopt u maar, ik weet genoeg en vergeet het maar. Nooit zal ik doen wat u me voorstelt. Nooit. Als jullie niets anders weten te verzinnen ga dan alsjeblieft weg. En zeg maar tegen Tom dat hij beter directeur van een weeshuis kan worden.'
Nicolien gilt de laatste woorden, dan begint ze te huilen.
Sarah is hevig geschrokken van Nicoliens uitval. Gisteren was ze zo rustig. Wat moet ze nu doen? Maar de deur wordt al geopend, een zuster komt binnen. 'Gaat u maar naar huis', zegt ze tegen Sarah. En Sarah gaat.
Ontdaan loopt ze door de gang, tranen branden achter haar ogen. Ze heeft het zo goed bedoeld. Het was een laatste redmiddel, maar ze heeft gefaald. Nu is alles verloren.
Ze komt op de een of andere manier in de grote hal. Er komt iemand naar haar toe. 'Mevrouw Nordholt, kan ik u even spreken?'
Sarah ziet de broeder die bij Nicolien was. Ze probeert zich te beheersen. Hij hoeft niet te weten hoe ze zich voelt. Maar Gert Jaght ziet wel hoe ontdaan de vrouw voor hem is. Er moet iets voorgevallen zijn na zijn vertrek.
'Wilt u hier iets met me drinken? Dan kunnen we rustig

praten.' Sarah knikt. Gert zoekt een vrij tafeltje. 'Gaat u zitten. Wat mag ik u aanbieden? Koffie, thee of frisdrank?'
'Graag thee.'
Sarah is blij dat ze zit. Ze kijkt de jongeman na. Het is in elk geval een beschaafd persoon.
Wanneer Gert met de thee terugkomt, heeft Sarah zich weer enigszins onder controle. Misschien kan ze via deze broeder invloed op Nicolien uitoefenen. Even zitten ze onwennig bij elkaar. Om hen heen gonzen stemmen.
'Hoe vond u Nicolien?' polst Gert.
'Nicolien was... een beetje overstuur', antwoordt Sarah bedachtzaam.
Gert buigt zich iets voorover. 'Was u daar de oorzaak van?'
Even peilen hun ogen elkaar, dan geeft Sarah toe: 'Indirect misschien wel.' En wanneer Gert haar vragend blijft aanzien: 'Bent u volledig met Nicoliens toestand op de hoogte?'
'U bedoelt waarschijnlijk haar zwangerschap? Ja, dat weet ik.'
'Weet u ook hoe wij als haar ouders daar tegenover staan?'
Gert knikt. 'U hebt Nicolien een abortus aangeraden en zij wil dat niet.'
'Inderdaad.' Sarah wacht even. Nu komt het op de juiste woorden aan. Ze moet die jongeman overtuigen van hun standpunt. Haar hand maakt een klein gebaar. 'Weet u, Nicolien is nog zo jong. Wat is gebeurd, is jammer, maar het is gelukkig nog te herstellen. Als ze maar mee wil werken. Wij zoeken het beste voor haar, hoewel ze dat zelf nu nog niet beseft. Later zal ze daar echter dankbaar voor zijn. Het probleem is alleen dat ze naar ons niet wil luisteren.' Machteloos gebaart de hand opnieuw.
Aandachtig luistert Gert naar die overredende stem. Hij vindt Nicoliens moeder beslist sympathiek, al kan hij haar standpunt niet delen. Haar stem gaat al verder: 'Zou ik een beroep op u mogen doen? Wilt u hierover eens met haar praten? U bent ook jong. Misschien heeft ze in u meer vertrouwen. Het gaat om haar toekomst.'
Vaag beseft Gert iets van het drama dat zich hier afspeelt.

Een moeder die pleit voor het vermeende geluk van haar kind. Het spijt hem werkelijk dat hij haar moet teleurstellen. Maar hij zal haar eerlijk moeten antwoorden, ook al gaat dat antwoord regelrecht tegen de mening van mevrouw Nordholt in. Ook terwille van Nicolien zelf zal hij de zaak duidelijk moeten stellen. Hij gaat wat verzitten.
'Mevrouw Nordholt, ik heb hier al met Nicolien over gesproken. Ze is daar uit zichzelf over begonnen. En één ding is me wel duidelijk, Nicolien wil beslist geen abortus. Dit is geen gril van haar, ze weet wat de gevolgen zijn. Ondanks dat alles heeft ze gekozen voor het leven van haar kind. Als verplegend personeel hebben wij de wens van de patiënt te eerbiedigen, zeker in dit geval. U zei daarnet dat u het beste voor Nicolien zoekt. Mag ik u een advies geven? Als u werkelijk het beste voor haar zoekt, laat haar dan in alle rust haar baby krijgen.'
Gert zwijgt, maar hij blijft mevrouw Nordholt aanzien.
Sarah reageert niet direct. Het is haar nu wel duidelijk dat ze niet op steun kan rekenen. Maar dat andere dan, Toms voorstel? Ze moet nog een poging wagen. 'Nicolien vergooit haar toekomst wanneer ze straks als ongehuwde moeder overal alleen voor staat. Zij kan dat nu nog niet overzien. Maar wanneer ze dan per se geen abortus wil, is er misschien een andere oplossing.'
Sarah wacht even, alsof ze de nadruk wil leggen op wat komt. 'Dit kind afstaan voor adoptie', zegt ze dan langzaam.
Gert maakt een beweging. 'Hebt u dat Nicolien daarnet voorgesteld?'
'Ja.'
'En dat wil ze niet?'
'Nee. Maar dit idee is natuurlijk nieuw voor haar. Ze zal er aan moeten wennen. Nu u aan het adviseren van een abortus niet mee kunt werken, is dit wellicht iets waar u met haar over kunt spreken. Tenminste, als dit wel met uw beroep in overeenstemming is.' Ondanks de spanning waarin ze verkeert, klinkt er een lichte ironie in Sarahs stem. Gert hoort dat wel, maar hij gaat op haar laatste woorden niet in. 'Ik zal

u opnieuw moeten teleurstellen. Voor zover ik Nicolien in deze paar dagen heb leren kennen, ben ik ervan overtuigd dat zijzelf de beste moeder voor haar kind zal zijn. Ik zal haar dan ook nooit een adoptie aanraden.' Gert zegt het rustig, maar er klinkt iets onverzettelijks in zijn stem.
De teleurstelling klimt in Sarah omhoog, het is in haar woorden te horen. 'Denkt u werkelijk dat u Nicolien nu al kent? Dan vergist u zich. Over niet al te lange tijd krijgt ze spijt, maar dan is het waarschijnlijk te laat. En waar moet ze heen? Ze vergooit haar leven.'
Gert weet dat hij nu op gevaarlijk terrein komt, maar hij moet een poging wagen. 'Zouden haar ouders niet tot andere gedachten te brengen zijn?'
Secondenlang zien ze elkaar aan. Er komt iets hautains over Sarah. Wat denkt deze man wel? Wil hij hen ter verantwoording roepen?
'U gaat buiten uw boekje', zegt ze hooghartig. Ze strekt haar hand uit naar haar tas, het heeft geen zin om hier nog langer te blijven. Gert bemerkt de verandering en bij benadering beseft hij wat het deze vrouw moet kosten om een vreemde als hij toch voor haar is, om hulp te vragen. Het is de zorg om haar dochter die haar hiertoe gebracht heeft. Nog voor ze opstaat, zegt hij dringend: 'Mevrouw Nordholt, op één punt kan ik u geruststellen.'
'Dat is?'
'Nicolien heeft een adres gevonden waar ze wonen kan zodra ze uit het ziekenhuis ontslagen wordt.'
Sarah vraagt niets, maar Gert leest het in haar ogen. 'Mijn ouders hebben haar woonruimte aangeboden.'
'Waarom juist uw ouders?'
Gerts ogen dwalen door de hal, dan zegt hij zacht: 'Misschien uit christelijke naastenliefde. Misschien ook omdat zij wat jaren geleden hun dochter verloren hebben. Mijn zusje is verongelukt.'
Sarah is een tint bleker geworden. Automatisch zijn ze beiden opgestaan.
'Wanneer u met mijn moeder kennis wilt maken? We wonen

hier zo'n vijftien kilometer vandaan.'
Het bezoekuur is afgelopen, het wordt druk in de hal. Tussen de anderen verlaten Gert en mevrouw Nordholt het ziekenhuis.

Het is langzamerhand in het hele gemeentehuis bekend dat secretaris Nordholt een humeur heeft om op te schieten. Niets is er goed en niets wordt er goed gedaan. Op de typekamer wordt geen beschaafd Nederlands meer gesproken wanneer de zoveelste brief, voorzien van rode strepen, retour komt.
'Het lijkt wel of die vent niet wijs is. Alsof we niets anders te doen hebben dan op zulke onzinnige dingen te letten. Hij is geschift.'
Het interesseert Marten niet wat zijn werkwijze teweegbrengt. De hele rotzooi kan hem eigenlijk gestolen worden. Er is maar één zaak die steeds door zijn hoofd maalt en daarom gooit hij zich als een terriër op zijn werk. Werken, werken, dat is het enige om zijn gedachten wat te verzetten. Dat de gevolgen daarvan niet voor iedereen even aangenaam zijn raakt hem niet.
Marten heeft zojuist een bespreking met wethouder Niedek gevoerd. De telefoon stoort en nu is Niedek er ongewild getuige van hoe bruut Nordholt iets af kan handelen. Niedek fronst zijn wenkbrauwen. Verdraaid, Nordholt heeft wat. Maar om jezelf zo te verliezen. Zo kent hij hem niet. Die persoon aan de andere kant van de lijn zal zich ook niet prettig voelen. Het duurt niet lang, dan wordt de hoorn op het toestel gesmeten. 'Kaffer.'
'Wie? Ik?'
'Nee, die lammeling.'
'Tja, we krijgen storm.'
'Bestaat niet. '
Nu lacht Niedek voluit. 'Man, wanneer ben jij voor het laatst bij de dokter geweest? Ik geloof dat je ver over de rooie bent. Neem je vrouw mee en ga vast met vakantie. Dat zal je goed doen. Hier redden ze het wel een paar weken zonder jou. '
Marten bromt iets onverstaanbaars. De wethouder pakt zijn

spullen van het bureau. 'Wij zijn het eens?' En wanneer hij Martens argwanende gezicht ziet: 'Ik bedoel de datum?'
'Natuurlijk. Tenzij er iets tussenkomt.'
'Akkoord.'
Maar Niedek maakt nog geen aanstalten om te vertrekken.
'Is je dochter terug uit Engeland? Ik heb haar onlangs gezien met die jongen van Jaap Scholten.'
Niedek grijnst breed. Hij weet de reden waarom Nicolien naar Engeland geweest is. En nu Nordholt zich zo als een bullebak gedraagt, moet hij maar eens wat afleiding hebben. Hij zal er nog een schepje bovenop doen. 'Die knaap solliciteert er misschien naar om je schoonzoon te worden. Nou, je kon het slechter treffen.'
Maar Marten reageert totaal anders dan hij verwacht. Hij klemt zijn lippen op elkaar, een potlood in zijn handen moet het ontgelden, het breekt. 'Ja, ze is terug', zegt hij dan na een korte stilte.
Nog even blijft Niedek staan, maar wanneer hij merkt dat Nordholt niet van plan is om ook maar iets los te laten van wat hem blijkbaar dwars zit, verlaat hij de secretariskamer. De deur valt achter hem dicht.
Secondenlang staart Marten naar die gesloten deur. Niedek moest eens weten. Over niet al te lange tijd zal hij het weten. Zoiets als dit met Nicolien is niet in de doofpot te stoppen. Waar ze ook heen gaat, overal wonen wel kennissen van kennissen. Zoiets gaat als een lopend vuurtje rond. Een smeuïg verhaal zal dat worden. Heb je dat al van Nicolien Nordholt gehoord? Ze heeft uit Engeland een souvenir meegenomen.
Vervloekt, dat hij nu niet in staat is om daar ook maar iets aan te veranderen.
Marten komt achter zijn bureau vandaan. Hij beent door de kamer, zoekt tenslotte toch zijn bureaustoel weer op. De aantekeningen die hij van het gesprek met Niedek gemaakt heeft liggen voor hem, maar Marten neemt ze niet door. Dat die kerel hem nu weer bij Nicolien moest bepalen. Zal hij dit dan nooit uit zijn hoofd kunnen zetten?

Marten plant zijn ellebogen op het bureau, zijn hoofd rust in zijn handen. Nu moet hij zijn gedachten wel de vrije loop laten, hij kan niet anders. Sinds vorige week maandag lijkt zijn leven veranderd te zijn. Of is hij zelf veranderd? Hard, bikkelhard heeft hij zich opgesteld toen Nicolien die verschrikkelijke dingen vertelde. Zij heeft niet naar hem willen luisteren, maar zijn besluit staat vast. In zijn huis geen dochter die het kind van een of andere schooier verwacht.
Hij zal bij zijn besluit blijven, ten koste van alles. Nicolien moet weten dat er grenzen zijn. Zouden zij als ouders niet gelijk hebben? Maar breng haar dat maar eens aan het verstand. Ze is altijd al zo'n eigenwijze bliksem geweest. En nu...
Het was voor hem een verademing toen bleek dat Nicolien de volgende dag vertrokken was. Naar Mellie en Tom. Hij heeft er op gerekend dat die haar wel tot andere gedachten zouden brengen, want dat zij haar toestand niet voor zich zou houden, daarvan was hij overtuigd. Dagenlang hebben ze niets gehoord. Sarah werd er zenuwachtig van. Hijzelf heeft gedacht dat in dit geval geen bericht ook goed bericht was. Mellie en Tom zouden er zeker al het mogelijke aan doen om Nicolien tot abortus te bewegen. Gezien Nicoliens halsstarrigheid zouden ze daar zeker een paar dagen voor nodig hebben.
Toen heeft Nicolien dat ongeluk gekregen. Hijzelf was de hele dag onbereikbaar, maar Sarah is er direct heengegaan. Via zijn vrouw en via Tom is hij nu op de hoogte van de geestelijke toestand waarin Nicolien verkeert. Geen wonder dat ze van de kaart is. Ze doet het zichzelf aan. Daar kan Marten niet zoveel medelijden mee hebben. Hij heeft één hoop en dat zijn de artsen. Wanneer die nu maar verstandig met Nicolien praten. Zelf heeft hij daarover contact met het ziekenhuis gehad. Maar die kerels laten niets los. Gisteren mochten ze voor het eerst op bezoek komen. Sarah is er heen geweest, hij niet. Hij gaat pas als Nicolien van besluit veranderd is. Vandaag is Sarah er weer heen.
Marten kijkt op zijn horloge, half vijf. Sarah kan al terug

zijn. Zal hij haar bellen? Nee, hij doet het niet. Ze moet niet de indruk krijgen dat hij week is, misschien van gedachten verandert. Want dat doet hij niet. Nooit. Nooit?
Er is een klein meisje dat op zijn knie zit. 'Jij bent de liefste pappie van de hele wereld.'
Er is een groot meisje dat als een furie voor hem staat. 'U weet niet wat het is om van iemand te houden. U houdt alleen van uzelf.'
Die woorden doen onnoemelijk pijn, maar Marten wil die pijn niet voelen. Daarom begraaft hij zich in zijn werk. Maar als duiveltjes springen die woorden steeds naar voren. Ze staan in de brieven die hij leest, in de notulen van vergaderingen, ja zelfs in de stukken die van het ministerie komen. U houdt alleen van uzelf!
Dat is niet waar. Hij weet dat dat niet waar is. Hij houdt van zijn gezin. Van Sarah in de eerste plaats en daarnaast van zijn kinderen. Zowel van Mellie als van Nicolien. Ja, ook van Nicolien, die eeuwige rebel. Maar liefde wil niet zeggen: alles maar goedvinden. Dat zou een mooie boel worden. Nee, gezag moet er zijn. In hun geval betekent dit: luisteren naar de ouders. Hoe kan zijn kind haar leven toch zo vergooien? Dat is een vraag waar Marten niet over uitgedacht raakt. Hij is er mee bezig, dag in dag uit. Er zal, hoe dan ook, een oplossing gevonden moeten worden. Want als Nicolien het kind toch wil laten komen, wat dan? Hij kan zijn dochter toch niet laten creperen? Zo'n hond is hij niet.
Er vormt zich een vaag plan. Hij zal ergens kamers voor haar moeten zoeken. Het liefst bij mensen die een oogje in het zeil kunnen houden. Misschien kan hij Jaap Scholten eens polsen, die heeft overal zoveel contacten. Hij kan straks wel direct even bij hem langs gaan, dan weet hij wat meer voordat hij er met Sarah over spreekt.
Marten haalt zijn vingers door zijn haar. Hij zucht eens. Wat kan het leven ineens beroerd zijn.
Het is niet vroeg wanneer Sarah thuiskomt. De witte bungalow ligt echter nog verlaten en het duurt nog geruime tijd voor Marten komt. 'Ik ben even bij Jaap Scholten geweest.

Je moet de groeten hebben.'
'Dankje.'
Marten gaat zitten, neemt de post van het tafeltje en vraagt ondertussen: 'Hoe was het?'
'Dat is een heel verhaal. Wil je een Moezel?'
'Prima.'
Zo zitten ze even later bij elkaar. De zon schijnt over de oude meubels, het licht valt net niet op het schilderij van Helmantel dat boven het Chinese ladenkastje hangt. Sarah kijkt naar die aanlokkelijk rijp geschilderde perziken. Vanmiddag heeft ze Nicolien perziken gebracht. Nicolien!
Bedachtzaam proeft ze de wijn, begint dan te vertellen. Marten luistert. Zodra Sarah vertelt over Toms voorstel om het kind te laten adopteren, kijkt hij verrast op. Dat is een nieuw gezichtspunt. Maar Sarahs verdere woorden zetten direct een domper op zijn optimisme. Sceptisch hoort hij hoe Sarah een vreemde broeder om hulp voor haar plannen gevraagd heeft en hoe die hulp geweigerd is.
Als ze even zwijgt, vraagt hij: 'Wat was dat voor een vent?'
Sarah begrijpt dat hij die broeder bedoelt. Weer nipt ze aan haar glas. 'Het was een rustige jongen. Ik vond hem eigenlijk wel sympathiek, ondanks zijn opvattingen.'
Marten bromt wat. 'Jij vindt iedereen sympathiek.' Uit wat hij van zijn vrouw gehoord heeft, kan hij zelf beslist geen sympathie voor die ziekenhuisbroeder opbrengen. Dat zo'n vent ook geen gezondere gedachten heeft. Het zal wel zo'n halfzachte kwezel zijn, iemand uit de zachte sector.
'Hoe is het afgelopen?'
Sarah kijkt haar man aan. 'Nicolien zal straks terecht kunnen bij de ouders van die broeder Jaght.'
Deze mededeling overvalt Marten. Heeft hij niet juist de hele middag lopen piekeren over dit probleem? Daarom is hij ook bij Jaap Scholten geweest. Jaap zal er vanavond nog werk van maken. En nu is dit niet meer nodig? Nicolien heeft hem schaakmat gezet. Weer! Sarah ziet zijn gezicht verstrakken. Ze kan niet weten welke gedachten hem bezighouden. 'Marten, ik ben bij die mensen thuis geweest.'

'Ben jij...'
'Ja. Toen die jongeman me vertelde dat Nicolien bij zijn ouders zal komen, nodigde hij me uit om daar kennis te gaan maken. Wat kon ik anders? Nicolien blijft ons kind, Marten.'
'En?'
'Alleen die mevrouw Jaght was thuis. Ze scheen verrast om me te zien en eerlijk gezegd schaamde ik me voor haar, Marten.'
Marten wil protesteren, maar Sarah legt hem met een klein gebaar het zwijgen op. 'Stil maar, ik sta volkomen achter jou, maar deze situatie is zo... zo onwerkelijk. Die mevrouw Jaght was eerst wat terughoudend. Ik kan me dat wel indenken. Zij denkt waarschijnlijk dat wij een soort weerwolven zijn voor onze kinderen. Later werd het wat beter. Ik heb zelfs de kamer gezien die voor Nicolien bestemd is. Die kamer was een paar jaar geleden nog van hun eigen dochter. Dat meisje is verongelukt.'
Nu zwijgt Sarah. De gebeurtenissen van deze middag hebben haar aangegrepen. De hand die ze naar het glas uitstrekt, beeft.
Eén ding moet ze Marten nog vertellen, ze haalt diep adem: 'Die mensen zijn christenen. Ik meen zelfs gemerkt te hebben dat ze nogal erg gelovig zijn.'
Deze laatste woorden geven Marten een dreun. Dat moet er nog bijkomen. Hij heeft altijd dat dwaze christendom buiten zijn deur kunnen houden. Daarom is Nicolien ook naar Engeland geweest. Engeland heeft geholpen, die knaap van die reformschool is van de baan. Maar dit is veel erger. Nu zal Nicolien dag en nacht in zo'n christelijke omgeving terecht komen. Ze zal geïndoctrineerd worden. Zulke mensen doen er alles aan om zieltjes te winnen.
'Vandaar dat ze Nicolien in huis willen', blaft hij. 'Zieltjeswinnerij en anders niet. Denk maar niet dat ze om Nicolien zelf geven.'
'Je draaft door, Marten.'
'O ja? Nou, let maar op. Binnen het jaar loopt die dochter van jou de kerkdeur plat. Al zal ze het alleen maar doen om ons

te ergeren.'
'Als ze het alleen daarom doet, houdt het niet lang stand', antwoordt Sarah rustig. 'Maar ik denk dat jij je zorgen maakt voor niets. Nicolien is nuchter genoeg om zichzelf te blijven. Van een hang naar een of andere religie heb ik nooit iets bij haar gemerkt. Daar komt nog bij dat ongehuwd moederschap bij die zware calvinisten natuurlijk een doodzonde is. Alleen daarom al zullen ze haar liever buiten houden dan in hun kerkgemeenschap binnen halen.'
'Besmet gebied', zegt Marten cru.
Sarah kijkt hem indringend aan. Marten vloekt. 'Ik weet wat je denkt, maar moeten we dat kind dan stimuleren in haar ondergang?'
Hij doet een greep naar de krant, hiermee te kennen gevend dat hij voorlopig niet meer over dit onderwerp spreken wil. Sarah staat op, ze moet nodig naar het eten kijken.
Het wordt voor de zoveelste keer een bijna zwijgende maaltijd. Zelfs het fleurige bosje tulpen, dat als een uitdaging op een hoek van de eettafel staat, kan geen bres slaan in de grijze sfeer.

Twee dagen later krijgt Sarah een telefoontje van mevrouw Jaght. Nicolien mag naar huis. Nog diezelfde dag zal ze bij de familie Jaght haar intrek nemen. Vermoeid gaat Sarah door het huis. Ze moet blij zijn dat Nicolien zover hersteld is. Ze moet blij zijn dat haar dochter een goed onderdak gevonden heeft. Maar zwaarder dan de blijdschap weegt het stille verdriet omdat haar gezin nu definitief gescheurd is.
Marten reageert niet als hij het hoort. 'Zo', zegt hij enkel. Dan gaat hij naar zijn kamer. Er is nog werk te doen voor de vergadering van deze avond.

Hoofdstuk 9

Zaterdagavond. Bijna twee dagen heeft het geregend, een druilerige motregen die de zonnige wereld veranderde in een grauwe. Maar nu, even na zevenen, wordt het droog en het duurt niet lang of er is in de grijze wolkenlaag hier en daar al een stukje blauw te zien. Er zingt een vogel, gevolgd door meerdere. Het blauw in de lucht wordt groter, het wint het van de wolken. Nog even, dan straalt de zon blij over de natte wereld. Ook in huis is dat goed te merken. Zo helder licht is het de hele dag nog niet geweest.
'Daar wordt een mens weer vrolijk van', zegt Erica Jaght opgewekt, terwijl ze een raam openzet. 'Jammer dat we nu vanavond weg moeten. Ik bleef net zo lief thuis.'
'O, maar u moet om mij niet thuisblijven. U moet gewoon uw gang blijven gaan.'
Erica glimlacht naar Nicolien. 'Dat hebben we ook afgesproken, maar ik vind het gewoon gezellig.'
'Zo, dat weten we dan ook weer. Laat ik me altijd verbeeld hebben dat mijn aanwezigheid ook op prijs gesteld werd. Maar nee hoor. Bedankt moeder.' Gert duikt hoofdschuddend weer achter zijn krant.
'Arme jongen', troost Erica. 'Was ik jou helemaal vergeten? Zal ik het goedmaken?'
'Welja, maak het nog maar erger. Wat moet Nicolien wel van me denken?'
Nicolien lacht wat, maar ze zegt niets. Hoewel ze weet dat hier over en weer alleen maar geplaagd wordt, voelt ze zich toch nog te zeer een buitenstaander om mee te doen.
Gisteren is ze hier gekomen. Haar been voelt ze bijna niet meer, maar die gekneusde ribben bezorgen haar nog veel last, vooral wanneer ze diep ademt. Het kan nog tijden duren voor dat over is. Ze moet flink zijn. Flink! Maar ze voelt zich zo alleen, ondanks de vriendelijke mensen bij wie ze nu woont. Zal dat altijd zo blijven? Al die lange maanden die

haar van de bevalling scheiden? De tranen zitten vandaag weer zo hoog. Gisteren ging het veel beter, maar nu lijkt het of ze nergens meer weerstand tegen heeft. Zelfs om de zonnestralen zou ze kunnen huilen. Ze heeft met Anne in de zon gewandeld, eeuwen geleden. Toen was het nog koud. Ze zochten warmte in de hotelkamer.
Nicolien staat op. Zonder iets te zeggen gaat ze de kamer uit. Erica en Gert horen haar de trap opgaan.
'Zal ik vanavond toch maar thuisblijven?' aarzelt Erica.
'Nee moeder, niet doen. Nicolien moet niet de indruk krijgen dat ze in de weg zit. U kunt rustig gaan, ik houd haar wel in de gaten.'
'Ja, als jij ook weg was, ging ik niet.'
Toch is Erica nog maar half gerustgesteld. Hoe zou zo'n meisje zich nu voelen? Ze zijn uiteindelijk wildvreemden voor elkaar. Zal het goed blijven gaan? Of zullen er problemen komen? Nicolien komt immers uit een heel ander gezin.
Erica heeft hier de laatste dagen veel met haar man over gesproken. Willem is vol vertrouwen. 'We moeten dit niet in eigen kracht willen doen, Erica', heeft hij gezegd. 'Als we weten dat de Heere Nicolien op onze weg geplaatst heeft, dan mogen we Hem ook om hulp vragen bij de begeleiding van dat meisje.'
Willem heeft gelijk, dat weet Erica. En vanuit dat vertrouwen hebben ze Nicolien gisteren kunnen begroeten. Gelukkig heeft Gert nu een paar dagen vrij. Zijn nachtdienst zit er op. Dat komt nu goed uit, Nicolien heeft de eerste dagen in elk geval één persoon om zich heen die ze al wat kent. En verder zullen ze er het beste maar van hopen.
Willem komt thuis. Hij zit weer in een ambtsperiode als ouderling en hij heeft een bezoekje in zijn wijk gebracht. Wanneer hij en Erica op het punt staan om te vertrekken, komt Nicolien naar beneden. Even nog een paar woorden, dan gaat de deur achter hen dicht.
Toch wat onzeker gaat Nicolien de kamer in. Wat moet ze vanavond doen? Wat zal Gert van haar verwachten? Hij beschouwt haar vast nog als een patiënt. Hij zal haar

misschien gaan observeren. Bah, wat is alles miserabel. Ze had hier niet heen moeten gaan, ze had direct ergens een kamer moeten huren.
Maar Gert schijnt de situatie helemaal niet vreemd te vinden. 'Ga maar mee naar de keuken', zegt hij. 'Dan kun je cake snijden terwijl ik koffie zet.'
In de keuken zet hij ongegeneerd alle kastdeurtjes wijd open. 'Kijk maar goed waar alles staat. Dat is gemakkelijk voor de toekomst.'
Nicolien moet wel lachen. 'Je stoot straks je hoofd', waarschuwt ze. Zodra het journaal begint, zitten ze, voorzien van koffie en cake, in de kamer.
'Even het journaal zien', zegt Gert. 'Dan gaan we straks een eindje lopen. Tenminste, als je zin hebt en je goed voelt.'
'Ik voel me prima. '
'Mooi.'
Maar wat er op het scherm te zien is, dringt niet tot Nicolien door. Kijken haar ouders daar nu ook naar? Denken ze wel eens aan haar? Haar moeder vast wel.
En haar vader? Nicoliens gezicht verstrakt. Aan haar vader wil ze niet denken. Ze wil nooit meer aan hem denken. Ze heeft geen vader meer. Een echte vader zou nooit zo doen. Leefde Anne nog maar, dan ging ze naar hem toe. Maar ook dat kan niet meer. Haar kind zal ook geen vader hebben. Nicolien slikt. Misschien is het goed dat zij zelf nu ook geen vader meer heeft. Dan zal ze haar kind later beter begrijpen. Het kind van Anne en haar, daar moet ze nu alleen aan denken. Niet aan zichzelf, want dan krijgt ze medelijden. Alleen aan het kind. Dat is ook het enige waarvoor ze moet leven. Voor dat kind heeft ze al moeten vechten de laatste weken. En er zijn nog veel meer consequenties, dat weet Nicolien pijnlijk nauwkeurig. Ze heeft Anne beloofd om met hem mee te gaan, later. Ook al begrijpt ze van die hele godsdienst geen sikkepit. Anne sprak daar eigenlijk wel vaak over, daar staat ze nu pas bij stil. Voor Anne was dat heel belangrijk. Hij heeft eens gezegd dat het geloof het allerbelangrijkste is in het leven. Daar heeft ze toen nog om gelachen.

'Ik lust nog wel koffie.'
Het duurt even voor de betekenis van die woorden tot Nicolien doordringt. Dan staat ze op. 'Ja, natuurlijk.' Ze gaat de benodigde dingen halen.
Gert kijkt haar tevreden na. Hij moet Nicolien zo nu en dan maar afleiding bezorgen, dat is het beste voor haar.

Het journaal is voorbij, Gert zet de tv uit. Buiten zingt een merel. Nicolien luistert ernaar. Thuis zitten ook veel vogels in de tuin. Fout, dat thuis heeft ze niet meer. Ze drinkt haar kopje leeg en slikt, slikt. Gert staat op. 'Zal ik je dan nu maar iets van onze schone omgeving laten zien?'
Nicolien vindt alles goed. Het is haar om het even of ze thuis blijft of wandelen gaat. Maar ze wil Gert best een plezier doen door mee te gaan. Hij heeft in het ziekenhuis genoeg met haar te stellen gehad, daar mag ze best eens wat tegenover stellen.
In de gang aarzelt ze. Moet ze een jack aantrekken? Het is vast nog lekker buiten.
Gert ziet haar weifeling. 'Trek maar wat aan', adviseert hij, 'tussen de weilanden aan de rivier is het altijd sneller afgekoeld. En je moet oppassen dat je geen kou vat.'
Nu komt er een glimpje humor in Nicolien omhoog. 'Ja broeder', zegt ze deemoedig.
'Spaar me, Nicolien, ik heb een vrij weekend.'
Nicolien schrikt wat, ze kent Gert nog niet zo goed. 'Ben je er boos om?'
Nu lacht Gert. 'Welnee. In dit gezin leer je het nog wel om niet alle woorden serieus te nemen.'

Nu lopen ze samen tussen de weilanden.
'Eigenlijk kun je hier niet zo goed wandelen', vertelt Gert. 'Hier tussen de weilanden ben je gauw uitgekeken. Het zijn nogal lange, saaie wegen. Kijk, daar ligt ons dorp, daar zullen we nu maar niet heengaan. Hoewel het best een gezellig dorp is. Er komt de laatste jaren ook wat meer nieuwbouw. Aan de andere kant van het dorp ligt nog wat bos, daar kunnen we

een andere keer wel eens heen gaan. Het zal er nu wel een natte boel zijn.'

Zodra Nicolien eenmaal buiten is, kijkt ze toch geïnteresseerd om zich heen. Nu ze hier woont, moet ze er maar zo vlug mogelijk thuis raken ook. De ondergaande zon geeft de weilanden een diepe gloed. Vee loopt te grazen, zwaluwen scheren door de lucht. Alles ademt rust. Vanaf de rivier klinkt het getuf van een motorboot. Nicolien hoort het. 'Is de rivier hier zo dichtbij?'

'Jazeker, we kunnen er wel even heen lopen.'

Ze passeren nog een huis. Nicolien kijkt om zich heen. 'Wat vreemd dat hier maar twee huizen staan', zegt ze dan. 'Hoe komt dat? Je zou hier toch eerder een paar boerderijen verwachten, zo tussen al die weilanden.'

'Volgens zeggen is men vroeger van plan geweest om hier een tiental woningen neer te zetten. Toen er twee half klaar waren, is er van hogerhand ingegrepen en ging het hele plan niet door. Alleen deze twee mochten afgebouwd worden. Die staan er nu al wel zo'n dertig jaar. Wijzelf zijn hier twaalf jaar geleden komen wonen. Mijn ouders hebben de woning toen van de vorige eigenaar gekocht en ze hebben er nooit spijt van gehad. Het is hier prachtig wonen, maar je moet er natuurlijk wel tegen kunnen dat je niet tussen de mensen zit. Gelukkig hebben we al die jaren aan de bewoners van het andere huis goede buren gehad. Maar dat is nu ook voorbij.'

Gert zwijgt.

'Zijn die mensen verhuisd?'

'Nee, ze leven niet meer. Ik kan je daar wel wat van vertellen. Wij hadden... vrij veel contact.'

Nicolien kijkt vlug opzij. Er is iets in Gerts stem dat haar opmerkzaam maakt. 'Als je het vervelend vindt hoef je het niet te vertellen.'

'Nee, dat is het niet. Notaris Van der Vinne woonde met zijn vrouw en zoon naast ons. Die zoon, wel, je hebt de foto van mijn zus op de schoorsteen gezien? Rosalyn trok nogal veel met die zoon op. Om een lang verhaal kort te maken, ze hielden van elkaar, maar er waren problemen. Rosalyn was

een gelovig meisje en Ronald had tijdens zijn studiejaren alles overboord gegooid. Dat botste. Misschien komt dat jou wat vreemd over, maar als je gelooft zijn zulke dingen heel belangrijk. Eigenlijk het allerbelangrijkste. Dat was het voor Rosalyn ook. Ze heeft het daar erg moeilijk mee gehad. In die tijd is de notaris plotseling overleden. Misschien daardoor begon Ronald te veranderen. Ze kregen echt verkering. En toen... wel, toen kregen ze dat ongeluk. Rosalyn leefde niet meer en Ronald was zwaar gewond.'
Het blijft stil. Nicolien heeft de trilling in Gerts stem wel gehoord. Stil loopt ze naast hem, er brandt wat achter haar ogen. Rosalyn... Anne...
'Sorry', klinkt het dan naast haar. 'Ik had je dit nu niet moeten vertellen.'
'Dat hindert niet. Ik wil graag alles van je zusje weten. Je moeder zal er ook wel eens over willen praten. Dan is het beter als ik wat op de hoogte ben.'
'Mevrouw Van der Vinne is een half jaar geleden overleden', vertelt Gert verder. 'Met de mensen die er nu wonen hebben we niet zoveel contact. Het zijn jonge mensen die alletwee werken en 's avonds vaak weg zijn.'
Nicolien overdenkt wat Gert haar verteld heeft. Door zijn woorden heeft deze omgeving iets eigens voor haar gekregen. Hier hebben een jongen en een meisje gewoond die van elkaar hielden. Hier hebben ze samen gelopen, zoals zij en Gert nu. Nee, anders natuurlijk. Gert en zij kennen elkaar alleen vanuit het ziekenhuis. Die andere jongen en dat meisje hielden van elkaar. Zoals Anne en zij van elkaar gehouden hebben. Hoe zou die Ronald dat verwerkt hebben? Maar hij bleef niet als ongehuwde vader achter. Hij kon zijn leven normaal voortzetten.
'Is die Ronald ook notaris geworden, net zoals zijn vader?'
'Ronald? Welnee, die is musicus. En een goeie ook. Nooit van Ronald van der Vinne gehoord? Orgel, piano, dwarsfluit.'
Nicolien schudt haar hoofd. 'Het spijt me voor je, als het nu nog een popartiest was. Stel ik je erg teleur?'
'Ja, verschrikkelijk.'

Ze zijn ondertussen het zijpad ingeslagen dat naar het dijkje voert. Even later staan ze er bovenop. En dan, misschien vijftig meter voor hen, ligt het water. Nicolien kan een verraste uitroep niet weerhouden. Zo rustig stroomt de rivier daar, de kribben zijn duidelijk te zien. Dichtbij staat een bank. 'Service van de VVV', zegt Gert. 'Vroeger moesten we hier op de grond zitten, dan liepen we meestal door naar het water.'
'Zullen we?' Nicolien loopt al naar de bank.
'Even dan', vindt Gert. 'Maar doe je jack dicht.'
'Ja...', nog bijtijds slikt Nicolien het woord broeder in, maar Gert heeft er wel erg in. 'Je moet echt goed op jezelf passen', zo verontschuldigt hij zich.
De bank is echter nog kletsnat. 'Dat was ook te verwachten', is Gerts commentaar. 'Laten we maar even naar het water lopen.'
Het is rustig op de rivier. Geen boot is er meer te zien, alleen een paar meeuwen vliegen laag over het water.
Nicolien wordt er stil van. Vroeger heeft ze de riviernamen geleerd, maar het waren eigenlijk niet meer dan lijnen op een landkaart. Natuurlijk heeft ze nadien regelmatig een rivier gezien. Maar nooit eerder heeft ze er zo dichtbij gestaan. Ze ziet het water om de krib kolken. Wat een vaart zit daarin. Ze heeft wel gehoord van mensen die in een rivier gaan zwemmen. Soms verdrinkt er iemand. Dat kan ze nu begrijpen. Vanaf hier lijkt de rivier ook veel breder. Stel dat je daar middenin lag. Wat zou je dan moeten doen? Je laten drijven waarschijnlijk en proberen om niet in een draaikolk te komen. Ze huivert, kijkt dan naar de overkant van het water. Weer grasland, een dijkje en daarachter hier en daar het dak van een boerderij. Nog verder weg een torenspits. Een dorp natuurlijk. Wat landelijk is alles hier, net of het leven hier stilstaat. Alsof er geen problemen zijn.
'We krijgen nog meer regen', zegt Gert dan plotseling.
Nu valt het Nicolien ook op hoe donker de lucht aan de overkant van de rivier is. Extra donker nu de ondergaande zon ertegen schijnt. Er tekenen zich tegen die donkere lucht

kleuren af. Eerst vaag, maar allengs feller. En dan staat daar in al haar glorie de regenboog, van horizon tot horizon. Samen kijken ze naar dit geweldige natuurverschijnsel.
'De boog van Gods trouw', zegt Gert zacht.
Nicolien begrijpt die woorden niet. Wat heeft een regenboog nu met God te maken? Zou Anne dat geweten hebben? Vast wel. Maar ze durft er Gert niet naar te vragen. Waarom hebben vader en moeder haar ook nooit iets over de godsdienst verteld? Het zou gewoon een vak moeten zijn dat je op school kreeg, net als Engels en wiskunde. Ze zal er nu zelf moeite voor moeten doen om er iets over te leren. Anne zou dat willen.
Haar gedachten blijven ermee bezig wanneer ze terug wandelen en later, wanneer ze in de kamer zitten. De zon is nu verdwenen, de hele lucht is weer bewolkt, maar nog is het droog.
Gert heeft voor muziek gezorgd, maar Nicolien hoort er niets van. Ze worstelt met een vraag: wel doen, niet doen. Wel, niet. Het is in de lijn van Anne om het wel te doen. Maar haar ouders zullen er fel op tegen zijn. Vooral haar vader. Nee! Waarom moet ze bij al de beslissingen die ze neemt toch steeds aan haar ouders denken? Is ze zo weinig zelfstandig? Of is het onbewust een zekere tegenstand tegen een leven zoals bij Anne thuis?
Gert heeft wat te drinken gehaald. 'Zal ik een paar lampen aandoen?' vraagt hij.
'Voor mij hoeft het niet. Maar als jij wilt lezen?'
'Nee, ik hou wel van de schemer, je kunt er goed bij denken.'
'En praten', zegt Nicolien zacht.
'Ook dat.'
Dan is het weer stil. Er is blijkbaar nog niet veel te zeggen. Een auto rijdt langzaam over de weg.
'Gert?'
'Ja?'
'Ik wil je wat vragen.'
'Ga je gang.'

'Zouden je ouders het erg vinden als ik morgen met hen meega naar de kerk?'
Gert laat niet merken hoe verrast hij met deze vraag is. De hele avond al cirkelen zijn gedachten om Nicolien en de jongen die ze gehad heeft. Een gelovige jongen. Hij heeft zich afgevraagd wat die jongen nu zou willen. Geen abortus, dat weet hij van Nicolien. Maar verder? Die jongen, Anne heeft Nicolien eens gezegd, zou waarschijnlijk zelf voor zijn kind willen zorgen. Nu kan dat niet meer.
Maar het is geen toeval dat Nicolien nu in het huis van zijn ouders woont. Nu komt ze dagelijks met het geloof en de Bijbel in aanraking. Zal dat gevolgen voor haar hebben? Ze zullen haar voor moeten leven wat het betekent om een christen te zijn, gewoon in het leven van alledag, in woord, in werk en in ontspanning. En dan?
Gert weet dat geen enkel mens een ander tot bekering kan brengen, alle evangelisatie-inspanningen ten spijt. Ook Nicoliens leven ligt in Gods hand. Maar vanaf de eerste ontmoeting met haar in het ziekenhuis, heeft hij voor haar gebeden. Dit is geen uitzondering. Gert is gewoon om voor de patiënten met wie hij in aanraking komt, te bidden. Er is zoveel pijn, zoveel nood, die door geen enkele arts te verhelpen valt. Gelukkig dat er een volmaakte Heelmeester is.
En nu is daar Nicoliens vraag, zo simpel. Maar ook zo volkomen passend in Gerts gedachten.
'Ik denk dat mijn ouders dat juist fijn zullen vinden, Nicolien. En niet alleen mijn ouders.'
'Maar ik... ik heb geen rok en geen hoed.'
'Maar je hoeft geen hoed te dragen, dat doet haast niemand.'
'O, dat dacht ik.' Nicolien voelt haar wangen gloeien. Ze heeft vast een flater geslagen. Maar ze kan toch niet vertellen van de kerk waar Anne heenging. Ze is een keer op veilige afstand gaan kijken toen die kerk uitging. Al die mensen in hun stemmige kleren, zelfs de jonge meisjes hadden een hoedje op het hoofd. Dat heeft indruk op haar gemaakt. Benauwend aan de ene kant, maar ook plechtig. En onbewust

heeft ze gemeend dat in een dorp als dit, de mensen ook zo gekleed naar de kerk zullen gaan.
'Het is natuurlijk wel normaal om correct gekleed naar de kerk te gaan', vertelt Gert. 'En bij ons dragen gelukkig de meeste vrouwen en meisjes nog een nette rok. Maar het is niet verboden om in een lange broek naar de kerk te gaan. Wanneer jij niets anders bij je hebt, kun je die morgen gerust aantrekken. Maar je zou mijn ouders wel een plezier doen door volgende week een rokje aan te schaffen, dat weet ik zeker.'
Gert wacht even, gaat dan bedachtzaam verder: 'Ik weet dat er kerken zijn waar de vrouwen en meisjes iets op het hoofd moeten dragen. Ik heb daar respect voor, maar bij ons is het geen gewoonte. Je hoeft je daarover dus geen zorgen te maken.'
De schemer wordt dieper. Nicolien heeft nog een vraag. Ze durft hem eigenlijk niet te stellen, maar ze moet het weten. Anders gaat ze morgen ook niet mee.
'Zullen je ouders het later ook niet erg vinden?'
'Wat bedoel je?' Gert weet werkelijk niet waar ze heen wil met haar vraag. Hij ziet het verschil niet tussen morgen en later.
'Nou ja, over een paar maanden of zo.'
Nu weet Gert plotseling waar Nicolien op doelt. Verdraaid, maakt ze zich daar nu weer zorgen over. Die moet hij haar direct uit het hoofd praten. Hij gaat wat verzitten. 'Nicolien, nu moet je eens goed luisteren. Mijn ouders hebben hun huis opengesteld voor de ongehuwde, aanstaande moeder Nicolien Nordholt. Niets meer en niets minder. En in de komende maanden staan we vierkant achter diezelfde Nicolien Nordholt, inclusief alle veranderingen die er bij dat meisje plaatsvinden. Wees dus nooit bang dat we ons op de een of andere manier voor jou zullen schamen. Hier woon je nu en hier kun je je thuisvoelen. En gebeuren er toch eens nare dingen, dan moet je er met ons over praten. Vergeet dat niet, Nicolien.'
Gerts stem klinkt zo warm. We staan vierkant achter je.

We! Hij zelf ook. Weet hij wel wat zulke woorden voor haar betekenen?
Waarom zitten die lastige tranen nu weer zo hoog. Is ze dan zo labiel dat zelfs Gerts woorden haar aan het huilen maken? Ze zoekt een zakdoek.
Maar Gert is helemaal niet zo tevreden over zijn woorden. Nu heeft hij met Nicolien over mensen gesproken, steun van mensen toegezegd. Maar dat is immers het belangrijkste niet. Hij zal hoger moeten reiken.
'Nicolien, je weet nu hoe wij tegenover je staan. Maar wij zullen nooit alle problemen voor je weg kunnen nemen. Ik weet niet wat je nog allemaal mee zult maken. Mensen kunnen inderdaad vaak heel gemeen zijn. Een bepaalde blik of opmerking zal je kunnen kwetsen. In het ziekenhuis heb ik tegen je gezegd dat we alleen op God kunnen vertrouwen. Dat wil ik nu nog een keer herhalen. Als je Hem leert kennen, dan pas zul je werkelijk geluk vinden in het leven. Heb je een Bijbel?'
Voordat Nicolien op deze vraag antwoord kan geven, gaat de telefoon. Jammer, denkt Gert. Hij staat op, neemt de hoorn.
'Met Gert Jaght. '
'Jazeker, ogenblik graag. Nicolien, je moeder.'
Zodra Nicolien de hoorn van hem overgenomen heeft, gaat Gert de kamer uit. Nicolien moet vrij kunnen praten. Vooral nu ze hier nog maar pas is.

'Met Nicolien.'
'Dag kind, met je moeder. Sorry dat ik nog zo laat bel. Ik heb het eerder op de avond al geprobeerd, maar toen kreeg ik geen gehoor. En ik ben benieuwd hoe het met je gaat.'
Even een stilte. Dan: 'Goed.'
'Hoe is het met je been?'
'Goed.'
'Is de wond al dicht?'
'Ja.'
'Fijn. Doet je borst nog veel pijn?'
'Nee, niet veel.'

'En je hoofd, hoe gaat het daarmee?'
'Ook goed.'
Nicolien friemelt aan het telefoonsnoer. Haar moeder zal haar antwoorden wel stompzinnig vinden. Maar het is of er een muur in haar hoofd zit zodra ze met iemand van thuis geconfronteerd wordt. Net of er dan iets geblokkeerd wordt.
Het blijft nu aan de andere kant van de lijn even stil, dan klinkt het: 'Gelukkig dat alles goed met je is. Misschien kom ik over een tijdje wel een keer bij je.'
'O.'
'Dat klinkt niet erg aanmoedigend. Vind je het erg als ik zou komen?'
'Och.'
'Je hoeft je niet ongerust te maken dat ik morgen al kom. Ik bel van te voren wel als ik een keer kom. En... het is mevrouw Jaght zelf geweest die me gezegd heeft dat ik je wel mocht bezoeken. Misschien stelt je dat gerust.'
Nicolien geeft hier geen antwoord op. Wat moet ze ook zeggen? Haar moeder wil haar zelf niet in huis hebben. Nee, zo is het niet helemaal. Het is haar vader die dat niet wil. Maar haar moeder staat immers volledig naast hem. Je kind niet in huis willen hebben, maar het wel ergens anders gaan bezoeken, dat kan Nicolien niet begrijpen. Maar ze heeft hier niets over te zeggen. Ze woont nu in het huis van meneer en mevrouw Jaght. Mevrouw Jaght heeft zelf haar moeder uitgenodigd, dat is haar goed recht. Daar kan zij niets aan veranderen.
'Ben je daar nog?' vraagt de stem door de telefoon.
'Ja.'
'Nu, Nicolien, ik wens je het allerbeste en tot ziens.'
'Dag.'
De verbinding is verbroken. Nicolien legt de hoorn neer. Dat was dus haar moeder. Ze lacht ironisch. Hoe is het met je been, je borst en je hoofd? Alles daarmee goed? Fijn. Nee, naar je buik vraag ik niet. Stel je voor. Daar willen we niets mee te maken hebben. Die bestaat niet voor ons. Nu niet en

nooit. Dat moet je goed begrijpen, Nicolien. We leven wel met je gezondheid mee, dat hoort ook als goede ouders. De familie Jaght moet niet de indruk krijgen dat we je aan je lot overlaten, daar zijn we immers beschaafde mensen voor. Maar je buik telt niet mee. Die heb je gewoon niet. Voor ons ben je Nicolien zonder buik. Dat begrijp je toch wel?
Nicolien maakt een klein geluidje. Haar gedachten zijn zo vreemd. Bestaat ze werkelijk uit twee delen? Eén deel dat in de belangstelling van haar moeder staat en een ander deel. En in dat andere deel groeit een klein mensje. Boven heeft ze de foto van die glazen pot met dat kleine, kleine kindje er in. Zo'n klein kindje draagt zij bij zich. Bijna iedereen wil dat kindje kwaad doen, haar ouders allereerst. Dankzij Gert Jaght is dat niet gelukt. Nu is het voorlopig veilig. Maar nu negeert haar moeder dat. Dat doet pijn. Bijna net zoveel pijn als het conflict met haar vader. Ze wil haar moeder voorlopig ook niet meer zien, niet spreken ook. Ze zal dat tegen Gert zeggen, tegen mevrouw Jaght, tegen iedereen. Ze zal...
Gert komt binnen. Ondanks de schemer ziet hij dat Nicolien ontdaan is. Ze staart hem zo vreemd aan. Jammer, hij had ook bij haar moeten blijven. Ze is er blijkbaar nog niet goed tegen bestand om met haar ouders geconfronteerd te worden.
'Zo, je moeder wou je zeker even welterusten wensen', zegt hij opgewekt, terwijl hij een schemerlamp aanknipt.
'Ze wil een keer komen', antwoordt Nicolien strak.
Gert kijkt haar oplettend aan. 'Dat vind je niet zo prettig?'
'Nee.'
'Maar je hoeft voor je moeder niet bang te zijn, Nicolien. Ze zal je geen kwaad doen. En je hoeft niet met haar alleen te zijn als ze komt. Wanneer je dat wilt, blijven we bij je. We laten je niet in de steek, echt niet. '
Nicolien kijkt hem aan. Dat is Gert niet, dat is broeder Jaght die daar praat. En op broeder Jaght kan ze vertrouwen. Ze zucht diep. 'Ik ben moe.'
'Dat begrijp ik. Ik heb je ook veel te lang aan de praat gehouden. Je moet naar bed gaan.' Gert is werkelijk bezorgd. 'Wil je nog iets drinken?'

'Nee, dank je. Welterusten.'
'Welterusten. '
Als een slaapwandelaarster gaat Nicolien de kamer uit. Maar voor ze gaat slapen zit ze nog lang op de rand van haar bed. In haar handen twee foto's. De een van een kindje in een glazen pot. De ander van een jongeman in het uniform van de Koninklijke Landmacht.

Hoofdstuk 10

'Jij maakt nu zeker wel vreemde dagen mee.' Willem Jaght kijkt het meisje dat bij hem in de kamer zit, vriendelijk aan.
'Wel een beetje', is haar antwoord.
Willem knikt. 'Ik kan me dat indenken. Bidden en danken voor en na het eten. Je ogen sluiten en hardop praten tegen Iemand die je niet kunt zien, Die misschien helemaal niet bestaat. Je hebt zoiets misschien wel eens op de tv gezien, maar om het zelf dagelijks mee te maken is nog wel even wat anders, denk ik.'
Nicolien lacht onzeker. Meneer Jaght slaat de spijker precies op de kop. 'Ik begrijp zo weinig van de godsdienst', zegt ze dan.
'Als je niet in een christelijk gezin bent opgegroeid, kun je er ook niet veel van begrijpen. Je zult alles misschien wel gek vinden. Maar neem één ding van me aan, Nicolien. Niet het geloof en wat daarmee samenhangt, is vreemd. Maar de mensen die van dat alles niets willen weten, hebben het mis. Vanmorgen hebben we al gesproken over het begin van de wereldgeschiedenis, de schepping van de wereld en de zondeval van de mensen. Ook het belangrijkste, Jezus Christus, Gods Zoon, Die voor onze zonden betaald heeft. Voor de zonden van alle mensen. Dat is het centrale punt in het geloof. Jezus Christus, Die gekruisigd is, Die ons weer met God verzoent. En daar vertelt Gods Woord, de Bijbel ons van. Wanneer je in de Bijbel leest, zul je veel woorden ouderwets vinden. Maar deze woorden hebben meestal meer diepgang dan in moderner Nederlands weergegeven kan worden. Je zult je de bijbeltaal eigen moeten maken. Maar een woord op zich is niet het belangrijkste, de inhoud is het voornaamste. En de boodschap van de Bijbel is van onschatbare waarde voor alle mensen van alle eeuwen.'
Willem zwijgt. Als hij naar zijn gemoed te werk ging, zou hij nog tijden door kunnen praten. Maar dat mag niet. Dit meisje

krijgt in korte tijd waarschijnlijk al meer te verwerken dan goed voor haar is. Ze zullen rustig aan moeten doen, al valt hem dat moeilijk. Hij wil immers zo graag de rijkdom van het geloof overbrengen op anderen die daar nog zo weinig van weten.
Nicolien denkt aan het Bijbeltje dat mevrouw Jaght haar vanmorgen gegeven heeft. Het is van haar dochter geweest, haar naam staat er nog voorin. Het is vreemd te bedenken dat een paar jaar geleden een ander meisje dat kleine boek gebruikt heeft. Zou zij alles geloofd hebben wat erin staat? Net zoals Anne dat geloofde? Het doet pijn om aan Anne te denken. Van Rosalyn staat een foto op de schoorsteenmantel. Van Anne zal nooit ergens een foto staan. Misschien later, veel later, als niemand meer zal vermoeden wie die blonde jongen is. Dan zal zij haar kind vertellen over de vader die zo lief was en die naar de kerk ging.
'Gaan wij daarom ook naar de kerk?' zal het kind vragen. 'Ja, ik heb je pappie beloofd dat ik met hem mee zou gaan.'
'Maar jij kunt niet met hem meegaan, want pappie is er niet meer', zal het kind zeggen. En heeft het dan geen gelijk?
Ergens zegt een zachte stem: 'Zul je het niet alleen voor mij doen?'
En zij heeft geantwoord: 'Ik zal mijn best doen. '
Het is zo moeilijk allemaal. Niemand weet wat ze beloofd heeft. Niemand kan haar hier ook bij helpen.
Toen ze voor het leven van haar kind moest vechten, toen had ze hulp nodig. Nog. Maar die andere belofte aan Anne moet ze zelf waarmaken. En daarom is ze meegegaan naar de kerk, al begrijpt ze er ook niets van.
Stel dat haar óuders wisten wat ze doet. Ze zouden denken dat het een bevlieging van haar is. Vader zal minachtend vragen of ze een vrome huichelaar wil worden.
Er trekt weer wat over Nicoliens gezicht. Ze moet zulke dingen niet denken. Het is helemaal niet belangrijk meer wat haar vader van haar denkt. Ze moet het doen, om Anne.
Maar ergens is er een vage angst. Als die hele godsdienst toch eens flauwekul is? Als haar vader eens gelijk heeft? Zo

heeft ze ook gedacht vandaag, tijdens de kerkdienst. Van de preek heeft ze niet veel begrepen. Meezingen kon ze ook niet, omdat ze er niets van kent. Dat was wel vervelend. Zelfs de kinderen om haar heen zongen uit volle borst mee. Zal het lang duren voor zij iets van die melodieën leert kennen?
Nicolien is vastbesloten om al het mogelijke te doen om te gaan leven zoals Anne zou willen. En daarom moet ze moeite doen voor die godsdienst. Ze moet doen alsof ze een moeilijke cursus gaat volgen. Zoiets gaat ook niet vanzelf, daar moet je je doorheen slaan. Maar de Bijbel is zo groot, zal ze daar ooit doorheen komen?

Ze wordt gestoord in haar gedachten door het slaan van de achterdeur. Gerucht, dan gaat de kamerdeur open. 'Slapen jullie allemaal?'
Op de drempel staat een jongeman. Ogenblikkelijk ziet Nicolien dat dit Jaap moet zijn. Hij lijkt op Gert, is alleen forser. Tijd om meer te denken heeft ze niet, hij komt al met uitgestoken hand op haar af. 'Zo, en dat is zeker mijn nieuwe pleegzus. Aangenaam. Ik ben Jaap Jaght. Dag vader.'
Nicolien bloost bij deze begroeting.
'Nicolien Nordholt', zo stelt ze zich voor.
'Jaap, dat is aardig dat jullie komen.'
'Bar aardig', geeft Jaap toe. 'Maar ik ben alleen.'
'Leni is toch niet ziek?'
'Nee, we moesten ergens op bezoek. Mensen met kleine kinderen. Die zaten natuurlijk op tante Leni te wachten, daarom heb ik haar daar eerst afgezet. Straks ga ik er ook heen. Maar ik moest hier toch eerst even kennismaken?' Jaap lacht nu voluit naar Nicolien, die eigenlijk niet goed weet hoe ze het heeft.
Jaap keert zich weer naar zijn vader. 'Zijn moeder en Gert er niet?'
'Die zijn boven, ze zullen zo wel komen.' Maar Jaap staat al weer op, zijn stem schalt door de gang.
'Dat is dan Jaap', zegt Willem bedaard tegen Nicolien. 'Nu weet je gelijk dat ons leven niet altijd zo rustig geweest is als

het op het ogenblik wel lijkt.'
Jaap komt weer binnen, bijna op de voet gevolgd door Erica.
'Je bent toch niet alleen, Jaap?'
'Toch wel.' En opnieuw vertelt Jaap de reden van Leni's afwezigheid.
Terwijl Erica voor koffie gaat zorgen, komt Gert beneden.
'Zo broer.'
'Broertje!' plaagt Jaap terug. 'Ik heb het recht om dat te zeggen', verklaart hij Nicolien, 'want ik ben bijna twee hele jaren ouder.'
'Is Leni er niet?'
Jaap schiet in de lach. 'Ik zou me bijna overbodig voelen.' En voor de derde keer geeft hij uitleg.
Het 'even kennismaken' van Jaap wordt een vol uur. Wel een uur waarin voor mijmeringen geen ruimte is. Jaap is een spontane vent die van zijn hart meestal geen moordkuil maakt en van alles te vertellen heeft.
In stilte vergelijkt Nicolien de twee broers. Gert is zo rustig, de broeder uit het ziekenhuis, tegen wie ze durfde te praten. Stel je voor dat Jaap ook eens broeder was? Dat hij die nachtdiensten gedraaid had toen zij in het ziekenhuis lag. Nee, dat kan ze zich niet indenken. Gelukkig dat het Gert was. Ze kijkt naar hem. Even een blik over en weer, een haast onmerkbare knipoog van Gert. Nicolien wordt er warm van. Gert moest eens weten wat ze denkt.
Jaap gaat staan, hij moet nu echt weg.
'Kom eens een keer bij ons kijken', zegt hij tegen Nicolien. 'Vraag maar of Gert mee wil, dan zien we die ook weer eens.'
Willem en Erica lopen met hem mee naar buiten. Het is plotseling stil in de kamer geworden.
'Dat is dan Jaap', zegt Gert glimlachend.
'Datzelfde zei je vader ook al', antwoordt Nicolien verrast.
'Jaap en Rosalyn waren de rumoerigsten bij ons thuis', vertelt Gert. 'Niet vervelend hoor, integendeel. We hebben heel wat afgelachen met ons allen. Maar toen zij beiden zo plotseling weg waren, kon ik er niet toe komen om ook het

huis uit te gaan. De overgang zou te groot zijn, voor mijn moeder vooral. Hoewel ze daar nu wel tegen zou kunnen. Wie weet.'

Nicolien moet die avond nog diverse keren aan Gerts woorden denken. Zou hij werkelijk op korte termijn het huis uit willen? Hij is er oud genoeg voor. Ze kan zich best indenken dat hij zelfstandig wil gaan wonen. Zij zou ook niet altijd bij haar ouders willen wonen. O ironie, die kans heeft ze niet eens gekregen. Maar als Gert nu eens werkelijk vlug weg zou gaan? Het was zo'n veilig gevoel in het huis te wonen waar broeder Jaght ook woonde.

Zie je wel dat zij niet zo op mensen moet vertrouwen? Ze moet zich niet aan Gert Jaght binden. Ook aan zijn ouders niet. Ze moet zorgen dat ze een woonruimte krijgt, zodat ze na de bevalling direct voor zichzelf kan zorgen. Als Anne nu nog maar leefde!

Ook Gert denkt deze avond over zijn woorden na. Dat hij het toch maar zo tegen Nicolien gezegd heeft. Waarom eigenlijk? Heeft hij, nu Nicolien Jaaps persoonlijkheid heeft leren kennen, behoefte gevoeld om zich te rechtvaardigen voor zijn nog thuis wonen? Heeft hij het beeld van een jongen die zich door zijn ouders laat vertroetelen, weg willen nemen? Maar daar was toch geen aanleiding voor? Niemand zal hem ervan verdenken een moederskindje te zijn. Ook Nicolien niet. En wil iemand dat wel denken, het zij zo, hij heeft zich daar nog nooit zorgen om gemaakt. Waarom nu dan wel? Toen Jaap pas getrouwd was, heeft hij er dikwijls over gedacht om zelfstandig te gaan wonen, maar het is bij vage plannen gebleven. Na die donkere winter leek het hem onmogelijk om het huis uit te gaan. Nu zijn ze zoveel jaren verder. Er is geen belemmering meer.

Of toch? Een ziekenhuisbed met een angstig meisje. Een meisje dat nu met hem onder hetzelfde dak woont. Maar Gert weet drommels goed dat hij als man voor dat meisje niet bestaat. Zij leeft hier nu met verdriet in haar hart om een ander. Straks zal haar kind geboren worden. Het kind van die ander. Het is hun taak om dat meisje de komende maanden

te steunen en te begeleiden. Daarbij zal hij zijn persoonlijke gevoelens aan de kant moeten zetten. Voor Nicolien is hij de ziekenhuisbroeder, dat heeft ze de vorige avond nog laten merken. En zo zal het moeten blijven. Ze mag niet weten dat er bij hem andere zaken meespelen. Dit huis moet voor haar een veilig huis zijn, waar ze zich ook volkomen thuis zal kunnen voelen. Hij mag daarbij geen sta-in-de-weg zijn. Misschien is het goed om over andere woonruimte na te denken. Voor zijn moeder zal dat ook gemakkelijker zijn nu ze een meisje thuis heeft om voor te zorgen.
Het verdere deel van de avond is Gert erg stil, maar dit valt Nicolien niet op. Zij kent hem nog zo weinig. Ze gaat die avond vroeg naar bed. Ze is moe van alle gebeurtenissen. Ook Gert zoekt bijtijds zijn kamer op. Hij heeft morgen vroege dienst.
Willem pakt een boek, leest een bladzijde en legt het boek dan weer weg.
'We moeten Nicolien een ander soort Bijbel geven.'
Erica schiet in de lach.
'En dat zegt een goed gereformeerde ouderling?' plaagt ze, hiermee Willems woorden letterlijk uitleggend.
Ook Willem lacht even.
'Je begrijpt best wat ik bedoel. Ik heb aan een kinderbijbel gedacht, maar ik ben bang dat we haar daarmee beledigen.'
'Er zijn toch ook wel andere soorten', denkt Erica hardop met hem mee. 'Ik bedoel die, die voor jongeren geschikt zijn. Heeft Leni die Bijbel voor jonge mensen van Wolf Meesters niet?'
'Zoiets bedoel ik', zegt Wiliem. 'Dat zal haar meer aanspreken dan een kinderbijbel.'
'Zal ik morgen eens bij de boekhandel kijken?'
'Doe dat maar.'

En Erica heeft succes, er is nog een exemplaar in voorraad. Nicolien is verbaasd wanneer meneer Jaght haar de volgende avond het zware boek overhandigt. 'Nicolien, dit is een welkomstcadeau van ons. Het is niet bedoeld in plaats van

de Bijbel, maar wel voor gebruik ernaast. Gisteren hebben we al even over de bijbeltaal gesproken. En omdat voor jou alles nog vreemd is, willen we je dit geven. Ik hoop dat het werkelijk tot zegen in je leven mag zijn. Alsjeblieft. Gebruik hem veel.'
Nicolien wordt er verlegen van. Ze bekijkt de plaat die op de buitenkant is afgedrukt. Erica komt bij haar staan. 'Die tekening stelt het Kerstgebeuren voor', vertelt ze. 'Kijk, dat zijn Jozef en Maria bij het Kind Jezus. En dat zijn de herders die van de engelen over de geboorte van de Heiland gehoord hadden.'
Ook Gert kijkt even over Nicoliens schouder. Er komt een lachje om zijn mond. Een kraamvrouw op de knieën. Maar het lijkt hem beter om daar maar niets over te zeggen.
Gebruik hem veel, heeft meneer Jaght gezegd. Nicolien is van plan om dat te doen ook. Diezelfde avond, voordat ze gaat slapen, leest ze er op haar kamer in. Deze taal spreekt haar aan. Het is alsof ze een sprookje leest.
Moet ze dat nu echt allemaal geloven? De schepping is al wat bekend, daar heeft meneer Jaght van verteld. Is er werkelijk een paradijstuin geweest waar mensen geleefd hebben zonder dat er problemen waren? Zonder dat er zonde was? Zonde! Nicolien zegt het woord hardop. Er zit een nare herinnering aan. Anne vond hun samenleven zonde. Dat heeft ze nooit kunnen begrijpen. Ze hielden immers zoveel van elkaar. Waarom was dat dan verkeerd? Zonde is voor Nicoliens gevoel iets slechts, iets gemeens. Hun liefde voor elkaar was toch niet gemeen?
Ze sluit de Bijbel en gaat slapen. Nu zou ze eigenlijk ook moeten bidden. Mevrouw Jaght heeft verteld dat ze dat altijd doen voor ze gaan slapen. En 's morgens danken voor de voorbije nacht. Maar dat kan ze niet. Aan tafel met de anderen meebidden is wat anders. Dan hoeft ze alleen maar te luisteren naar wat anderen zeggen. Maar zelf bidden? Zou Gert dat nu echt doen? En Anne vroeger? En al die mensen die naar de kerk gaan? Zullen die mensen nooit twijfelen aan het bestaan van God? Ze hebben toch geen enkel bewijs?

Alleen die Bijbel.
Ze heeft haar vader wel eens horen zeggen dat godsdienst vergif voor de mensheid is. Zal zij daarmee ook vergiftigd worden als ze die Bijbel leest? Natuurlijk niet, daar is ze toch zelf bij? Ze hoeft alleen maar zover en zolang te lezen als ze zelf wil. En ze heeft het Anne beloofd.
Het verdriet bespringt haar weer als een monster. Waarom is Anne er niet meer? Waarom moet zij alleen zijn nu haar kindje komt? Op die Bijbel stond ook een tekening van een kind. Dat kind had een vader en een moeder. Haar kind zal alleen een moeder hebben. Het is gemeen.

Toch is de godsdienst niet het enige probleem waarmee Nicolien te maken krijgt. De tweede week van haar verblijf bij de familie Jaght brengt de post een aangetekende brief voor haar. Deze bevat, behalve een briefje van haar moeder, een cheque met een flink bedrag.

Lieve Nicolien,
Omdat ik bang ben dat je het zult weigeren als ik het je vraag, zend ik je hierhij een cheque. Het bedrag is gedeeltelijk bedoeld als onkostenvergoeding voor de heer en mevrouw Jaght. Je moet zelf maar met hen bespreken welk bedrag ze voor jouw levensonderhoud nodig denken te hebben. De rest kun je voor jezelf gebruiken. Wanneer je niet al te verkwistend bent, zul je er een tijdje mee toe kunnen.
Ontvang de hartelijke groeten, ook voor de familie Jaght.

Je moeder

Nicolien is er niet blij mee. Hoewel ze weet dat haar moeder, waar het de familie Jaght betreft, gelijk heeft, is ze te trots om geld van haar ouders aan te nemen. Al is het dan ook haar moeder die haar dit stuurt.
Een paar dagen lang loopt ze erover te piekeren. Dan, tijdens hun avondwandeling die al gewoonte schijnt te worden, praat ze er met Gert over. 'Ik wil het niet. Ik vertik het om

geld van hen aan te nemen. Dat is wel de gemakkelijkste manier voor hen. Zou jij dat doen, Gert? Als je ouders jou de deur gewezen hadden, zou jij dan later toch geld van hen aannemen?'
Er klinkt zoveel hartstocht in haar stem. Ze kan emotioneel de confrontatie met haar ouders nog niet aan, zelfs niet via een briefje, zoals nu blijkt.
'Ik weet dat het moeilijk voor je is', zegt Gert bedachtzaam, 'maar toch moet je proberen om deze zaak van twee kanten te bekijken. Je moeder blijft zich verantwoordelijk voor je voelen. Ze kan dit nu maar op één manier laten merken, dat is door jou financieel te helpen. Ik denk nu niet in de eerste plaats aan het bedrag dat ze voor mijn ouders bestemd heeft. Maar ze zal er ook aan gedacht hebben dat je straks andere dingen nodig zult hebben.'
'Je bedoelt dingen voor de baby?' vraagt Nicolien ongelovig.
'Bijvoorbeeld.'
'Daar geloof ik niets van. Ze zouden nog liever willen dat het kind van ellende omkwam. En ik pieker er niet over om dat geld van hen aan te nemen. Nooit!' Nicolien stampvoet bijna. Te schrijnend staat de laatste avond thuis in haar ziel gebrand.
'En ik heb zelf nog geld genoeg om je ouders te betalen. Daar hoeven zij zich geen zorgen over te maken. En ik zal zo vlug mogelijk proberen om een baan te krijgen. Desnoods ga ik in een fabriek werken. Maar nooit neem ik dit geld aan.'
Gert laat haar praten. Dit is bijna dezelfde obstinate Nicolien die hij in het ziekenhuis zo dikwijls heeft moeten kalmeren. Maar het is goed dat ze zich ontlaadt.
'Over het geld voor mijn ouders hoef jij je geen zorgen te maken. Ik weet zeker dat ze daar waarschijnlijk nog niet eens aan gedacht hebben. Zodra je een baantje gevonden hebt, bespreek je dat maar met mijn moeder. Dan is het vroeg genoeg om haar geld te geven. Maar kom je niet voor een uitkering in aanmerking zolang je nog geen werk hebt?'
'Geen idee.'

'Zal ik eens informeren? Misschien is mijn vader wel op de hoogte.'
'Als je dat wilt doen, graag.'

Via meneer Jaght komt Nicolien te weten dat ze inderdaad een uitkering kan krijgen. Maar dan moet ze wel naar de sociale dienst van haar woonplaats. Een nieuw probleem voor haar. Maar Gert biedt aan om er met haar heen te rijden. Hij heeft binnenkort een paar dagen vrij, daar zullen ze gebruik van maken.
Het is een bijzonder zenuwachtige Nicolien die op die dag naast hem zit. Gert gaat met haar mee het gebouw van de sociale dienst binnen. Daar horen ze dat Nicolien na een verhuizing naar de sociale dienst in haar woonplaats moet gaan. Dan nu eerst maar naar het gemeentehuis om haar verhuizing te regelen. Wanneer ze daar zijn, heeft Nicolien maar één angst: stel dat haar vader hier plotseling binnenkomt. Ze zucht van opluchting als ze weer in de wagen zitten. Nu nog naar de bank, ze wil alles afhandelen.
Hierna is er nog één ding: ze zal naar huis moeten om nog wat spullen op te halen. Ook daar ziet ze tegenop. Ze wijst Gert hoe hij rijden moet. Hij probeert haar wat af te leiden, maar Nicolien hoort nauwelijks wat hij zegt, zo gespannen is ze.
Daar ligt de bungalow, haar ouderlijk huis. Uitbundig bloeien de bloemen in de borders.
Nicolien stapt uit. Wat trillen haar benen toch.
'Wacht, ik ga met je mee', zegt Gert. Hij laat de wagen aan de weg staan. Samen lopen ze het oprijpad op. Nicolien belt. Ze wachten, maar niemand doet open. Besluiteloos kijkt Nicolien rond. Vogels zingen, in de verte blaft een hond. Ze kijkt Gert aan. 'Ik heb nog wel een sleutel.'
'Dan gaan we naar binnen', beslist Gert.
Haar handen beven als ze de sleutel in het slot steekt. Het is koel in de grote hal. Nicolien lacht, maar het is een schrille lach. 'We lijken wel inbrekers.'
Terwijl Gert in de hal wacht, gaat Nicolien naar boven. Op

haar kamer haalt ze diep adem. Rustig blijven nu. Maar haar hart slaat met mokerslagen. Vlug een kast open, dan wat kleren in de meegebrachte vuilniszakken proppen. Ze draagt ze naar beneden.
'Is dat alles?'
'Nog lang niet.'
'Zal ik je helpen?'
'Graag.'
Niet alleen kleding, ook nog andere spullen neemt Nicolien mee. Terwijl Gert dat alles naar de wagen brengt, gaat Nicolien de kamer binnen. Daar moet ze op haar tanden bijten, alles is zo vertrouwd. Het is alsof de meubels zeggen: 'Kom toch terug, hier hoor je.'
Nicolien haalt een witte envelop uit haar tas. Er zit alleen een cheque in. Op de buitenkant van de envelop schrijft ze:

U was niet thuis, ik heb wat spullen opgehaald en mijn verhuizing geregeld.

Nicolien

Op het ladenkastje onder de Helmantel legt ze de envelop neer. Even een aarzeling, dan neemt ze de huissleutel en legt die op de envelop. Zonder om te kijken gaat ze dan de kamer uit. Het afscheid is definitief.
Wanneer Sarah die middag thuiskomt en bemerkt wat er gebeurd is, staat ze roerloos in de kamer. Nicolien is er geweest en zij was er niet. Er trekt wat over haar gezicht, haar slanke vingers wrijven over haar ogen. Dat het leven zo moeilijk kan zijn. Ze heeft het zo goed bedoeld, ze heeft Nicolien willen helpen met medeweten van Marten. Het is toch hun kind? Maar voor de zoveelste keer heeft hun dochter hun goede bedoelingen afgewezen. Dat doet pijn. Nu is er niet veel meer wat ze voor Nicolien kan doen, althans voorlopig niet. Ze neemt de cheque en scheurt hem in kleine stukken.
Zodra Marten thuiskomt, vertelt ze het hem. Hij hoort haar zwijgend aan. 'Ik wist het', zegt hij zodra ze uitgesproken

is. ‘Ze heeft op het gemeentehuis haar verhuizing doorgegeven.’
Het klinkt bitter.
Voor de zoveelste keer is het die avond Nicolien die hun maaltijd overschaduwt. Zal daar nooit een eind aan komen?

Hoofdstuk 11

Ziezo, dat is genoeg voor vandaag. Arnold Scholten sluit de motorkap van zijn auto. Wat een prima wagentje is dit toch geworden. Lekker fel, ruim genoeg en toch niet te groot. Precies waar hij altijd naar op zoek was. Met een beetje geluk moet hij hier toch een paar jaar mee kunnen doen. Hij ruimt de rommel die hij gemaakt heeft op, wast het ergste vet van zijn handen.

Dan springen zijn gedachten op iets anders over. Hoeveel weken is het nu al geleden dat hij met Nicolien gereden heeft? Ze was toen pas terug uit Engeland. Hij is zelf ondertussen met vakantie geweest. Nadien heeft hij diverse keren naar de familie Nordholt gebeld, geen enkele keer was Nicolien thuis. Hij begreep de woorden van mevrouw Nordholt eigenlijk niet precies. Ze was zo vaag in haar antwoorden, vooral de laatste keer.

Nee, Nicolien was niet naar Engeland, maar ze kwam voorlopig ook niet thuis. Ja, een soort vakantie waarin Nicolien niet gestoord wilde worden. Ze kon ook niet zeggen wanneer Nicolien terugkwam. Eerst heeft hij over haar woorden zijn schouders opgehaald. Maar hoe vaker hij er aan terugdenkt, hoe meer vraagtekens hij zet. Er is wat met Nicolien! Anders ga je toch niet uit huis weg als je pas terug bent? De afwezigheid van Nicolien begint een probleem voor Arnold te worden. Hij moet haar spreken, want één ding weet hij nu wel zeker: de jongensliefde van vroeger is niet verdwenen. Integendeel, sinds hij Nicolien weer gesproken heeft, is hij bezig om opnieuw, maar nu heviger, verliefd op haar te worden. En daarom zit het hem dwars dat hij haar niet te spreken kan krijgen. Stomme toestand. Dat mevrouw Nordholt ook niet wat meer verteld heeft. Zal hij haar opnieuw bellen? Maar wat schiet hij daarmee op?

Arnold sluit de garage af, loopt door de tussengang het woonhuis binnen. Zijn kamer is boven, groot en van alle

gemakken voorzien. Als enig kind ontbreekt het hem aan niets. Ook het beroep dat hij heeft gekozen, heeft de volle goedkeuring van zijn ouders.
'Jij moet een vak kiezen waar jouw belangstelling naar uit gaat', heeft zijn vader in een van de zeldzame gesprekken over de toekomst tegen hem gezegd. 'Maar welk vak je ook kiest, je zult het zo goed mogelijk moeten doen en dat betekent je volle inzet. Als we daar op aan kunnen, heb je onze zegen.'
Arnold weet dat hij blij mag zijn met zulke ouders. Het kan immers ook anders. Karel Poortinge moet rechten studeren omdat zijn moeder dat zo'n geschikte studie voor hem vindt. Maar mevrouw Poortinge is een arrogante, hoogmoedige vrouw. Karel is gek dat hij naar haar luistert. Nu ja, luistert... Hij viert meer feest dan dat hij studeert, maar dat schijnt zijn moeder niet erg te vinden. Wat kunnen sommige mensen toch stom zijn.
Het schemert al wanneer Arnold, gewassen en verkleed, naar beneden komt. Hij heeft zijn vader ook thuis horen komen. Het is te hopen dat die vanavond nu eens niet weer weggeroepen wordt. Een min baantje, huisarts. Altijd weten wie nummer één in je leven is, de patiënt. Niets voor hem. Een auto kun je een tijdje laten wachten, een mens niet. Maar à la, mensen als zijn vader moeten er ook zijn. Hij hoort zijn ouders praten, maar zodra hij de kamerdeur opent, zwijgen ze als bij afspraak.
'Stoor ik?'
'Natuurlijk niet jongen, kom erbij zitten. Hoe was het vandaag?'
Arnold laat zich in een stoel zakken. 'Goed. Druk als altijd. Iedereen wil de auto die vandaag kapot gaat, gisteren al gerepareerd hebben. Daar zijn we zo langzamerhand wel aan gewend. Werken met terugwerkende kracht, zo noemt mijn chef dat.'
Jaap Scholten glimlacht. Wat is het fijn dat zijn jongen het in die garage zo naar zijn zin heeft. Het is goed geweest dat ze hem de vrije keus gelaten hebben waar het zijn toekomst

betreft.
Hoewel, als Jaap heel eerlijk voor zichzelf is, moet hij bekennen dat hij vroeger dikwijls gehoopt heeft dat Arnold ook arts zou willen worden. Hij heeft erover gefantaseerd hoe het zou zijn om met zijn zoon de medische problemen te kunnen bespreken. Gelukkig weet niemand van die dwaze fantasieën. Zelfs met Els, zijn vrouw, heeft hij er nooit over gesproken. Nog beter is het dat Arnold zelf er geen vermoeden van heeft. Hij moet dat ook nooit weten, het zou de jongen misschien een schuldgevoel kunnen bezorgen. In de loop van de jaren heeft Jaap in zijn praktijk genoeg narigheid gezien van mensen die tegen hun wil een bepaald beroep moesten uitoefenen. Zelfs een zelfmoordgeval is daaruit voortgekomen. Drama's die wellicht voorkomen hadden kunnen worden.
Jaap kijkt met welgevallen naar zijn zoon. Zo'n jongen nog, ondanks zijn tweeëntwintig jaren. Hij is afgekeurd voor militaire dienst, gelukkig om een kleinigheid. Dat heeft Arnold zelf wel even dwars gezeten, maar Els was er blij om. Vrouwen kunnen zo week zijn wanneer het hun eigen kinderen betreft, vooral wanneer ze er maar een hebben.
Hij heeft Els wel eens moeten waarschuwen om Arnold niet teveel in de watten te leggen. Dat is ongezond. Gelukkig heeft de jongen niet veel aanleg om zich over het paard te laten tillen. Daar is Jaap blij om. Hij zou graag meer kinderen gewild hebben. Nog een jongen en een paar meisjes zoals de dochters van Nordholt. Hoewel, een dochter is ook niet alles.
Even komt er een frons op Jaaps voorhoofd. Wat een verdriet hebben Marten en Sarah van Nicolien. En dit is iets waar hij zijn vrienden niet mee helpen kan. O ja, hij en Els kunnen als praatpaal fungeren, maar meer ook niet. En Marten is op dit punt wel erg gesloten.
Els heeft ondertussen wat te drinken gehaald. Natuurlijk voor Jaap fris. Alcohol is taboe als hij dienst heeft. En aan deze regel heeft Jaap zich zijn hele leven nog gehouden.

Het valt Jaap plotseling op dat Arnold maar wat voor zich uit zit te staren. 'Heb je problemen, jongen?'
'Hè?'
'Ik vroeg of je problemen hebt.'
'Nee, geen problemen.'
'Gelukkig maar.'
'Maar ik zit wel ergens aan te denken.'
'Als je erover wilt praten?'
Het blijft even stil na Jaaps vraag. Els, die juist van plan was om een paar lampen aan te doen, wacht hier even mee.
'Och', schokschoudert Arnold dan. 'U zult er net zo min iets van weten als ik.'
'Waar weet ik niets van?' Jaap is zeer benieuwd waar Arnold mee voor de dag zal komen.
'Het gaat om Nicolien Nordholt.'
Bij het noemen van die naam maakt Els een onverwachte beweging die haar zoon niet ontgaat. 'Schrikt u daarvan, moeder?'
'Nee, hoezo?' Els betreurt het voor de zoveelste keer dat zij zichzelf nooit zo goed onder controle kan houden als Jaap.
'Nee, laat maar.'
Nu komt Jaap zijn vrouw te hulp. 'Wat is er met Nicolien?' vraagt hij.
Arnold kijkt zijn vader aan.
'Of er iets met Nicolien is, weet ik niet. Niet zeker in ieder geval. Ik heb de afgelopen weken diverse keren naar haar huis gebeld om haar te spreken te krijgen, maar ze is nooit thuis. Ik krijg het idee dat ik, op z'n zachtst gezegd, met een kluitje in het riet word gestuurd. Nicolien is niet thuis. Nicolien komt voorlopig niet thuis. Nicolien is niet met vakantie, maar toch ook weer wel. Kort gezegd, mevrouw Nordtholt draait ergens omheen. En dat zit me dwars. Als zij of Nicolien iets tegen me heeft kunnen ze me dat toch wel in m'n gezicht zeggen? Daar hoeven ze geen uitvluchten voor te bedenken. En als het iets anders is... ik zou trouwens niet weten wat dat zou moeten zijn. Toen Nicolien pas terug was, zijn we nog een middag samen uit geweest. Niets aan

de hand. En nu....'
Arnold zwijgt. Hoe komt hij er eigenlijk bij om hier met zijn ouders over te praten? Ze zullen er misschien ik weet niet wat van denken. 'Vergeet het ook maar', zegt hij mat. 'Ik ga er binnenkort wel een keer heen.' Hij drinkt zijn glas leeg. 'Ik ga weer naar boven, welterusten.'
'Welterusten, jongen', klinkt het tweestemmig.

Jaap en Els horen hem de trap op gaan. Boven slaat een deur. Ze kijken elkaar aan, Els is de eerste die wat zegt. 'Zou hij... van Nicolien houden?'
Jaap hoort ongeloof in haar stem. Ook hij is door Amolds woorden aan het denken gezet. 'Houden van is zo'n groot woord', antwoordt hij dan bedachtzaam. 'Dat geloof ik nog niet direct. Ze hebben elkaar in tijden niet gesproken. Die ene middag heeft misschien een vlammetje doen ontbranden, maar dat is nog geen liefde.'
'Stel je voor, een vrouw met een kind!' Els hoort zelf hoe afwerend dit klinkt. Om haar woorden wat te verzachten, praat ze verder: 'Een meisje dat een kind heeft, is natuurlijk het ergste niet, maar Amold zou ik toch liever een ander meisje gunnen.'
'En dat', vult Jaap aan, 'zijn nu precies de problemen die Marten en Sarah hebben voorzien.'
Van de bovenverdieping klinkt vaag muziek door. In de hal slaat een klok. Terwijl Els nu toch maar wat lampen aandoet, denkt ze over Jaaps woorden na. Natuurlijk gunt zij Nicolien later best een man, maar dan liever Arnold niet. Ze kan zich niet voorstellen dat Arnold de vader zou worden van het kind van een vreemde. Zoiets is absurd. Nicolien had ook naar haar ouders moeten luisteren. Nu staat ze haar eigen toekomst in de weg. Want zoals zijzelf denkt, zo zullen veel moeders van ongetrouwde zonen denken. Maar Nicolien is altijd al eigenwijs geweest.
Ze zucht. 'Amold weet nog van niets', zegt ze dan.
'Nee, zoiets hang je niet direct aan de grote klok.'
'Maar als hij erheen gaat? Wat zal Sarah dan zeggen?'

'Waarschijnlijk de waarheid.'
'Kunnen we dat niet voorkomen?'
'Dat hij de waarheid te horen krijgt?' vraagt Jaap ironisch.
'Nee, ik bedoel dat hij daar heen gaat. Hij zal zich genomen voelen als hij het hoort. En misschien...'
Els haalt diep adem. 'Misschien geeft het Sarah valse hoop als hij weer naar Nicolien vraagt. Je weet maar nooit. '
Jaap staat op. 'Ik zal Marten zelf bellen om te vragen of we er met Arnold over kunnen spreken.' Hij gaat naar zijn spreekkamer, Arnold moet hem bij dit gesprek liever niet overvallen. Een paar minuten later is hij terug.
'En?'
'Marten denkt dat de halve wereld al wel op de hoogte is, dus waarom Arnold dan niet?'
Jaap weet het cynisme waarmee Marten Nordholt spreekt, in zijn eigen stem te leggen. 'Die man tilt er te zwaar aan', vervolgt hij dan. 'Als dat zo doorgaat, gaat hij er binnenkort zelf onderdoor en Sarah erbij. Maar breng hem dat maar eens aan zijn verstand. We moeten die twee maar eens extra in de peiling houden.'
'Maar wat moeten we nu met Arnold?'
Els' aandacht is nu meer bij haar zoon dan bij haar kennissen.
'Ik ga het hem zeggen. Nu!'
'Zal ik meegaan?'
'Niet nodig.'
'Sterkte dan.'

Langzaam gaat Jaap Scholten de trap op. Minder fijne berichten overbrengen hoort ook bij zijn beroep. Maar hoe vertel je je eigen zoon dat het meisje voor wie hij belangstelling heeft, een kind verwacht van een ander?
Achter de deur van Arnolds kamer klinkt muziek. Er zit een wild ritme in. Jaap schudt zijn hoofd, glimlacht dan. Het is goed als mensen zich kunnen ontladen, hoewel hij daar liever andere muziek voor gebruikt. Maar jongeren schijnen wild op dit soort moderne tam-tam te zijn. Hij klopt op de

deur, opent die gelijk. 'Ik kom even praten, jongen.'
Er brandt alleen een lampje boven de stereotoren. Arnold ligt languit op zijn bed. Bij het zien van zijn vader komt hij haastig overeind.
Als vader bij hem boven komt, is er meestal iets aan de hand. Hij zet de muziek wat zachter. 'Ik weet dat dit nu niet bepaald uw favoriete nummer is', meesmuilt hij.
'Inderdaad, dit staat wel helemaal onder aan mijn lijst.'
'Toch zit er heel wat in, moet u die drum eens horen. Geweldig.'
'Hmm, smaken verschillen.'
Arnold zet de muziek uit. Dan is er een afwachtende stilte.
'U wou met mij praten?'
'Ja.' Jaap gaat zitten. Voelt zich weer even de dokter die het bericht van een ongeneeslijke ziekte over moet brengen. Dan roept hij zichzelf tot de orde. Verdraaid, zo erg is het nu ook weer niet. Misschien stelt het bij Arnold wel helemaal niets voor. Hij kijkt zijn zoon aan.
'Het gaat over Nicolien', zo begint hij.
Arnold blijft midden in de kamer staan, met zijn rug naar de lamp. Jaap kan zijn ogen nauwelijks zien. Arnold zegt niets, dus gaat Jaap verder: 'Er is inderdaad wat met Nicolien, je hebt dat goed aangevoeld.'
Even een voorbereidende pauze, dan: 'Nicolien verwacht een kind. Ze kent de vader niet. Het is in Engeland gebeurd. Ze wil geen abortus. Nu is ze ergens heen om de bevalling af te wachten. Wat ze daarna doet, weet ik niet.'
Kort en zakelijk komen de zinnen eruit. Arnold luistert. Het is alsof zijn vader een diagnose stelt. Zo en zo en anders niet.
Nog steeds kijkt Jaap naar zijn zoon, maar er komt geen enkele reactie. Als een beeld staat Arnold daar.
Jaap staat op. Hij moet zijn zoon nu de tijd gunnen om dit te verwerken. 'Ik vond dat je dit moest weten. Welterusten, jongen.'
De deur gaat open, weer dicht. Arnold is alleen. Hij vloekt niet, stampvoet niet. Niets van dit alles. Alleen zet hij de muziek weer aan, harder nu. De bas dreunt door het huis,

even, dan wordt de muziek weer zachter gezet.
Nu pas komt er een schamper lachje uit zijn keel. Hij is met een zwangere vrouw op stap geweest. Nicolien, Nicolien! Hij ploft weer op zijn bed neer. Kan nog niet goed verwerken wat hij zojuist gehoord heeft. Kan het geen vergissing zijn? Maar nee, hier is de wens de vader van de gedachte. Nicolien, het ideaal vanaf zijn jongensjaren, is met een dreun van haar voetstuk gevallen. Eén zinnetje van zijn vader heeft hem haast pijnlijk aangegrepen: ze kent de vader niet. Dat duidt op een wel zeer frivool leven daar in Engeland.
Arnold ligt zichzelf te pijnigen met gedachten over wat er wel allemaal gebeurd kan zijn. Hoeveel jongens hebben tot Nicoliens uitverkorenen behoord? De cd is afgelopen. Arnold zet de versterker uit, knipt ook het lampje uit. Dan ligt hij weer op zijn bed. Zijn lijf is te warm om nu onder het dekbed te liggen. Te heet ook stroomt het bloed door zijn aderen. Nicolien zwanger! Als een ander dan zijn vader hem dat verteld had, zou hij het niet geloofd hebben.

Het wordt laat. Arnold hoort zijn ouders naar bed gaan, maar zelf is hij klaarwakker. Vreemd, er was toch niets tussen hem en Nicolien? Een paar jaar geleden liep ze zelfs nog met een ander. Hij had geen schijn van kans bij haar. Toch is zijn verering voor haar daar niet minder om geworden, integendeel. Zijn gedichten getuigen daarvan.
Nu komt er een wrange trek om zijn mond, er komt beweging. Het bed kraakt, Arnold komt overeind. Dan gaat hij op de tast naar zijn bureau. Blindelings vindt hij onderin een lade het kleine schrift. Bij de metalen prullenmand knielt hij neer. Scheurende geluiden. Een voor een worden de bladen versnipperd. Niets mag er overblijven. Maar de zinnen laten zich niet uit zijn hart branden.
Wanneer de laatste snippers uit zijn handen vallen, voelt hij zich doodmoe. Hij kruipt in bed, wil slapen nu. Maar de slaap komt niet op bestelling. Hij woelt, trapt het dekbed weer af omdat het toch te warm wordt. Nicolien! Nicolien met een kind!

Hij kan zich dat niet voorstellen, hoe hij het ook probeert. Een zwangere Nicolien is helemaal onvoorstelbaar. Hoe heeft ze het in vredesnaam zover laten komen? En dan nog wel in het buitenland. Er moet een reden voor zijn. Nicolien is niet iemand om zomaar met een vreemde in bed te kruipen. Hoe zou het daar in Engeland zijn toegegaan? Is die mr. White bij wie ze in huis was wel helemaal te vertrouwen? De gekste dingen kunnen daar gebeurd zijn. Heeft die vent haar onder druk gezet? Heeft Nicolien misschien heimwee gekregen en bij hem haar toevlucht gezocht? Bij hem of bij een ander? Zoiets moet het wel zijn. Nicolien zou immers nooit met een vreemde... zo is ze niet. Maar kent hij Nicolien eigenlijk wel zo goed? Is ze anders dan hij in zijn idealisme altijd gedacht heeft? Zijn meisjes niet altijd anders dan jongens denken?
Verdraaid, wat is het heet.
Hij stapt weer uit bed, gaat naar het raam. Maar het raam staat al wijd open. Dan gaat hij naar de wastafel, laat de kraan even stromen, houdt zijn polsen onder het koude water. Plenst het ook over zijn gezicht. Dat frist wat op. Als het niet midden in de nacht was, ging hij nu onder een ijskoude douche.
Onzin natuurlijk, hij moet slapen.
Opnieuw in bed probeert hij zich te ontspannen. Relaxen, aan prettige dingen denken, rustig ademen.
Hoe zal Nicolien zich nu voelen? Waarom is ze eigenlijk niet thuis? Een meisje in haar omstandigheden zal toch het liefst in haar eigen vertrouwde omgeving zijn? Hij moet daar zijn ouders eens naar vragen, morgen...

Niet morgen, maar een paar dagen later spreekt Arnold zijn moeder aan. Het is zondagmorgen, zijn vader is naar een ernstig zieke patiënt. Jammer, net nu ze gaan koffiedrinken.
'Weet u waarom Nicolien niet thuis is?'
Els Scholten laat haar borduurwerk rusten. Arnolds vraag overvalt haar. Toen Arnold de afgelopen dagen helemaal niet reageerde, heeft ze gedacht dat hij het van zich afgezet had. Uit zijn vraag blijkt echter dat zijn gedachten er nog mee bezig zijn. Wat moet ze antwoorden? Ze wil Marten en

Sarah niet teveel afvallen.
'Er is daar thuis onenigheid geweest', zegt ze bedachtzaam. 'Je kunt je misschien voorstellen dat dit bericht niet zo leuk was voor meneer en mevrouw Nordholt.'
'Is het voor Nicolien soms wel leuk?'
'Nee, natuurlijk niet. Maar Nicolien is er wel zelf schuldig aan.'
'Mocht ze soms niet thuisblijven?'
'Zo zou je het misschien kunnen stellen. Of nee, niet helemaal. Nicolien mocht wel thuisblijven, maar onder één voorwaarde. Ze moest een abortus ondergaan. En dat heeft ze geweigerd. '
'Stom', denkt Arnold hardop.
'Inderdaad. Maar haar ouders hebben haar niet kunnen overtuigen. Het is er nogal... warm toegegaan. Nicolien is naar Mellie vertrokken, heeft daar een ongelukje gekregen. Is in het ziekenhuis beland en vandaaruit naar het adres waar ze nu is. Dit is, in het kort, de hele geschiedenis. Ik leef met Sarah mee.'
'Ik niet', bromt Arnold. 'Ze had toch kunnen zorgen dat Nicolien in elk geval thuis kon blijven.'
'Ach jongen, jij begrijpt dat niet.'
'Ik begrijp u drommels goed, moeder. Maar verdraaid, er zijn toch tientallen ongehuwde meisjes die een kind krijgen? Zo bijzonder is dat nu ook weer niet. Wat doet Nicolien nu bij wildvreemde mensen? Hebben haar ouders daar niet aan gedacht? Of denken die alleen maar aan hun eigen goede naam? Bah.'
'Arnold, ik verbied je om zo te spreken. Meneer en mevrouw Nordholt zoeken het beste voor Nicolien, dat moet je goed begrijpen.'
'Daar geloof ik geen snars van. Meneer Nordholt zal zijn zin wel weer door willen drijven. Net als dat geval toen Nicolien plotseling naar Engeland moest. Daar zat ook een luchtje aan. U hoeft mij niets wijs te maken. Dat Nicolien een kind krijgt, is erg genoeg, maar dat ze zich niet meer door haar vader laat ringeloren is alleen maar verstandig. Dat moet u

toch ook inzien.'
Els is onthutst door de hartstochtelijke toon waarop Arnold praat. Die jongen moet werkelijk om Nicolien geven, anders trok hij zich deze zaak toch niet zo aan. Het verwart haar, ze weet niet goed hoe ze dit aan moet pakken. Was Jaap nu maar thuis. Maar op de meest ongelegen ogenblikken is er altijd een patiënt. Zij is niet anders gewend, maar nu komt het wel zeer ongelegen.
'Ik geloof er niets van dat Nicolien de vader van haar kind niet kent', gaat Arnold verder. 'Misschien is het iemand die haar verboden heeft zijn naam te noemen. Iemand met wie ze niet kan trouwen, maar met wie ze wel een goede verhouding heeft gehad.'
'Noem jij dat een goede verhouding? Ik noem dat een meisje misbruiken. Als het in elk geval waar zou zijn wat jij suggereert. En dat is iets wat ik nog niet direct geloof. Nicolien is een klein kopstuk, altijd al geweest. Volgens mij wil ze per se dit kind houden om er haar vader mee te ergeren.'
'Toe nu, moeder, dat gelooft u toch zelf niet? Welk meisje verknalt nu haar hele toekomst om een vader te ergeren? Dat kan alleen opkomen bij iemand die niet goed snik is. En daar kun je Nicolien beslist niet van verdenken.'
'Het is en blijft een moeilijke zaak, jongen. Het is het allerbeste wanneer we ons er maar niet teveel mee bemoeien.'
Arnold kijkt zijn moeder scherp aan. Wat bedoelt ze met deze woorden? Wil ze hem waarschuwen? Maar dat is toch te gek. Hij piekert er immers niet over om een meisje met een kind te nemen? Of?
'Ik ga nog even naar m'n wagen.'

Els blijft alleen achter. Het gevoel van onbehagen wordt groter. Wat hangt haar nog boven het hoofd? Nooit heeft Arnold naar meisjes getaald. Waarom loopt hij nu zo ineens warm voor Nicolien? Heeft hij soms altijd al een zwak voor haar gehad, zonder dat zij het wisten?
Als ze eerlijk is, weet ze dat ze tegen Nicolien zelf geen bezwaar zou hebben, maar nu zij een kind verwacht, is het

toch anders. Nu moet Arnold haar definitief uit zijn hoofd zetten. Er zijn toch genoeg andere leuke meisjes? Meta de Lange zou beslist geen 'nee' zeggen als Arnold haar vroeg. Zal ze Meta binnenkort eens uitnodigen? Maar nee, Arnold zou dat direct door hebben en uit reactie dat meisje negeren.
Els zucht, ze bergt haar borduurwerk op. Ze heeft nu geen rust meer voor dat werk. Ze heeft nooit kunnen denken dat de koppigheid van Nicolien Nordholt voor onrust in haar eigen gezin zou zorgen. Was Jaap maar thuis.

Arnold is de garage ingelopen. Daar staat zijn wagen, er valt niets meer aan te verbeteren. Hij neemt een doek en begint te poetsen. Maar zodra hij ontdekt dat hij al vijf minuten over dezelfde plek wrijft, smijt hij de doek van zich af. Hij opent het portier en gaat achter het stuur zitten. Hij kijkt naar de lege plaats naast hem.
Nog niet zo lang geleden zat Nicolien daar. Toen was het zo heet. Nicolien kon daar niet goed tegen, ze was zo wit. Nu weet hij dat het niet alleen de warmte was, waardoor ze zich niet goed voelde. Toen wist ze al wat er met haar aan de hand was. Ze heeft daar niets van gezegd. Natuurlijk niet. Zoiets zeg je niet tegen de jongen met wie je uit rijden gaat. Als ze het wel gedaan had? Als ze hem eens om hulp gevraagd had? Zou dat zo vreemd zijn? Ze kennen elkaar immers al zo lang. Als hun ouders vroeger overdag bij elkaar op bezoek gingen, waren zij er ook bij. Hij speelde dan met Mellie en Nicolien. Toen hij wat ouder werd, bleef hij thuis. Hij vond het gek om met meiden te spelen. Nog weer later durfde hij niet meer, hoe graag hij het ook wou.
Nicolien zou hem dus best om hulp kunnen vragen. Hoe zou hij dan gereageerd hebben? Natuurlijk zou hij haar ook een abortus aangeraden hebben. Dat kan hij zich van meneer Nordholt ook wel indenken. Maar dan? Zou hij gezegd hebben: 'Nicolien, ik hou van je. Laat dit kind maar weghalen. Later krijg je kinderen van mij?'
Arnold voelt zich warm worden. Hij is gek om zo te gaan zitten fantaseren. Nicolien is niet met haar problemen bij

hem gekomen. Ze is zelfs weggegaan naar vreemden. Hij betekent niets voor haar. Maar weet hij dat wel zeker? Ze kan zich ook voor hem geschaamd hebben. Misschien heeft ze het wel gewild, maar er niet over durven praten. Dat kan.
Wat is het hier warm. Arnold stapt uit de wagen, loopt door de garage de achtertuin in. De zon schijnt.
Nicolien is bij vreemden, straks heeft ze een kind. Houdt hij van haar? Zou hij Nicolien met een kind kunnen accepteren?
Het is allemaal zo onwerkelijk. Maar waarom denkt hij dan dag en nacht aan haar? Dat doe je toch niet als iemand je koud laat? Hij wou dat ze maar in Engeland gebleven was. Nee, dat is niet eerlijk. Hij was juist blij dat ze terugkwam. Maar ze had anders terug moeten komen.
Arnold pakt een takje op, breekt het in kleine stukken en werpt die tussen de struiken.
Hij zal zijn verstand moeten gebruiken. Zijn moeder heeft gelijk, hij moet er zich niet mee bemoeien. De Nordholts moeten hun eigen zaken maar klaren. Kom, hij gaat een eind rijden.

Hoofdstuk 12

De opmerking van meneer Jaght dat Nicolien vreemde dagen meemaakt, beslaat een veel langere tijd. Deze zomer is de vreemdste uit haar leven. Daar is in de eerste plaats het grote verdriet om Anne. Een verdriet, dat soms fel en hevig opvlamt. Een nachtmerrie zonder eind. Soms denkt ze terug aan die droom. Anne die gelukkig scheen, ondanks het feit dat hij bij haar wegliep.
Zou zo'n droom een betekenis hebben? Nicolien kent nu de begrippen hemel en hel. Zou Anne nu werkelijk in de hemel zijn? Zij kan zich daar geen voorstelling van maken. Op een morgen begint ze erover.
Mevrouw Jaght heeft haar foto's laten zien van haar dochter. Nicolien heeft die foto's aandachtig bekeken. Rosalyn alleen, Rosalyn met een donkere jongen naast zich. Dat moet die buurjongen zijn waar Gert van vertelde, die Ronald.
Nicolien sluit het album. Ze kijkt op, ziet de weemoedige trek op het gezicht van mevrouw Jaght. Ze voelt de pijn van die ander, omdat het ook haar eigen pijn is. En dan komt de vraag zomaar.
'Gelooft u nu dat Rosalyn in de hemel is?'
Verrast kijkt Erica op, er komt glans in haar ogen.
'Ja, Nicolien, dat geloof ik zeker. God belooft het ons in de Bijbel. Als we in Hem geloven en Hem liefhebben, dan mogen we na dit leven bij Hem wonen in de hemel. Dat is de grote troost bij het sterven van een kind van God. De dood is niet het einde, het is het begin van een beter leven. De Heere heeft gezegd: ieder mens die Mij liefheeft en dient, zal eeuwig leven. Na de dood eerst in de hemel en na de terugkomst van de Heere Jezus op de nieuwe aarde.'
Het duizelt Nicolien. Ze begrijpt niet half wat mevrouw Jaght zegt.
Erica ziet haar verwarring. 'Sorry, Nicolien. Het is voor ons allemaal zo bekend. Je weet dat God de hemel geschapen heeft?'

Nicolien knikt.
'De mensen waren goed geschapen', gaat Erica verder, 'maar door de leugens van de satan hebben ze gezondigd.'
'Dat heb ik gelezen', zegt Nicolien. 'De satan was een engel die tegen God in opstand kwam.'
'Zo is het inderdaad. Wij kunnen ons daar geen voorstelling van maken. De Heere God met Zijn engelen, dat moet iets geweldigs zijn. Dat er engelen in opstand kwamen tegen de Heere gaat ons voorstellingsvermogen te boven. Maar het is gebeurd en de satan heeft ook de mensen tot zonde verleid. Door die daad van Eva en Adam werden alle mensen zondaren. Dat noemen we de erfzonde. Wij kunnen de schuld niet afschuiven op onze eerste voorouders. En hiermee hebben we de aarde, die zo goed geschapen was, veranderd in een oord van dood en verderf.'
Erica wacht even. Preekt ze nu niet teveel? Maar Nicolien luistert zo aandachtig, ze kan rustig verder praten.
'Dan hoeven we niet alleen te denken aan bijvoorbeeld oorlogen. Die zijn natuurlijk verschrikkelijk. Maar de mensen doen elkaar ook zoveel kwaad door heel kleine dingen. Het lijkt wel of mensen pas gelukkig zijn als ze andere mensen verdriet kunnen doen. Dat is het grote gevolg van die eerste zonde. Niets is er meer volkomen goed.
Maar het allerergste is wel dat de mens scheef is komen te staan in de verhouding tot zijn Schepper. Doordat Adam en Eva ongehoorzaam waren aan Gods gebod om van een boom in het paradijs niet te eten, vielen ze onder Gods straf. Die straf was de dood. En als het daarbij gebleven was, dan was dit inderdaad het einde geweest. Maar in die hopeloze situatie heeft God Zelf uitzicht gegeven. Hij heeft beloofd dat Zijn Zoon de straf voor onze zonden zou dragen. Die Zoon, Jezus, is als Kind op de wereld gekomen. Dat herdenken we met het Kerstfeest. Jezus heeft in Kanaän gewoond, het tegenwoordige Israël. Daar heeft men Hem aan het kruis gehangen en zo gedood. Wel door toedoen van mensen, maar het was om Gods straf in onze plaats te ondergaan.
Nicolien, het zal voor jou allemaal nieuw en vreemd zijn,

maar dit is het geweldigste uit de wereldgeschiedenis geweest. Jezus Christus, gestorven voor onze zonden. Maar ook weer levend geworden. Gewoon opgestaan uit het graf. Wij kunnen ons niet indenken dat zoiets kan. Maar we geloven het, want het is waar. Daarom vieren we ook Paasfeest, opstandingsfeest.
Korte tijd later is de Heere Jezus naar de hemel gegaan. Zijn volgelingen hebben gezien dat Hij omhoog ging, zomaar de lucht in, totdat Hij achter een wolk verdween. Zij hebben het aan de mensen verteld en het opgeschreven in wat wij de evangeliën in de Bijbel noemen. Nu is de Heere Jezus werkelijk in de hemel. Hij zit daar aan de rechterhand van Zijn Vader en heeft de macht gekregen om de wereld te regeren.
Ik zal proberen om het kort te maken, Nicolien, want anders begrijp je er niets meer van. De Heere Jezus heeft beloofd dat Hij terug zal komen zoals Hij gegaan is. Dus letterlijk op de wolken, van boven naar beneden. Dat zal zijn op de laatste dag waarop deze wereld, zoals die nu is, zal bestaan.
De Bijbel spreekt dan over de jongste dag, de dag van Christus' terugkomst. Dan zal deze wereld door vuur worden verbrand en God zal de aarde vernieuwen. Op die dag zullen alle mensen door de Heere God geoordeeld worden. Daarna mogen Zijn kinderen op de nieuwe aarde wonen, waar geen zonde meer is. Ook de mensen die al gestorven zijn en van wie de zielen nu al in de hemel zijn, zullen op de aarde terugkomen. Dat zal een feest zonder eind zijn voor de mensen die de Heere liefhebben en Hem willen gehoorzamen. Maar ook een eeuwige pijn en eeuwig verdriet voor mensen die de Heere niet liefhebben. Dat is de waarschuwing van het christelijk geloof. Er is maar één keus in het leven, voor of tegen God. Nu ga ik voor koffie zorgen.'

Nicolien krijgt zoveel te verwerken. Is het christendom dan niet een idiote afwijking zoals haar vader vond? Is het niet iets waar mensen vrijblijvend over kunnen praten en ook vrijblijvend aan voorbij kunnen leven? Voor Anne was het geloof belangrijk. Voor de familie Jaght ook. Bij Anne leek

het soms iets sombers, iets om bang voor te zijn.
Tenminste, zo kwam dat bij haar over. Anne vond zoveel dingen zonde. Op zondag in een auto rijden was eigenlijk ook zonde. Nicolien denkt veel na over de dingen die ze hoort. Het is nu niet alleen maar het volgen van een moeilijke cursus, haar interesse is gewekt.
Maar in de Bijbel leest ze dikwijls moeilijk aanvaardbare dingen. Dingen die haar doen huiveren. Ze leest hoe het menselijk geslacht zich splitst in twee groepen. Een groep die de Heere wil dienen en een groep die dit niet wil. Dan verleidt de satan de mensen die de Heere liefhebben. Hij verleidt hen onder andere door de meisjes uit het andere kamp. Daar loopt Nicolien dagen over te piekeren.
Anne's vader wou ook geen schoondochter uit een goddeloos nest. Als het christendom werkelijk waarheid is, dan betekent dit dat zij aan de verkeerde kant staat. Zij, haar ouders, Tom en Mellie, Arnold Scholten en bijna alle mensen die ze kent. Dat doet pijn. Er zal een dag van oordeel komen. Maar zij doet toch geen verkeerde dingen? Of is haar vriendschap met Anne verkeerd geweest? Moest Anne daarom sterven? Mocht hij niet leven met zo'n ongelovig meisje als zij is?
Dat is een vraag waar Nicolien het moeilijk mee heeft. Is zij dan toch minder dan mensen die naar de kerk gaan? Tegen zulke gedachten komt alles in haar in opstand.
Ze let scherp op hoe meneer en mevrouw Jaght haar behandelen, maar ze gaan met haar niet anders om dan met Gert. Zou Gert op haar neerzien omdat zij ongelovig is? Zou hij er bezwaar tegen hebben om een ongelovig meisje te nemen? Dat moet ze hem eens vragen. Als Gert werkelijk op haar neerziet, hoeft ze niet langer met hem onder een dak te leven. Dan is hij net zoals de vader van Anne. Die voelde zich ook veel beter. Dat is het hoogmoedige christendom waar haar vader zo'n hekel aan heeft.
Het duurt echter nog dagen voordat Nicolien Gert haar gewetensvraag voorlegt. Dagen, waarin ze door het lezen van de Bijbel er hoe langer hoe meer van overtuigd raakt dat er een diepe kloof is tussen gelovigen en ongelovigen.

Ze leest het verhaal van de man Noach. Die ene man die met zijn gezin God nog wilde dienen. Moet ze nu echt geloven dat al die andere mensen zo slecht waren? En de kleine kinderen dan, de baby's? Die hadden toch nog geen verkeerde dingen gedaan? Maar God liet hen omkomen in een wereldomvattende vloed. De zondvloed. Een watersnoodramp zonder weerga. Het is een gruwelijk verhaal en het is vast niet waar. Hoe kan zoiets nu?
Er zal best iets van het christendom waar zijn, maar er zullen ongetwijfeld ook genoeg fabels bij verzonnen zijn.
Maar Noach overleefde volgens de Bijbel mooi al die ellende. Nicolien leest over het verbond dat de Heere met Noach sloot. Nooit meer zal de aarde door water vernietigd worden. Dit is het teken, Mijn boog in de wolken.
Daar wordt Nicolien stil van. Ze heeft nooit geweten dat de regenboog iets met het christendom te maken heeft. Die eerste zaterdagavond hier heeft ze er met Gert nog naar gekeken. Toen heeft Gert iets gezegd dat ze niet begreep, maar wel onthouden heeft: 'De boog van Gods trouw.' Nu leest ze zelf over de boog van Gods verbond. Schuilt er dan toch waarheid in het christelijk geloof? Een vraag die steeds boven komt. Waarheid of sprookje?
Hoezeer Nicolien ook met deze dingen bezig is, er is een zaak die haar nog meer in beslag neemt. Haar kind. Ze bezoekt opnieuw een arts. Het is bijna vanzelfsprekend dat ze hiervoor naar de arts van de familie Jaght gaat. Ze krijgt wat staalpillen voorgeschreven, verder is alles goed. Nicolien denkt aan dokter Scholten. Van zijn recept heeft ze nooit gebruik gemaakt.
Komen meneer en mevrouw Scholten nog wel eens bij haar ouders? Ze heeft dokter Scholten altijd een aardige man gevonden, maar hij had haar dat ene niet moeten aanraden.
Erica is blij dat alles goed is. 'Fijn, Nicolien. Nu moet je maar eens over de baby-uitzet nadenken. En kraamhulp bespreken.'
'Is het niet te druk voor u?' aarzelt Nicolien.
Erica lacht. 'Zie je me voor zo oud aan, meisje, dat ik de drukte

rond een bevalling in mijn huis niet aan zou kunnen?'
'Maar de eerste dagen, als de zuster weg is', Nicolien kleurt. 'Ik ben alleen', vervolgt ze dan. In deze laatste woorden ligt alles besloten. Al het verdriet omdat er geen man naast haar zal staan, omdat er geen ouders zijn die met haar meeleven.
'Maar daarom ben je toch hier', zegt Erica warm. 'Of wil je liever naar het ziekenhuis voor de bevalling?'
'Nee, liever niet.'
'Nou dan. We zorgen samen dat alles voor de kleine wereldburger klaar staat. Je zult eens zien hoe leuk dat werk is. Weet je wat ik bedenk, we hebben de wieg nog op zolder staan. Als het jou wat lijkt, dan mag je hem wel gebruiken. Er moet dan natuurlijk wel nieuwe bekleding in.'
Nicolien wordt door Erica's enthousiasme aangestoken. Samen gaan ze naar boven om poolshoogte te nemen. Het is een leuke rotan wieg. 'Maar ik kan niet naaien', bekent Nicolien benauwd.
'Misschien kun je mijn hulp gebruiken?' biedt Erica aan. 'Als we het samen doen, wordt het vast wel wat.'

Gert constateert met voldoening dat Nicolien langzaam haar evenwicht hervindt. Ze kan goed met zijn moeder opschieten en daar is hij blij om. De spanning die er de eerste dagen zeker was, verdwijnt. Als Gert 's avonds thuis is, zit hij graag bij de anderen in de kamer of, bij goed weer, buiten. Soms leest hij wat, maar ondertussen zijn zijn gedachten bij Nicolien.
Wat is het toch dat hem in dit meisje zo trekt? Nu is het niet meer dat hulpeloze meisje in het ziekenhuis dat zijn steun nodig had. Nu hij haar beter leert kennen en zij haar veerkracht stap voor stap terugkrijgt, is het haar karakter dat hem boeit. Hoewel Nicolien nog dikwijls stil en afwezig kan zijn, vermoedt Gert dat ze pit genoeg bezit om deze moeilijke tijd zonder blijvende schade door te komen. Eens zullen de wonden littekens worden.
Met verrassing constateert Gert dat ze hem soms aan zijn zusje doet denken. Valt dit zijn moeder ook op? Het kan haast niet anders.

'Zullen we vanavond eens naar Jaap en Leni gaan?'
'Ja, leuk', reageert Nicolien spontaan. Ze heeft zich vandaag prettig gevoeld en nu lijkt het haar heerlijk om weer eens uit te gaan. Ze is echt benieuwd naar Leni.
'Zou je niet eerst even bellen?' adviseert Erica. 'Dan weet je zeker dat je niet voor niets rijdt. '
Gert kijkt zijn moeder vluchtig aan. Hij vermoedt waar ze aan denkt. Sinds Nicolien bij hen is, hebben ze Leni hier nog niet weer gezien. Op Erica's uitnodigingen heeft ze altijd wel een of andere uitvlucht. Het is zo klaar als een klontje dat ze Nicolien ontloopt. Maar waarom? Ze komt toch regelmatig met zwangere vrouwen in aanraking?
Gert weet dat zijn moeder het goed bedoelt, ze wil Leni op Nicoliens komst voorbereiden. Maar zelf denkt hij daar anders over. Per telefoon kan Leni wel weer een smoes verzinnen, maar wanneer ze onverwachts voor haar staan moet ze wel kennismaken. En dan is hij er graag zelf bij om desnoods als bliksemafleider te fungeren.
Gerts gedachten hebben maar een paar seconden in beslag genomen, dan zegt hij rustig: 'Niet nodig. Als ze niet thuis zijn, rijden we gewoon een eindje om.'
'Dat kan ook', antwoordt Erica. Maar wanneer Gert en Nicolien weggereden zijn, blijft ze nadenkend voor het raam staan. Het is niet gewoon dat Leni zolang niet geweest is en Gert weet dat ook. Als zij en Willem bij Jaap en Leni zijn is Leni even hartelijk als altijd. Maar zelf komt ze niet. Is dat omdat zij nu een zwanger meisje in huis hebben? Voelt Leni zich minderwaardig, omdat zij nog geen kinderen heeft? Maar zoiets is toch onzin! Leni is hen even lief al hebben Jaap en zij geen kinderen.
Erica draait zich om. 'Wat denk je, Willem, zouden Leni en Nicolien met elkaar kunnen opschieten?'
Willem is zo verdiept in het artikel dat hij leest, dat Erica's vraag maar langzaam tot hem doordringt. Hij kijkt zijn vrouw wat afwezig aan. Erica moet haar vraag herhalen.
'Waarom zouden ze niet?' is dan zijn nuchtere antwoord.
'Ach', Erica haalt haar schouders op. 'Ik dacht het zomaar.'

'Jij denkt nooit iets zomaar, Erica. Je bedoelt er wat mee. Vertel eens, is er wat gebeurd?'
'Nee, niets.'
'Waarom maak je je dan zorgen?'
'Ik maak me geen zorgen. '
Er komt een fijn lachje om Willems mond. Hij kent zijn Erica zo goed.
'Je haalt je muizenissen in je hoofd, Erica. Je moet wat meer vertrouwen in Leni hebben.'
Nu is Erica verrast. 'Zie je wel, jij denkt ook dat er wat met Leni is.'
'Als je bedoelt dat ze ons huis ontloopt, dan heb je gelijk', geeft Willem toe. 'Maar dat is nog geen reden om te veronderstellen dat ze misschien niet met Nicolien op zal kunnen schieten. Leni moet eerst verwerken dat wij een zwanger meisje onder onze hoede genomen hebben. Als die twee elkaar gesproken hebben draait ze wel bij.'
'Ik hoop het. '
Willem buigt zich weer over zijn artikel, maar Erica is nog lang niet gerustgesteld. Leni is een schat van een meid, maar de laatste tijd neemt ze alles veel te zwaar op. Gelukkig maar dat Gert erbij is. En Jaap is natuurlijk ook thuis. Ach, ze maakt zich zorgen om niets. Willem heeft gelijk. Maar ze zou het zo jammer vinden als Leni en Nicolien elkaar niet liggen. Ook voor Nicolien, want die heeft een beetje extra hartelijkheid wel bitter nodig.

Onwetend van de zorgelijke gedachten van zijn moeder, rijdt Gert met Nicolien naar de stad. Dankzij de vakantie is het nog behoorlijk druk op de weg.
'Ik heb er zo'n zin in', zegt Nicolien spontaan. 'Vertel eens wat over je schoonzusje, Gert. Is ze aardig?'
'Jazeker is Leni aardig. Hoewel ik natuurlijk geen vergelijkingsmateriaal heb, ik bezit maar één schoonzus.'
Nicolien lacht uitbundig. 'Wat een uitdrukking, vergelijkingsmateriaal! Het is geen pakpapier. Maar je kent toch genoeg andere meisjes, neem ik aan?'

'Oh ja, bosjes, maar niet echt.'
'Daar geloof ik niets van. Zo'n knappe broeder zal geen meisjes kennen.'
'Hmm, je vindt me dus knap? Prima oppepper voor mijn gevoel van eigenwaarde. '
Opnieuw proest Nicolien. 'Ik zeg niet dat je knap bent, ik zeg dat je een knappe broeder bent. Daar zit een gradueel verschil in.'
'Noem jij dat maar een gradueel verschil. Ik noem dat eerder een koude douche', meesmuilt Gert.
'Een koude douche kan heel gezond zijn. '
'Waar kleine meisjes al geen verstand van hebben.'
'Oh, wat dat betreft ken je me nog maar half.'
'Dan ben ik benieuwd naar de andere helft.'
Het antwoord van Nicolien blijft uit, omdat ze zojuist met een schok tot de ontdekking komt dat het er veel op lijkt dat ze met Gert zit te flirten. Ze krijgt een kleur. Wat moet hij wel van haar denken? Maar nee, natuurlijk denkt Gert niet aan zoiets. Hij beziet haar alleen als een herstellende patiënte. Bijna elke dag immers vraagt hij hoe het met haar gaat. Dat doet zelfs mevrouw Jaght niet. Maar Gert is daar nu eenmaal broeder voor. En met deze broeder kan zij toevallig goed opschieten. Dus waarom zouden ze elkaar niet een beetje mogen plagen? Nicoliens hoofd komt wat omhoog. De strakke trek, die even op haar gezicht lag, verdwijnt. Vanavond wil ze weer eens echt plezier maken. Als Leni net zo is als Jaap, dan wordt het vast een leuke avond.
Ze naderen de stad. 'Zijn we er al gauw?'
'Over een paar minuten', belooft Gert.

En werkelijk, binnen vijf minuten staan ze voor het huis van Jaap en Leni. Nicolien herkent het van de foto's die mevrouw Jaght haar heeft laten zien. Ze heeft ook foto's van Leni gezien, maar een foto zegt soms zo weinig.
'Kom, we lopen achterom', zegt Gert.
Een hekje, een kleine tuin, een achterdeur die wijd open staat. Dan zijn ze binnen.

Bij het aanrecht draait Jaap zich om. Zodra hij hen ziet, komt er een brede lach. 'Wat machtig leuk dat jullie komen, ik zet net koffie. Leni, we krijgen bezoek.'
In de kamer schiet een slank figuurtje haastig overeind van de bank. Twee handen gaan even naar het haar.
'Gert, wat aardig.' Het klinkt minder spontaan dan Jaaps begroeting. 'Ik heb Nicolien maar meegenomen, dan kunnen jullie eens kennismaken. Nicolien, dit is dan Leni.'
Er worden handen geschud. Haastige blikken over en weer. Wat een kind nog, is Leni's eerste gedachte. Ze heeft zich Nicolien Nordholt heel anders voorgesteld. Moderner. Een schoonzusje van burgemeester Van der Griend immers. Onwillekeurig gaan haar ogen over het figuur van Nicolien. Maar de lange bloes verhult veel.
Op haar beurt heeft Nicolien met meer dan gewone belangstelling Leni opgenomen. Dat is dus Jaaps vrouw. Van de foto's wist ze dat Leni slank is, maar in werkelijkheid lijkt ze nog tengerder. Ze heeft een figuur als een fotomodel. En daarbij ziet ze er zeer verzorgd uit. Ze zou een van de vriendinnen van Mellie kunnen zijn. De lange, zwarte oorhangers passen uitstekend bij het oranje-rode broekpak dat ze draagt.
'Ga zitten.' Met een nonchalant gebaar wijst Leni op een paar stoelen.
'Hield je een siësta?' vraagt Gert onschuldig.
'Zoiets ja, ik was moe.'
'Dat kan voorkomen.'
'Ik ben een werkende vrouw.'
'Tja, het is hier wel schoon', vindt Gert terwijl hij rondkijkt.
Leni trekt hem speels aan zijn haar. 'Doe niet zo ijzig, zwagertje, ik werk buitenshuis.'
'Zo-o, sinds wanneer en wat doe je?'
'Sinds twee weken. Ik werk tijdelijk in een modezaak. Maar misschien kan ik er na de vakantie voorgoed blijven.'
Leni werpt een steelse blik op Jaap, maar die heeft zich omgedraaid en is met zijn cd's bezig. 'Ik weet niet of ik het doe, maar het lokt me wel. Maar ga toch zitten, de koffie zal

zo klaar zijn. Of drink je geen koffie?'
Nicolien kleurt bij deze rechtstreekse vraag.
'Toch wel', antwoordt ze haastig.
'Nicolien is de bekende uitzondering op de regel', komt Gert haar te hulp. 'Ga hier maar zitten, Nicolien. Deze stoel zit gemakkelijk.'
'Oh ja, je hebt een ongelukje gehad', herinnert Leni zich. 'Was het erg?'
'Nee hoor, het viel mee.'
'Je hebt in ieder geval een prima broeder uitgezocht', stelt Leni vast. 'Leni, hou op', dreigt Gert. 'Ik leg je over m'n knie.'
Leni lacht. 'Zou je wel willen, jongetje.'
Gert schudt zijn hoofd. Hij knipoogt tegen Nicolien, die van Leni naar hem kijkt. Er komt een ondeugende lach in Nicoliens ogen. 'Gert, jij houdt toch van mooi pakpapier?' vraagt ze onschuldig. Ze ziet dat Gert haar begrijpt en ze moet moeite doen om niet te lachen om Leni' s verbaasde gezicht.
'Wat moet jij met pakpapier?' vraagt die onmiddellijk aan Gert.
'Nou, eigenlijk nog niets. Maar het is zo gemakkelijk als je een cadeautje in moet pakken.'
Leni haalt haar schouders op. Zulke onderwerpen interesseren haar op dit moment niet. Nicolien durft Gert nu niet meer aan te kijken. Het idee alleen om Leni met pakpakier te vergelijken. Maar dan wel papier met een goudrandje. Bij Leni vergeleken voelt Nicolien zich min of meer plomp. Haar taille begint breder te worden. Straks zal ze positiekleding moeten dragen, dan heeft ze geen figuur meer. Geen wonder dat jongens liever naar meisjes als Leni kijken. Gert zal daar zeker geen uitzondering op zijn.
Terwijl Leni in de keuken met de kopjes bezig is, roept Jaap Gert bij zijn muziekverzameling. Er is blijkbaar iets nieuws te bewonderen. 'Al die cd's kosten je kapitalen', meent Gert.
'Ach joh, zo'n enkel cd-tje, wat kost dat nou? Neem deze nu, die heb ik voor een tientje.'

Nicolien heeft even de tijd om het interieur op te nemen. Alles in lichte tinten. Een enkele poster aan de muur. Gezellig.
Als Anne en zij... Stop, daar niet aan denken. Overal is wel wat. Jaap en Leni hebben nog geen kinderen. Daar hebben ze veel verdriet van, heeft mevrouw Jaght gezegd. Het is niet eerlijk verdeeld in de wereld. Leni wacht op een baby, terwijl zij...
'Nicolien, hoe gebruik je de koffie?'
'Alleen melk graag.'
Leni zet de kopjes op tafel. 'Toe Jaap, blijf nu eens van die cd's af en kom er gezellig bij zitten.' Er klinkt een lichte irritatie in Leni's stem.
'Momentje, eerst deze laten horen. Dit is een Messe van Schubert, Gert. Moet je horen. Pracht muziek. Tien euro is geen geld voor zo'n ding.'
Leni is ondertussen bij Nicolien gaan zitten. 'En, bevalt het je bij mijn schoonouders?'
'Ja hoor, prima. Je hebt aardige schoonouders uitgezocht.'
Gert schiet in de lach. 'Jaap zelf is maar bijzaak.' Hij kan nog net een dreun ontwijken die Jaap hem toegedacht heeft.
Leni 's ogen gaan van Gert naar Jaap, dan zegt ze uitdagend: 'En vergeet de zwager niet die ik uitgezocht heb. Alleen al om zo'n zwager te kunnen krijgen wou ik met Jaap trouwen.'
Het lijkt een speelse plagerij, maar Nicolien ziet aan Jaaps gezicht dat Leni's woorden hem hinderen. Zou Leni inderdaad meer om Gert geven dan gezond is? Dat kan ze zich niet indenken. Van Gerts kant helemaal niet.
Leni houdt haar de koekjestrommel voor.
Nicolien bedankt. Ze moet zorgen dat ze straks niet vierkant wordt.
'Goed zo, Nicolien, nu mag ik er twee.' Dat is natuurlijk Jaap.
'Geen denken aan', zegt Leni beslist. 'Je wordt veel te dik.'
'Zo'n paar pondjes, wat geeft dat nu?'
'Waren het er maar een paar. Je bent wel dertig pond aangekomen in je trouwen. Dat is ongezond. '
Jaap zucht komisch-wanhopig. 'Zorg maar dat je nooit trouwt,

Gert. Je komt onder de plak en dat noem ik ongezond.'
'Ik zal je advies ter harte nemen.'
'Luister maar niet naar Jaap, Gert. Het wordt werkelijk tijd dat jij eens gaat trouwen. Ik weet wel een aardig meisje voor je, een onderwijzeresje hier aan de school. Als je zegt wanneer je weer eens komt, dan nodig ik haar ook uit. Je zult zien dat je haar graag mag.'
'Fijn dat je zo met me meeleeft, Leni. Maar ik zoek zelf wel iemand uit. '
'Aha, dat klinkt veelbelovend. Zeg eens, heb je al iemand op het oog?'
'Twee, ik weet alleen nog niet wie het wordt.'
'Enig, wie zijn het?'
'Jouw onderwijzeresje en haar tweelingzus.'
'Ik wist niet... hè, je houdt me voor de gek.'
Jaap schiet in een bulderende lach en Leni moet wel meelachen. 'Gert keek zo serieus', zo verontschuldigt ze zich.
Het wordt een gezellige avond. Nicolien voelt zich hier op haar gemak. Steeds ook wordt zij in het gesprek betrokken. Alleen als het over kerkzaken gaat, luistert ze stil. Jaap vertelt van een meisje dat van de kerk is afgegaan, omdat haar jongen ook nergens aan deed. Ze praten daar nog even over door. Nu dwalen Nicoliens gedachten af. Zou Anne's vader daar ook bang voor geweest zijn dat Anne niet meer naar de kerk zou gaan als hij met haar bleef omgaan? Moet de kerk dan altijd en overal voor een scheiding zorgen?
Een vraag van Leni zet haar weer met beide benen in de werkelijkheid.
'Wanneer verwacht je de baby?'
'In december.'
'Ben je al met de uitzet bezig?'
'Nee, eigenlijk nog niet.'
'Je hebt ook nog even de tijd. Wat neem je, een wieg of een ledikantje?'
'Ik mag de wieg van mevrouw Jaght gebruiken.'
Er trekt wat om Leni's mond. Even is het stil in de kamer,

want ook de jongens luisteren nu mee. Dan zegt Leni beslist: 'Ik zou nooit met tweedehands spullen willen beginnen. Maar ja...'
De zin wordt niet afgemaakt. Leni kan evengoed bedoelen: ik heb het niet nodig, als: jij zult wel niet anders kunnen.
Nicolien weet niet zo vlug wat ze moet antwoorden, maar het is Jaap die de situatie redt voor deze te pijnlijk wordt. 'Wees er maar trots op dat je die wieg mag gebruiken, Nicolien. Daar hebben alleen maar geweldige kinderen in gelegen, zoals Gert en ondergetekende.'
'En dat komt allemaal door die wieg', vult Gert aan.
De sfeer is gered, maar niet lang daarna staat Gert op. 'We gaan, Nicolien. Het is al laat. '
Onderweg is Nicolien stil. Na een tijdje polst Gert: 'Hoe vond je het?'
'Wel leuk', zegt Nicolien bedachtzaam. 'Maar ik weet nog niet goed wat er onder het pakpapier zit.'
Gert lacht zachtjes. Nicolien bezit humor. Hij mag dat wel.
'Soms kun je door het pakpapier heen de vorm zien', antwoordt hij. 'Misschien als je het model kent?'
'Waarschijnlijk wel.' Dan laat Gert de beeldspraak varen. 'Je moet die opmerking van Leni niet al te serieus nemen. Ik denk dat ze dolblij zou zijn als ze zelf die wieg kon gebruiken. Dat praten over tweedehands spullen is een afweer om haar verdriet te verbergen. Sommige mensen kunnen dan abnormaal cru reageren. Ik hoop niet dat jij je dat hebt aangetrokken?'
Er klinkt bezorgdheid in zijn stem. Nicolien schudt haar hoofd. De hartelijkheid van Gert doet haar goed. Er prikt plotseling wat achter haar ogen. Nu moest Anne er zijn. Maar Anne zal er nooit meer zijn. Zij zal het in haar leven moeten hebben van oppervlakkige vriendschappen. Hoewel, Gerts vriendschap is niet oppervlakkig. Maar als Gert verkering krijgt, zal die vriendschap ook verflauwen. Want welk meisje laat nu toe dat haar vriend ook vriendschapsbanden onderhoudt met een meisje met een kind? Daar komt alleen maar narigheid van. En daar is Gert te goed voor. Als hij dus

een meisje krijgt, kan zij niet meer met hem omgaan. Niet meer 's avonds een wandeling maken. Dat is dan afgelopen, dat moet ze goed begrijpen.
Zou Gert ook alleen een meisje van de kerk willen? Dat moet ze hem nog vragen. Nu heeft ze daar een goede gelegenheid voor. 'Zeg Gert, jullie hadden het straks over dat meisje dat om haar jongen van de kerk is afgegaan. Is dat erg als een van tweeën niet bij de kerk hoort? Zou jij ook nooit een meisje willen dat niet gelooft?'
Er is weinig verkeer en Gert kan de weg wel dromen. Toch staart hij nu strak over zijn stuur naar de weg. Het duurt even voor hij antwoord geeft, maar dat antwoord is heel anders dan Nicolien verwacht heeft.
'Ik heb jaren geleden eens van een meisje gehouden. Dat meisje geloofde ook niet. Ze wilde ook niets van het christendom weten en daarom ben ik niet met haar verder gegaan. '
'Wat vonden je ouders daarvan?'
'Mijn ouders hebben dat nooit geweten. Alleen met mijn zusje heb ik er een keer over gesproken. Dat was toen ze zelf problemen had met een jongen.'
'Was dat Ronald?'
'Ja, Ronald.'
Nicolien moet even nadenken over wat ze gehoord heeft, dan vraagt ze: 'Vind je dan dat mensen die niet geloven minder zijn?'
Gert hoort de spanning in haar stem, nu moet hij op zijn woorden letten. 'Je maakt een denkfout, Nicolien. Ongelovige mensen zijn als mens niet minder dan gelovige mensen. Ze kunnen in hun leven gelovigen nog wel tot een voorbeeld zijn. Het is dus beslist niet waar dat ze minder zijn. Maar waar het om gaat is dit: als je als gelovige jongen of meisje werkelijk God liefhebt en wilt dienen, dan weet je dat je dit in een huwelijk maar op één manier echt kunt. En dat is, samen de Heere dienen. Als nu een van tweeën dat niet wil, dan moet die ander de verhouding beëindigen, hoe moeilijk dat ook kan zijn. De Bijbel is daar duidelijk genoeg in. Geen juk aantrekken met een ongelovige. Dat betekent,

geen last op je schouders nemen die je niet kunt dragen. God wil dat alle mensen Hem dienen. Dus in een huwelijk samen als man en vrouw. Daarom is het ook belangrijk dat je aan het begin van je verkering over die dingen praat, zodat je weet hoe de ander denkt. En dan zul je moeten kiezen. Als je dan niet met die ander verder gaat, is dat niet omdat je zelf zoveel beter bent. Maar dan is dat omdat je de Heere wilt gehoorzamen. In de eerste plaats de Heere liefhebben, boven alles in je leven. Dat is een strijd die steeds weer gevoerd moet worden. Christenen zijn niet zulke heilige boontjes als je misschien wel eens denkt, Nicolien.'
Ze zijn bijna thuis, het is nu helemaal donker. Misschien daarom, of ook omdat Gerts bekentenis over dat meisje een vreemde vertrouwelijkheid tussen hen geschapen heeft, zegt Nicolien: 'Anne's vader wilde mij ook niet, omdat ik uit zo'n goddeloos nest kwam.'
Er ligt zoveel bitterheid in die woorden. 'En ik had Anne nog wel beloofd om met hem mee te gaan, later.' Nu heeft ze het toch tegen iemand gezegd. Maar die iemand is Gert.
'Dat doet pijn, hè?' zegt hij zacht.
'Ja.'
Gert rijdt langzamer, ze zijn bijna thuis. Een gevoel van paniek bevliegt Nicolien plotseling. 'Je moet het aan niemand vertellen', zegt ze heftig. 'Ook niet aan je ouders, want nu weet ik niet meer wat ik wil. Soms trekt de godsdienst me en soms vind ik alles zo gemeen.'
Haar stem slaat over. Al die ellende van haar ongehuwde moederschap staat weer levensgroot voor haar. Deze avond heeft ze even gevoeld hoe het kon zijn als er geen kind kwam. Ze zou uit kunnen gaan, plezier maken met jongens en meisjes. Ze wil er charmant uitzien, zodat de jongens naar haar kijken. Ze wil gewoon zichzelf kunnen zijn, maar in plaats daarvan zal ze dik en lelijk worden door het kind. Het kind dat ze eigenlijk niet wil.
'Het is gemeen. Jaap en Leni krijgen geen kinderen en ik wil geen kind.' Ze schreeuwt de laatste woorden.
Het is stil na haar plotselinge uitval. Ze zijn thuis, maar Gert

rijdt het huis voorbij. Nicolien merkt het amper, haar hele lichaam trilt. Straks gaat ze gillen. Haar handen ballen zich tot vuisten. Nu zal Gert haar verachten, nu ze opnieuw haar kind verloochent. Nu zal... Gert rijdt de wagen de berm in, stopt dan. De lampen gaan uit, het is plotseling donker om hen heen.
Dan komt de reactie. Nicolien huilt, hysterisch bijna, zoals in het ziekenhuis. Ze wil de wagen uit, haar hand tast langs het portier. Maar Gert is op zijn hoede. Hij slaat in een opwelling zijn arm om haar heen, zijn andere hand neemt haar tastende vingers.
'Huil maar, Nicolien. Dat hindert niet. Beter worden gaat niet in één dag.' Nog veel meer dingen zegt hij, zacht en kalmerend. Hoort Nicolien wat hij zegt? Ze wordt rustiger. Eerst is het of ze in bed ligt. Broeder Jaght zit bij haar, hij praat en praat. Het is goed om naar zijn stem te luisteren. Maar dat beeld verdwijnt. Ze zit naast Anne. Hij heeft haar in zijn armen genomen, zijn hand streelt haar schouder. Waarom kust hij haar nu niet? Nog een snik, dan weet ze plotseling waar ze is. Gert zit naast haar, zijn arm ligt om haar heen. Enkele seconden zit Nicolien doodstil, dan wil ze zich beschaamd losmaken. Maar voor ze dat doet, voelt ze een zachte klop in haar lichaam. Nu huilt Nicolien opnieuw.
'Meisje toch', zegt een stem naast haar.
Er klinkt een vreemde lach door Nicoliens snikken heen.
'Gert, ik... ik voel leven.'
De greep om haar schouder wordt sterker. Er belandt een zoen ergens boven op haar hoofd. 'Gefeliciteerd, Nicolien.'
Minuten later rijden ze thuis het gravelpad op. Nicolien heeft haar evenwicht enigszins hervonden. Ze stappen uit, Gert opent de huisdeur.
'Ga maar vast naar bed, ik kom zo binnen.'
'Goed. Welterusten, Gert. En bedankt.'
'Welterusten, Nicolien. Slaap lekker.'
Wanneer Nicolien, zo zacht mogelijk om meneer en mevrouw Jaght niet wakker te maken, de trap opgaat, loopt Gert tussen de weilanden. Het stormt in hem. Nu heeft hij weer een

meisje leren kennen van wie hij gaat houden, maar opnieuw kan het niet. Ook Nicolien is ongelovig opgevoed, al staat zij niet helemaal afwijzend tegenover het geloof. Maar er is meer. Nicolien heeft van een ander gehouden en bij die ander zijn haar gedachten nog steeds. Van die ander verwacht ze een kind en dat kind zal de herinnering aan de vader levend houden.

Hoe lang kan het wel duren voor Nicolien dat verdriet te boven is? En wat dan nog? Hij is voor haar alleen maar de broeder die er is als ze hem nodig heeft.

Hij heeft haar in zijn armen gehouden. Dwaas! Ach, er bleef hem eigenlijk geen andere keus. In haar opstandige buien is ze immers behoorlijk sterk. Niemand zal hem ook maar iets kunnen verwijten, er is niets gebeurd. Maar die korte ogenblikken hebben zijn bloed wel in beweging gebracht. Om zelf zo'n meisje te hebben. Een meisje dat vrijwillig in je armen kruipt. Een meisje dat je niet alleen mag troosten, maar ook beminnen. Een meisje met wie je plannen maakt voor de toekomst van je samen, in plaats van een meisje dat je moed inspreekt voor haar toekomst alleen.

Gert staat stil. Het is zo'n wondere nacht. Muggen zoemen. Hoog boven hem staan de sterren. Hij kent hun namen niet, ziet ze alleen als onderdeel van Gods geweldige schepping. De schepping waar ook hij deel van uitmaakt. Hij en Nicolien en straks haar kind.

Gert is zo vol. Hij bidt niet. God kent immers zijn gedachten en verlangens. Hij is een jonge kerel die zichzelf steeds weer in toom moet houden. Waarom moest dat meisje juist op zijn afdeling in het ziekenhuis komen te liggen? Dat meisje met haar verwarde rossige haren. Duidelijk ziet Gert weer dat ene krulletje bij haar oor. Maar juist terwille van dat meisje zal hij zichzelf nu in de hand moeten houden. Zij mag niets weten van wat er in hem omgaat. Zij heeft hem nodig voor haar vragen en opstandige buien.

Hij zou uit huis willen gaan, maar dat kan niet. Nu nog niet. Misschien later als de baby er een tijdje is. Dan zal ze hem niet meer zo nodig hebben, dan heeft haar leven een andere

vulling gekregen.
Hij heeft er wel eens aan gedacht om aan een ontwikkelingsproject mee te doen, ergens in de wereld. Misschien krijgt hij daarvoor straks gelegenheid. Met een baby in huis zal zijn moeder er ook beter tegen kunnen. Nicolien zal de eerste tijd toch zeker hier blijven wonen. Waar kan ze straks beter zijn, zo midden in de winter?
Gert keert zich om en loopt de lange weg terug. De nachtelijke koelte doet hem goed. Op een paal aan de kant van de weg zit een uil. Gert ziet het dier pas als hij met brede wiekslag opvliegt. Vanaf de rivier klinkt de kreet van een vogel. Vertrouwde geluiden.
Gert loopt het gravelpad op, het fijne grit kraakt onder zijn voeten. Een deur gaat open en weer dicht. Even nog een licht gerucht in huis, dan wordt alles stil.

Erica draait zich om. Nu ze weet dat iedereen thuis is, kan ze gaan slapen. Naast haar klinkt de rustige ademhaling van Willem. Ze is blij dat hij vanavond zo vlug in slaap gevallen is. Er zijn immers altijd zoveel problemen. Zouden mensen wel ooit beseffen hoe moeilijk ze het elkaar soms maken, ook in de kerk?
Erica vouwt haar handen, voor de zoveelste keer deze avond. Ze weet niet dat Gert op dit ogenblik hetzelfde doet.
Om het huis staat de nacht.

Hoofdstuk 13

Het leeft, het kind leeft werkelijk.
Met die zekerheid is Nicolien gaan slapen en daarmee staat ze de volgende morgen ook op. Haar kind heeft zijn aanwezigheid kenbaar gemaakt, direct na haar vertwijfelde uitbarsting. Alsof het zeggen wilde: 'Mama, ik ben er toch, doe me geen kwaad.'
Nicolien is er diep van onder de indruk. Nóg is er niet veel aan haar figuur te zien, maar haar kind leeft en groeit. Het beweegt, zal wellicht steeds rumoeriger worden. Het is een mens in wording. Wat is ze blij dat Gert er was, gisteravond. Gert is er eigenlijk altijd als ze hem nodig heeft, vanaf die allereerste dag in het ziekenhuis. Er is een blij gevoel als ze aan Gert denkt. Hij begrijpt haar. Natuurlijk komt dat door zijn werk. Maar hij was gisteravond ook echt blij toen ze vertelde dat ze leven voelde. Ze heeft het vanmorgen weer gevoeld, heel zacht.
Gert is al naar het ziekenhuis, hij heeft vroege dienst. Daar had ze gisteravond aan moeten denken, dan was het niet zo laat geworden. Zal ze het aan mevrouw Jaght vertellen? Ja, ze doet het.
Erica is verrast door Nicoliens spontane mededeling. 'Wat fijn, Nicolien. Je zult zien dat je nu echt zin krijgt om alles klaar te maken. Het is toch zo 'n wonder, zo 'n klein kindje.'
Het is of er over deze dag een glans ligt. Het weer werkt daar ook aan mee. Het is zo'n mooie zomerdag.

's Middags zit Nicolien op Gert te wachten. Ze moet hem zeggen dat alles nu goed is, dat ze voor de volle honderd procent op haar kind zal wachten. Gert heeft er recht op om dat te weten, hij heeft zoveel voor haar gedaan.
Ze zitten buiten, Erica en Nicolien. Gert kan nu ieder moment komen. Toch duurt het nog even voor zijn wagen het gravelpad oprijdt. Erica gaat naar binnen om thee te

halen. Gert komt om het huis, regelrecht naar Nicolien, in zijn hand een pak. 'Hier moeder, voor je zoon of dochter.' Het pak wordt op haar schoot gelegd.
Nicolien krijgt een kleur. 'Wat een prachtpapier', bewondert ze.
'Ik hou van mooi pakpapier', Gert lacht haar plezierig toe, gaat ondertussen zitten.
Nicolien lacht mee, voorzichtig maakt ze de plakbandjes los, wikkelt het papier behoedzaam open.
'Oh!' In haar handen heeft ze een wit lammetje. Het houdt zijn kopje scheef en zijn ene oortje gaat schuil onder een fel rood puntmutsje. 'Wat een snoesje', zegt Nicolien verrukt. Dan, in een opwelling, staat ze op en geeft Gert een zoen. 'Dank je wel, hoor.'
Erica komt buiten. Ook zij bewondert het knuffeldiertje. En natuurlijk moet ook meneer Jaght het zien zodra hij uit zijn werk thuiskomt. Daarna brengt Nicolien het naar haar kamer. Daar staat het nu. Het is alsof het zeggen wil: ik wacht ergens op.

Die avond maakt Gert geen aanstalten om te gaan wandelen. Nicolien wordt er onrustig van. Ze wil Gert zo graag zeggen hoe blij ze nu is met haar kind. Het wordt al later.
Maar ze kan hem toch zelf vragen? Nicoliens oude veerkracht schijnt met sprongen terug te komen. 'Ik geloof dat ik nog even ga wandelen.'
Gert kijkt op uit zijn boek. Nu Nicolien dit uit zichzelf zegt, gaat hij graag mee.
Ze trekken hun jassen aan.

De zon is al onder en dan wordt het snel koud. Op de nok van het huis zingt een merel, zijn kopje iets omhoog. Boven de weilanden hangt al een lichte nevel, het einde van een zomerdag. Hoog boven hen passeert een vliegtuig, vaag zijn de motoren te horen.
Nicolien kan wel huppelen. Ze probeert het vliegtuig te ontdekken, maar het lukt niet. Nu zou ze een eindje moeten

hollen om al de energie die in haar bruist kwijt te raken. Of kan ze zoiets niet meer doen? Is dat slecht voor de baby? Ze zal naar zwangerschapsgymnastiek gaan, daar blijf je vast fit van. Maar al die vrouwen hebben natuurlijk verhalen over hun mannen. Ze weet nog niet wat ze doet.
Zal ze het aan Gert vragen? Ze kijkt eens opzij. Gert is zo stil. Hij is eigenlijk nooit rumoerig, maar nu heeft hij nog niets gezegd sinds ze de deur uitgegaan zijn.
'Gert?'
Gert kijkt op. 'Ja?'
'Ik vind dat knuffelbeest zo leuk. Daar wou ik je nog eens voor bedanken. Het is het eerste cadeau voor mijn kind.'
Gert glimlacht. 'Weet je wel dat ik hiermee van mijn principe afgeweken ben?'
'Hoezo?'
'Ik ben er niet voor om een cadeau te geven, voordat de baby geboren is. Er kan altijd zoveel gebeuren en dan worden cadeaus wel een aanfluiting. Maar voor jou leek het me wel aardig.'
'Ik ben er ook heel blij mee en... Gert... als het eens niet goed zou gaan, dan moet je het niet erg vinden dat je me dit gegeven hebt. Want na gisteravond, toen ik leven voelde, wist ik voor het eerst heel zeker dat ik blij ben met dit kind. Dat wou ik je nog even zeggen.'

Ze zijn bij de rivier gekomen. Bovenop het dijkje staan ze als op afspraak stil. Nicoliens uitgelaten stemming is weggeëbd. Nadenkend kijkt ze naar het donkere water.
'Ik wil je nu niet ontmoedigen', zegt Gert dan. 'Maar misschien komen er wel weer eens tijden waarin je het moeilijk zult hebben, waarin alles je aanvliegt. Mocht dat gebeuren, weet dan dat de Heere God ons altijd ziet, overal bij ons is. Hij is de Enige op Wie we volkomen kunnen vertrouwen. Mensen stellen vaak teleur, niemand uitgezonderd. Maar God heeft beloofd dat Hij helpen wil als we Hem werkelijk aanroepen. Vergeet dat nooit, Nicolien. Hij is de Enige op Wie we blindelings kunnen vertrouwen, omdat Hij doet wat

Hij belooft.'
Gert zwijgt. Hij heeft het enige gezegd dat er gezegd kon worden, hoeveel andere woorden er ook op zijn lippen branden. Maar hoe graag hij ook zichzelf als haar beschermer zou willen aanbieden, Nicolien heeft meer nodig: de enige troost in leven en sterven. En daarom zwijgt hij nu.
Ze lopen dan terug door de donker wordende avond. Een auto passeert hen, dan ligt de weg weer verlaten. Het merellied is verstomd, weer is er een dag voorbij.

Een paar dagen later komt Sarah. Aan haar bezoek is een telefoontje vooraf gegaan. Nicolien is teruggetrokken, heel de tijd dat haar moeder er is. Ze geeft antwoord als haar wat gevraagd wordt, maar uit zichzelf zegt ze niets. Het is mevrouw Jaght die het leeuwenaandeel van de conversatie voor haar rekening neemt. Zodra Sarah echter aanstalten maakt om te vertrekken, zegt Erica: 'Laat jij je moeder even uit, Nicolien?'
Natuurlijk doet Nicolien dat. Maar als ze buiten bij de auto staan, weet ook Sarah niet veel meer te zeggen. Het gaat goed met Nicolien, dat heeft ze kunnen constateren. Maar daarmee is dan ook alles gezegd. Van Sarahs hoop op een beter contact is niet veel meer over. Bewust handhaaft Nicolien de afstand die er op die ongelukkige avond tussen hen gekomen is en Sarah is niet bij machte om daar verandering in te brengen.
'Volgende week gaan we met vakantie, vader is daar hard aan toe. Ik zal je ons adres geven voor het geval er iets is.'
Het is de eerste keer dat de naam van haar vader valt, maar Nicolien reageert niet op die mededeling.
Sarah haalt een envelop uit haar handtas, hij is dichtgeplakt. 'Hier zit het adres in.'
Nog altijd zwijgend neemt Nicolien de envelop aan. 'Nou kind, dan ga ik maar.'
'Goed.'
'Krijg ik geen zoen?'
Nicolien doet een stap naar voren, maar haar ogen staan bij de kus die ze geeft zo afwijzend, dat Sarah haastig in haar

wagen vlucht. Dan rijdt ze weg, zonder nog om te zien.

Het was haar plan geweest om nog even naar Mellie te gaan, het is misschien twintig kilometer naar Mellies dorp, maar ze doet het niet. Ze kan nu niet bij Mellie gaan zitten praten over ditjes en datjes, terwijl Nicolien een vreemde lijkt te worden.
Er ligt een verdrietige trek op Sarahs gezicht, heel de lange weg naar huis. Waarom moet het toch gaan zoals het gaat? Waarom is Nicolien niet een beetje soepeler en waarom kan Marten zijn hoofd niet wat buigen? Dit kan toch zo niet doorgaan? Er moet toch weer contact mogelijk zijn? Maar Sarah realiseert zich heel goed dat de hinderpaal die er is, nooit weggenomen zal worden. Nu is het nog een gedachte, maar straks is het werkelijkheid: het kind!
Hoe blij zouden Marten en zij geweest zijn als Mellie hun verteld had dat zij in verwachting was. Waarom heeft Nicolien haar verstand niet gebruikt? Waarom heeft ze niet naar haar vader willen luisteren, dan zou nu alles achter de rug zijn. En misschien... Arnold Scholten is gisteravond weer geweest. Hij heeft zitten vissen om Nicoliens adres te krijgen. Ze heeft gedaan of ze nergens erg in had. Maar als de jongen er haar eens rechtstreeks naar vraagt? Kan ze dan weigeren? Sarah weet niet wat ze doen moet. Al haar beslissingen vallen bij Nicolien toch verkeerd uit.
Ze moet alles van zich afzetten.
Maar Nicolien is toch haar kind? Martens dochter!
Sarah moet moeite doen om zich aan de toegestane snelheid te houden. Ze wil naar huis, naar Marten.

De nazomer brengt veel mooie dagen. Nicolien is nu werkelijk aan nieuwe kleren toe, niets past haar meer. Maar ze wil er niet teveel geld voor uitgeven, het is immers maar voor een aantal maanden. Spullen voor de baby zijn belangrijker. Ze heeft nu een uitkering, maar wat is alles duur. Gelukkig heeft Erica nog heel veel dingen bewaard, lakentjes, dekentjes, een paar piepkleine babytruitjes. Onbegrijpelijk dat daar een

baby in kan.
Eén ding lukt niet zo best, Nicolien kan geen werk krijgen. Op sommige sollicitaties krijgt ze zelfs geen antwoord. En de enkele keer dat ze opgeroepen wordt, blijkt haar zwangerschap toch een struikelblok te zijn. Dat is wel ontmoedigend.
'Het is je reinste discriminatie', moppert ze tegen Gert, maar die lacht haar uit. 'Gebruik toch je verstand, Nicolien. Die mensen hebben groot gelijk. Straks ben je weer zoveel weken uit de roulatie. Daar zitten ze bepaald niet op te wachten. Als de baby er is, lukt het je misschien beter.'
Ja, als de baby er is. Maar Nicolien wil nú werk. Ze wil laten zien dat ze voor zichzelf kan zorgen.
Op een morgen krijgt ze weer een oproep voor een sollicitatiegesprek. Ze gaat er met gemengde gevoelens heen. Ze heeft niet geschreven dat ze zwanger is, maar dat zal ze nu toch moeten zeggen. Ze wordt hartelijk ontvangen door een van de directeuren van het verzekeringsbureau. 'Van Sprangen', zo stelt hij zich voor.
'Nicolien Nordholt.'
'Ga zitten, juffrouw Nordholt.'
'Dank u.'
'Zo, eens even kijken.' De man bladert wat in papieren voor hem. Nicolien ziet haar sollicitatie liggen.
'U denkt dus in aanmerking te komen voor de functie?'
Nicolien kleurt licht. Wat een gekke opmerking. Anders zou ze toch niet op die advertentie geschreven hebben? Maar dat kan ze natuurlijk niet zeggen.
'Ik hoop het', antwoordt ze voorzichtig.
'U hebt geen enkele ervaring op administratief gebied?'
'Inderdaad. '
'Maar u denkt het wel aan te kunnen?'
Weer zo'n onzinnige vraag. Daar kan ze toch niet met ja of nee op antwoorden, dat moet ze gewoon afwachten.
'Ook dat hoop ik.'
'Juist. Waarom gaat uw belangstelling naar een administratieve baan uit? Uit het feit dat u met kleine kinderen gewerkt

hebt, zou je toch eerder aan een andere richting denken?'
'Dat au-pair werk was eigenlijk om mijn Engels goed te leren', aarzelt Nicolien. Ze heeft het idee dat die man aan haar kan zien dat ze liegt. Maar ze kan toch moeilijk zeggen dat ze door haar vader min of meer gedwongen is.
'Stel dat we tot een overeenkomst zouden komen, hebt u dan nog bijzondere wensen, zijn er dingen die u graag nog zou willen weten?'
Nicolien zit op springen. Nu moet ze het zeggen.
'Ik zou een kleine aanvulling op mijn sollicitatie willen geven, ik ben namelijk zwanger, in december komt de baby.'
Nicolien ziet de man voor haar strak aan. Even een ogenblik van pijnlijke stilte, dan: 'Wel, juffrouw Nordholt, dat is inderdaad een belangrijke aanvulling. Ik denk dat ik voorlopig voldoende weet. Binnen een week krijgt u van ons bericht.' Hij staat op, ook Nicolien gaat staan. Ik kom niet in aanmerking, weet ze. Om mijn kind kom ik niet in aanmerking. Als onder hypnose verlaat ze het gebouw van de verzekeringsmaatschappij. Je kunt je overal tegen verzekeren, maar tegen de gevolgen van een zwangerschap niet. Als Anne dit eens wist... Wat zou hij dan zeggen? Wat zou hij haar aanraden? Anne wou gaan trouwen als zij een baby verwachtte. Misschien waren ze dan nu al getrouwd, dan hoefde zij nu niet om werk te bedelen.
De busreis terug lijkt eindeloos. Thuis probeert Erica Nicolien wat op te monteren, maar dat valt niet mee.

Diezelfde avond komen Jaap en Leni even langs. Erica is blij dat Leni zich niet meer terugtrekt. Het is toch goed geweest dat Gert toen onverwachts met Nicolien bij hen op bezoek gegaan is.
Jaap draait nooit ergens omheen. Zodra hij Nicoliens betrokken gezicht ziet, vraagt hij: 'Tjonge, wat heb jij op je geweten?'
Voor de zoveelste keer vertelt Nicolien van haar mislukte sollicitatie. Jaap zit haar peinzend aan te kijken, zijn gedachten werken echter snel. Er komt over een paar

maanden een vacature bij de bank, voor dat werk is geen speciale vooropleiding vereist. Nicolien zou daar best een geschikt figuur voor zijn. Maar als de baby eens wat langer op zich laat wachten? Een paar weken behelpen wil wel, maar als het maanden wordt? Hij moet daar eens goed over nadenken, er ook met de directeur over praten. Misschien is er een deeltijdbaan van te maken, Nicolien wil immers graag halve dagen werken. Het zal niet aan hem liggen als dit niets wordt. Toch nog maar niet over praten, al is dat in dit geval moeilijk. Hij zou haar graag wat willen opmonteren.
'Is Gert er niet?'
'Gert heeft late dienst.'
'Jammer. Ik heb een nieuwe cd die moet hij eens komen beluisteren. Is vader op huisbezoek?'
'Nee, kerkenraad. '
'Sinds wanneer hebben ze op vrijdag kerkenraad?'
'Ach jongen', er ligt een lichte frons op Erica's gezicht. 'Dit is al voor de tweede keer deze week. Vader is geen avond thuis.'
'Zijn er zoveel problemen in de gemeente?'
Erica schiet even in de lach. 'Jullie weten het: ik heb nooit wat geweten, ik weet nooit wat en ik zal nooit wat weten.'
Jaap lacht mee. Even legt hij zijn arm om Erica's schouder. 'Een prima stelling, moeder. Totdat de problemen zelf hier luidruchtig om het huis wandelen, dan moeten we wel meeleven.'
Nicolien begrijpt niet veel van het gesprek. Zouden er problemen zijn in de kerk? Het lijkt haar juist zo'n eenheid als al die mensen samen hun liederen zingen. Ze is daar soms wel eens een beetje jaloers op omdat ze zichzelf een vreemde eend in de bijt voelt.
Ze kan er Gert wel eens naar vragen.

Door het bezoek van Jaap en Leni fleurt Nicolien wel wat op. Leni staat nu hele dagen in modezaak Van Driessen, een zaak van naam. In haar kleding volgt ze de mode op de voet. En dat is iets waar Nicolien niet over hoeft te piekeren.

Zij bezit nu een paar positiebroeken en voor de zondag een overgooier. Dat is gemakkelijk, bij warm weer een bloesje en bij koud weer een trui erbij. Goed en voordelig.
Dat moest Mellie eens weten, een hele garderobe die bestaat uit drie broeken en één overgooier. Mel zou er wat van krijgen.
Eigenlijk wil Nicolien helemaal niet aan Mellie denken. Laat haar zusje maar de onberispelijke burgemeestersvrouw spelen, haar interesseert dat niet.
Of is dat niet helemaal waar? Soms staat Toms foto in de krant bij het nieuws uit zijn dorp. Toen Nicolien voor de eerste keer die foto zag, deed dat pijn. Tom is toch haar zwager! En hij is bij haar geweest in het ziekenhuis, al weet ze daar niets meer van. Tom is een leuke vent, ze mochten elkaar altijd graag een beetje plagen. Mellie kon daar nooit zo goed tegen, die werd dan jaloers en ging melig doen om Toms aandacht te trekken. Zou zij ook zo gek gedaan hebben als Anne was blijven leven? Natuurlijk niet, het idee alleen. Ze kan zich eigenlijk niet eens goed indenken hoe het zou zijn als Anne bij haar thuis gekomen was. Zou hij met Tom op hebben kunnen schieten? Vast wel. En met Mellie? Dat zal ze nooit weten. Ook niet hoe haar moeder Anne zou vinden. Aan haar vader wil ze zelfs niet denken. Die houdt alleen maar van zichzelf.

Die nacht droomt Nicolien weer over Anne. Zij heeft hem mee naar haar huis genomen, maar ze komen allemaal met knotsen op hem af. Vader, moeder, Tom en Mellie en zelfs Arnold Scholten. Ze vormen een kring om hem heen. Stap voor stap komen ze dichterbij.
'We slaan je dood', zegt vader.
'Morsdood', vult Arnold aan. Ze heffen hun knotsen.
Nicolien gilt, ze gaat voor Anne staan, haar armen wijd om de slagen op te vangen. Dan wordt ze wakker.
Het is donker in haar kamer, midden in de nacht immers. Nicolien gaat rechtop in bed zitten. Het was verschrikkelijk, ze beeft nog. Pas langzaam komt ze wat tot rust. Hoe komt ze er toch bij om zulke gekke dingen te dromen? Haar ouders

zouden nooit iemand doodslaan. O nee? En haar kind dan? Dat moest toch vermoord worden?
Nicolien legt beschermend haar handen op haar buik. Ze heeft Anne willen beschermen. Dat was niet nodig, het was immers een droom. Maar haar kind zal bescherming nodig hebben totdat het groot zal zijn. Anne's kind.

Hoofdstuk 14

'Ik zie niet in waarom ik bij die mensen op bezoek zou moeten gaan.' Er klinkt geïrriteerdheid in Mellie's stem.
'Het gaat niet om die mensen, het gaat om Nicolien. Zij is je zusje, Mellie.' Sarah zucht onhoorbaar terwijl ze naar de rug van haar oudste dochter kijkt.
Mellie staat voor het raam, haar hele houding drukt onwil uit bij Sarahs zachte aandrang.
Plotseling draait ze zich om. 'U lijkt Tom wel. Die zegt ook steeds dat ik eens naar haar toe moet gaan. Maar ik doe het niet. Tom mocht in het ziekenhuis niet bij haar komen, ze wilde niets van hem weten. En denkt u nu dat ik wel naar haar toe zal gaan? Zeker om me ook de deur te laten wijzen. Ik kijk wel uit.'
'Nu overdrijf je toch. In het ziekenhuis was Nicolien zichzelf niet. Misschien is ze dat nog steeds niet helemaal, maar we moeten proberen om haar vast te houden, Mel. Ook om je vader. Hij heeft het er moeilijk mee. '
'Papa heeft zich niets te verwijten. Nicolien had naar hem moeten luisteren. Het is allemaal haar eigen schuld. '
'Eigen schuld plaagt de mens het meest, Mellie.'
'Hè mam, laten we alsjeblieft ophouden over Nicolien. Daar krijgen we alleen maar ruzie over.'
Mellie keert zich van het raam af, gaat zitten en neemt een tijdschrift van een tafel. Ze bladert wat. Er zijn zoveel leukere dingen dan het spreken over Nicolien. Erg genoeg dat mams over dat bezoeken begon. Tom doet ook al zo vervelend. Die zei een paar dagen geleden notabene dat hij zelf wel een keer zou gaan als zij niet ging. Daar hebben ze woorden over gehad. Natuurlijk hebben ze dat weer goed gemaakt. En zij heeft min of meer beloofd... maar dat hoeft mama niet te weten. Tom kan ze nog wel even aan het lijntje houden, want ze heeft er helemaal geen zin in om naar Nicolien te gaan. Het is allemaal Nicoliens eigen schuld en anders niet.

Ook Sarah zwijgt. Is het waar wat Mellie gezegd heeft? Is het spreken over Nicolien al genoeg om ruzie te krijgen? Dat kan toch niet waar zijn? Hoe kort is het nog maar geleden dat ze een hecht gezin vormden. Nu loopt daar een breuk doorheen. Nicolien staat aan de ene, Marten en Mellie aan de andere kant.
En zijzelf? O ja, ze staat naast Marten, maar het liefst zou ze een brug vormen waarover de anderen elkaar weer zouden kunnen bereiken. Maar ze kan Mellie haar weigering om Nicolien te bezoeken niet kwalijk nemen. Zelf hebben ze immers Nicolien min of meer buiten de deur gezet.
Opnieuw zucht Sarah. Dat eens genomen besluiten zo moeilijk zou kunnen zijn. Mellie kan dat nog niet begrijpen. Misschien als ze zelf nog eens kinderen krijgt? Voor je kinderen doe je immers alles?
Even is er een vluchtige gedachte. Heeft Nicolien niet alles voor haar kind over? Zelfs een breuk met haar ouders. Maar dat is natuurlijk onzin, Nicolien heeft nog geen kind. Toen ze pas zwanger was, was het nog niets. Ze had het rustig weg kunnen laten halen. Jaap vond dat ook en Jaap is arts.
Maar Nicolien doet haar eigen zin. Nicolien... Sarah schudt haar hoofd. Ze moet ophouden met steeds aan Nicolien te denken. Mellie is er nu, Mellie heeft ook recht op haar volle aandacht.
Ze staat op. 'Wil je wat drinken, Mel?'

Een tijdje later komen Marten en Tom thuis.
'De groeten van Arnold', zegt Marten. 'Die jongen was op weg hierheen, maar toen hij zag dat we bezoek hadden, is hij verder gereden. Jij ook zijn groeten, Mellie.'
'Gunst, die Arnold. Komt die hier nog? Ik dacht dat hij vroeger alleen voor Nicolien kwam.'
Even is het stil. Zie je wel, denkt Sarah, we kunnen Nicolien niet wegdenken uit onze gesprekken. Ze zal altijd aanwezig zijn. Ze gaat niet op de woorden van Mellie in, maar kijkt even naar Marten. Zijn gezicht staat strak. Arme Marten.
Tom begint over iets anders en dan wordt het toch nog een

gezellige avond.
Maar Mellie kan de gedachten aan Arnold Scholten zomaar niet kwijtraken. Ze denkt er weer aan de volgende morgen, als Tom naar zijn werk is. Vandaag heeft ze geen hulp. Ze is heerlijk alleen en heeft eigenlijk niets anders te doen dan zomaar een beetje in de najaarszon te zitten dagdromen.
Waarom zou Arnold nog steeds bij haar ouders komen? Dat moet haast wel om Nicolien zijn. Stel je voor dat hij nog steeds verliefd op haar is, dat zou een uitkomst zijn: Nicolien veilig getrouwd, de verhouding thuis hersteld. Als zij daar eens aan mee kan werken, dan maakt ze toch nog iets goed. Maar ze spreekt Arnold nooit.
Of? Ze kan hem toch bellen, de groeten terug doen. Misschien uitnodigen? Dan komt Nicolien vanzelf ter sprake. Kan ze hem op zijn werk bellen? Waarom niet, ze weet waar hij werkt. Het nummer aanvragen is zo gebeurd. Ze doet het.

Arnold ligt onder een wagen te sleutelen als de chef hem roept. 'Telefoon voor je.'
Arnold komt overeind. Wie kan dat nu zijn? Hij wordt nooit op zijn werk gebeld. 'Wie is het?'
'Een mevrouw Van der Griend.'
Arnold wast haastig het ergste vuil van zijn handen. Het moet Mellie zijn, een andere Van der Griend kent hij niet. Zou er iets met Nicolien zijn? Hij verschiet van kleur, haast zich naar de telefoon.
'Met Arnold.'
'Hallo, Arnold, je spreekt met Mellie.'
'Dag Mellie.'
'Kun je raden waarom ik bel?'
'Is er wat met Nicolien?'
Mellie hoort de spanning in Arnolds stem. Die jongen is dus nog werkelijk verliefd op Nicolien. Daar moet ze gebruik van maken. 'Nee, voor zover ik weet is er niets met Nicolien. Maar spreek jij haar nog wel eens?'
'Nooit.'
'O, ik dacht soms, omdat je ook nog wel eens bij mijn ouders

komt.'
'Ik heb Nicoliens adres niet.'
'Gunst, Nicolien woont hier niet zover vandaan.' Mellie noemt de naam van het dorp. 'Ze is daar in huis bij een zekere familie Jaght. Ik dacht dat je dat wel wist. Maar nu iets anders. Ik wou je de groeten terug doen. Jammer dat ik je gisteren niet even gesproken heb. Maar wil je niet een keer hierheen komen? Tom zou dat ook leuk vinden.'
De laatste woorden dringen maar half tot Arnold door. Nu weet hij eindelijk waar hij Nicolien zoeken moet. Mevrouw Nordholt heeft hem het adres niet willen geven, dat heeft hij drommels goed begrepen. Maar Mellie heeft het in haar onschuld verraden. Daar mag hij haar wel dankbaar voor zijn. Wat vroeg ze ook weer? O ja, of hij eens kwam.
'Dat doe ik een keer', belooft hij spontaan.
'Nu, dan zal ik je niet langer van je werk houden. Bel je van te voren even?'
'Dat zal ik doen.'
'Fijn. Tot ziens dan, Arnold. Doe de groeten aan je ouders.'
'Dag Mellie, de groeten aan Tom.'
Mellie is tevreden. Dat ging mooi. Het moet al gek gaan als Arnold Nicolien binnenkort niet eens een keer opzoekt. Nu is het ook niet erg dat ze zelf nog niet gaat, want dit is veel beter. Als Nicolien verstandig is, doet ze een beetje lief. Maar zal ze zo verstandig zijn?

Met gemengde gevoelens doet Arnold die dag zijn werk. Nu weet hij waar Nicolien woont. Nog wel niet helemaal, maar in zo'n dorp moet ze gemakkelijk te vinden zijn. Zal hij haar opzoeken? Hij moest haar onverwachts tegen kunnen komen. Maar dat kan niet. Blijft dus één mogelijkheid over: die familie Jaght zoeken.
Aanbellen. Ik wil graag Nicolien Nordholt spreken. Een of ander oud vrouwtje staat hem argwanend te woord. In zo'n dorp bekijken ze natuurlijk iedere vreemdeling met argwaan. Zodra hij over Nicolien begint, slaat ze de deur voor zijn neus dicht. Nicolien moet immers beschermd worden. Arnold

grinnikt om die gedachten. Maar als hij 's avonds na het eten nog even in zijn wagen stapt, rijdt hij onwillekeurig in de richting die Mellie genoemd heeft.
Twintig, dertig kilometer heeft hij er al opzitten als hij de wagen een parkeerplaats oprijdt. Hij draait het raam wat verder open, koud waait de wind om zijn gezicht.
Wat gaat hij eigenlijk doen? Waarom wil hij naar Nicolien? Hij moet nuchter blijven. Als hij nu bij Nicolien komt, zal ze daar misschien iets achter zoeken. En hij weet zelf nog niet wat hij wil. Als er geen kind kwam, was alles zoveel gemakkelijker. Hij moet geen overhaaste dingen doen.
Arnold start en keert de wagen. Hij gaat naar huis.

Diezelfde avond zijn Gert en Nicolien alleen thuis. Erica is naar een jarige kennis en Willem heeft kerkenraadsvergadering.
Nicolien zit te breien. Dat is iets nieuws. Mevrouw Jaght heeft haar overgehaald om zelf iets voor de baby te breien. Dan heeft ze iets te doen en ze kan er rustig bij zitten. Dat is ook belangrijk.
In breien is Nicolien nooit goed geweest. Vroeger op school heeft ze tijdens de handwerkles wel eens wat gefabriceerd, maar dat leek meestal nergens op, tot groot ongenoegen van haar lerares.
Maar mevrouw Jaght kan het heel goed. Zij helpt Nicolien dan ook met alle geduld. En nu begint het werkelijk leuk te worden.
Gert luistert naar een cd Engelse koormuziek. Nicolien weet dat hij hier erg van houdt. Het zijn psalmen, gezongen door het King's College Choir uit Cambridge.
Zelf is ze in Engeland een keer met mrs. White naar een grote kathedraal geweest waar zo'n koor zong. Dat was geweldig. En nu ze deze muziek hoort, kan ze zich wondergoed indenken hoe die jongemannen daar staan in hun lange gewaden. Klassieke muziek heeft toch wel iets plechtigs. Haar moeder houdt daar ook van. Hoor, ze zingen: 'The Lord is my Shepherd'.
Daar heeft pas nog een dominee over gepreekt. Ze kon goed

begrijpen hoe de herder dat kleine lam in zijn armen nam. Even moest ze denken aan dat witte lammetje dat ze van Gert gekregen heeft.
God zoekt de afgedwaalde schapen. Maar zij is niet zo'n schaap, zij hoort niet bij de kudde. De kudde is een eenheid. Daar wordt de gemeente mee bedoeld, weet ze. Maar is dat wel een eenheid? Het is al weer een tijdje geleden dat Jaap daar met zijn moeder over sprak. Toen zinspeelde hij op problemen. En meneer Jaght is zo stil de laatste tijd. Hij is bijna alle avonden weg en als hij thuis is, kan hij zitten staren, dan hoort hij het niet als er wat tegen hem gezegd wordt.
'Gert?'
'Ja?'
'Zijn er problemen in jullie kerk?'
'Hoe kom je daar zo bij?'
'Zomaar. Je vader is bijna altijd weg en Jaap vroeg er een tijdje geleden je moeder naar. Maar die zei dat ze nooit iets wist of zou weten. En toen zei Jaap weer dat jullie wel weer mee moesten leven als de problemen luidruchtig om het huis wandelden, of zoiets. Wat bedoelde hij daarmee? Ik vind juist dat jullie in de kerk zo'n eenheid vormen.'
Nicolien legt haar handwerkje neer, ze kan nog geen twee dingen tegelijk doen.
'Een gemeente vormt ook een eenheid', zegt Gert bedachtzaam. 'Tenminste, zo behoort het te zijn. De plaatselijke kerk is een onderdeel van de gemeenschap der heiligen, al is er van die gemeenschap soms bitter weinig te merken, om van heiligen nog maar helemaal niet te spreken. Toch zijn al die zondige mensen met hun verschillende karakters in Christus één. Als we dat allemaal steeds bedachten, kwamen we al een eind verder.'
'Dus die problemen vallen nog wel mee?'
'Dat zeg ik niet. Voor zover ik mijn vader ken zijn er wel degelijk problemen. Maar daar mag hij natuurlijk niet met ons over praten. En sinds onze dominee naar een andere gemeente gegaan is, komt er natuurlijk extra veel werk op de schouders van de kerkenraad.'

'Maar wat bedoelde Jaap dan precies? Jullie hebben daar toch niets mee te maken?'
'Ach', Gert denkt na. Wat kan hij zeggen en wat moet hij verzwijgen? Zal Nicoliens vertrouwen geen deuk krijgen als ze hoort wat er zich allemaal binnen een kerkelijke gemeente kan afspelen?
'Nicolien, je moet één ding altijd goed onthouden. De kerk is en blijft de gemeente van de Heere Jezus. En die gemeente bestaat uit zondige mensen. Als er nu een kerklid verkeerde dingen doet, dan hoef je de hele kerk niet de schuld te geven. Dan is dat ook niet de schuld van de Heere. We doen daar de Heere juist verdriet mee. De kerkenraad zal de broeder of zuster die verkeerde dingen doet daarover aanspreken, 'vermanen' noemen we dat. En dat heeft wel eens nare gevolgen.
Dat zal Jaap bedoeld hebben. Het is niet gemakkelijk om predikant of ouderling te zijn en iemand op zijn zondige levenswijze te moeten wijzen. Dan kunnen er tegenreacties komen, iemand kan je bedreigen, dag en nacht opbellen, 's nachts op je deur staan bonzen of bij je aan de deur komen om je kwaad te doen.'
Ongelovig kijkt Nicolien Gert aan. 'Gebeuren die dingen?'
Gert knikt. Hij zou nog veel meer kunnen zeggen, maar dat mag niet. 'Het werk van de kerkenraad is dus niet zo eenvoudig als wel eens gedacht wordt. Men moet steeds de zelfbeheersing bewaren, privé-gevoelens opzij zetten, niet op sympathieën of antipathieën afgaan, maar bij alles bedenken dat het werk gedaan wordt in dienst van de Heere.'
'Maar dat is toch haast onmogelijk', vindt Nicolien.
'Als het alleen mensenwerk was, zou het inderdaad onmogelijk zijn. Maar we horen iedere zondag het gebod van God om elkaar lief te hebben. God liefhebben boven alles en onze naaste als onszelf. God Zelf heeft het voorbeeld gegeven door Zijn Zoon naar de aarde te sturen. Jezus is voor ons gestorven. Maar als we zelf gemeen behandeld worden, is het wel eens moeilijk om de naaste lief te hebben.'
'Dus kerkmensen doen soms net zo gemeen tegen elkaar als

bijvoorbeeld mijn vader tegen mij deed?'
'Ja, soms wel.'
'Maar dan kunnen ze elkaar toch niet meer liefhebben, zoals jij dat noemt?'
'Toch wel, we moeten elkaar de verkeerde dingen steeds weer vergeven. Dat is moeilijk, maar het moet. De Heere Jezus heeft ons dat Zelf leren bidden. We noemen dat gebed het "Onze Vader". Je hebt het misschien al wel eens in de kerk horen bidden en vader heeft het hier ook wel gebeden. Daar komen deze regels in voor: 'en vergeef ons onze schulden, gelijk ook wij vergeven onze schuldenaren'. Dat laatste wil zeggen de mensen die ons wat schuldig zijn. Wij willen graag dat God ons onze zonden vergeeft. Daar bidden we iedere dag om. En daarom moeten wij ook onze medemensen die ons wat gedaan hebben, vergeven.'
Nicolien maakt een beweging. 'Dus als ik lid van de kerk was, dan moest ik mijn vader vergeven dat hij mij de deur uitgezet heeft?'
'Misschien hoef je daar geen kerklid voor te zijn.'
'Dus jij vindt...'
Nicoliens ogen worden groot in eerlijke verontwaardiging. 'Jij vindt het niet erg wat mijn vader gedaan heeft?' Ze struikelt bijna over haar woorden.
'Dat heb ik niet gezegd. Ik vind het wel erg en ik begrijp volkomen dat jij daar weg wilde. Maar dat is iets anders dan elkaar levenslang te haten. De Heere wil dat we elkaar vergeven. Dat betekent voor jou heel concreet dat jij je vader moet vergeven, zodra daar de gelegenheid voor is.'
'Dat doe ik niet. Nooit.'
Het is stil na Nicoliens woorden. Het wordt ook al donker in de kamer. 'Glory be to our Father and to the Son, and to the Holy Ghost', zingt het koor.
'Eer geven aan God de Vader, God de Zoon en God de Heilige Geest, dat kunnen we door naar Gods geboden te leven', zegt Gert zacht.
'Maar ik ben geen kerklid, dus voor mij geldt dat niet.'
'Gods geboden gelden voor alle mensen, niemand

uitgezonderd. Voor Nicolien Nordholt en voor Gert Jaght. Eens zal God ons vragen of we Zijn geboden onderhouden hebben. Wat we met ons leven hebben gedaan. Dan kunnen we ons niet verschuilen achter een gezegde als: ik was dit niet of dat wel.'
'Dan is het christendom niet eerlijk, als je alle onrecht maar moet vergeven.'
'Onrecht vergeven is iets anders dan onrecht toelaten. Je kunt alleen iemand iets vergeven die jou iets gedaan heeft. Maar daarnaast kun je wel tegen het onrecht strijden. Dat moeten we zelfs.'
'Toch vind ik het niet eerlijk. Mijn vader zou me uitlachen als ik bij hem kwam om te zeggen dat ik hem vergaf. Het idee alleen. Hij zou nog woester op me worden.'
'Zou dat niet meevallen?'
'O nee, jij kent hem niet. Jouw vader is vrij rustig, maar de mijne springt bij het minste al uit zijn vel.'
Gert lacht zacht, ondanks de ernst van het gesprek. 'Zou zijn jongste dochter soms een beetje op hem lijken?'
Nicolien zou boos willen worden op Gert, maar ze kan het niet. Hij bedoelt het goed, dat begrijpt ze wel. Maar hij zal nooit kunnen weten hoe erg het was thuis. Hoe haar vader haar vernederd heeft. Ze wrijft met haar hand over haar ogen.
Gert ziet dat gebaar in de groeiende schemer, het maakt hem week. Hoe graag zou hij haar willen troosten. Maar dat mag niet. Niet zoals hij het wil.
'Nicolien, we praten nu alleen maar over moeilijke zaken. Gelukkig zijn er in de kerk ook nog zoveel mooie dingen. Bijvoorbeeld een meisje dat niets van de Heere weet en toch trouw de kerkdiensten bezoekt.'
Zijn stem klinkt zo zacht. Nicolien kleurt. 'Je bedoelt mij?'
'Ja.'
'Ben je daar blij om?'
'Jazeker.'
'Maar ik weet nog niet wat ik later ga doen. Misschien ga ik dan wel nooit meer naar de kerk. '

'Ik bid voor je dat je dat wel zult doen. Dat jij ook de Heere Jezus als je Verlosser aan wilt nemen. '
De cd is afgelopen, het is plotseling stil in de kamer. Nicolien weet niet wat ze antwoorden moet. Het is allemaal zo vreemd. Maar Gert bidt voor haar, dat kan nooit verkeerd zijn.
'Als er een hemel is, dan verdien jij zeker dat je daar komt', zegt ze. Haar stem klinkt schor.
'De hemel kunnen we geen van allen verdienen, meisje. Alleen Jezus heeft de weg geëffend door Zijn kruisdood.'
Gert staat op, hij zet een andere cd op. 'Zullen we maar licht maken? Het wordt nu wel erg donker.'
'Zal ik koffie zetten?'
'Goed.'
Zo zijn ze samen huiselijk bezig alsof er geen ernstig gesprek is geweest. Nicolien neemt haar breiwerkje weer op.
Gert kijkt naar haar. Zo moest het altijd zijn. Maar vroeg of laat zal ze uit zijn leven wegglippen. Misschien ga ik later wel nooit meer naar de kerk, dat heeft ze gezegd. Het doet pijn om daaraan te denken. Maar hij kan haar het geloof niet geven, hoe graag hij ook zou willen. Gert neemt een krant, maar hij leest niet. Zijn hart vormt een woordenloos gebed.

Hoofdstuk 15

Geruchten zijn als de wind. Het begint met een zachte bries, nauwelijks voelbaar. Die bries wordt een stevige wind, die weer overgaat in een zware orkaan die enorme schade kan aanrichten.
Waar komt het gerucht vandaan? Wie heeft het eerst het vermoeden geuit? 'Vertel het niet verder, maar ik heb gehoord...'
Jaap Scholten wordt er op een van zijn dagelijkse visites mee geconfronteerd.
'Dokter, u zult het wel weten. Is het waar wat ze van secretaris Nordholt zeggen?'
Jaap kijkt zijn patiënt verwonderd aan. Hij heeft geen flauw vermoeden waar de man heen wil.
'Ik begrijp je niet.'
'O, ik dacht soms...'
'Wat dacht je, Versteeg?'
'Nee, niets. Als u niets weet, zal het wel niet waar zijn.'
'Wat is niet waar?'
'Och nee, laat maar.'
Maar Jaap is niet voor niets arts. Hij kent zijn pappenheimers. Versteeg is een praatgraag mannetje en zijn vrouw doet daarin niet voor hem onder. Als hier soms het begin van een roddel over Marten Nordholt ontstaat, zal hij zijn uiterste best doen om dit gezwel met wortel en tak uit te roeien. Jaap was al op weg naar de deur toen Versteeg zijn vraag stelde. Nu komt hij weer de kamer in. Neemt een stoel, zet die vlak voor Versteeg, gaat zitten, slaat zijn armen over elkaar en kijkt de man strak aan.
'Ziezo, Versteeg, hier blijf ik zitten en ik zeg geen woord meer tegen je, voordat je me verteld hebt wat er aan de hand is.'
Versteeg lacht zenuwachtig. 'Die dokter.'
Maar Jaap schijnt zijn woorden waar te maken. Er verloopt een minuut in doodse stilte. Jaap is de rust zelf. Geen seconde

laten zijn ogen het gezicht van de man voor hem los.
Versteeg kan daar niet zo goed tegen. Hij schuift wat op zijn stoel. 'Ach dokter, het is misschien niet eens waar.'
Jaap zwijgt en Jaap kijkt.
Weer een minuut.
'Nou, ik zal het u dan maar zeggen, maar het komt niet van mij af. Ze zeggen... ze zeggen dat die Nordholt incest heeft gepleegd met zijn dochter en dat ze daarom de deur uitgegaan is.'
Nu Versteeg gezegd heeft waar het om gaat, praat hij graag verder. 'Ze zeggen dat dit ook de reden was waarom ze indertijd in Engeland is geweest. Daarvoor moet hij haar ook al regelmatig verkracht hebben.'
Versteeg kijkt de dokter nieuwsgierig aan. Hij is benieuwd hoe die nu zal reageren. Maar het gezicht van dokter Scholten verraadt niets. Gek is dat. Versteeg wordt zenuwachtig van die starende ogen.
Eindelijk doet Jaap zijn mond open. 'Wat zeggen ze nog meer?'
'Tja, u weet hoe dat gaat. De gemeentesecretaris wordt natuurlijk de hand boven het hoofd gehouden. Als het maar een gewone jongen was geweest zou er allang een klacht tegen hem zijn ingediend.'
'Wie zou die klacht dan moeten indienen? Jij, Versteeg?'
'Ik, dokter? O nee, geen denken aan. Ze zoeken het maar uit.'
Jaap buigt zich wat naar voren. 'Weet je wel, Versteeg, dat er op het verspreiden van laster ook gevangenisstraf staat? En dat wat jij me vertelt, is wel de gemeenste laster die er bestaat. Ik zeg je hierbij dat er geen woord van waar is. Je zou er goed aan doen, Versteeg, als je deze praatjes zou vergeten. En als een ander ermee aankomt, spreek je het op mijn gezag maar tegen. Begrepen, Versteeg?'
'Ja, dokter, als u het zegt, zal het wel zo zijn.'
Jaap staat op.
'Goedemorgen, Versteeg. En vergeet niet je medicijnen in te nemen.'

'Nee dokter. Dag dokter.'

Zodra Jaap de deur achter zich heeft dichtgetrokken, grijnst Versteeg. Dokter Scholten kan mooi praten, maar hij is een vriend van Nordholt en dat soort mensen houdt elkaar altijd de hand boven het hoofd. Laat het dan niet helemaal zo erg zijn als er wordt verteld, iets ervan zal toch wel waar zijn. Waar komen zulke praatjes anders vandaan? Maar een dokter moet natuurlijk zijn ambtsgeheim bewaren. Die mag nergens over praten. Ja, ja, zo gaat dat.
Uiterlijk beheerst stapt Jaap in zijn wagen, start de motor. Maar zodra hij wegrijdt, knettert er een vloek.
Nog twee patiënten moet hij langs, maar nog nooit heeft Jaap zijn visites sneller afgelegd dan nu. Binnen de kortste keren rijdt hij naar de witte bungalow. Zal het gerucht al tot Marten en Sarah doorgedrongen zijn?
Maar Sarah ontvangt hem verrast.
'Gunst Jaap, wat leuk. Wil je koffie?'
Dan betrekt haar gezicht. 'Je brengt toch geen slecht nieuws?'
'Nee hoor. Ik kwam hierlangs en ik dacht: laat ik even bij Sarah kijken.' Ze zeggen het laatste tegelijk en schieten in een luide lach. Dat werkt ontspannend. In tijden heeft Sarah zich niet zo vrolijk gevoeld. 'Hoe gaat het?' vraagt Jaap, zodra ze samen in de kamer zitten.
Sarah kijkt naar buiten. Ze weet wat Jaap bedoelt. 'Och, het went wel. Maar in gedachten ben je er voortdurend mee bezig. Dan denk je, nu is Nicolien zover heen, nu zover.' Ze wacht even, kijkt Jaap dan aan. 'Je mag wel weten dat ik als moeder hoop dat ze straks een gezond kindje krijgt. En natuurlijk in de eerste plaats dat het met haarzelf ook goed zal gaan. Jij weet nog beter dan ik welke gevaren er aan een bevalling zitten.'
'Nicolien is een gezonde meid', stelt Jaap haar gerust. 'En ze is daar bij mijn collega in goede handen.'
'Ken jij die arts daar?'
Jaap glimlacht. 'Dokters plegen na een verhuizing van een

patiënt wel eens contact met elkaar op te nemen.'
'Ach, natuurlijk.'
'Bovendien is die dokter toevallig een vroegere studiegenoot van me. We konden indertijd wel goed met elkaar opschieten. Het enige verschil was dat hij naar de kerk ging en ik niet. Daar hebben we nog wel eens over gedebatteerd.'
'Weet Nicolien dat jullie elkaar kennen?'
'Ik denk het niet. Dat is voor haar ook niet belangrijk.'
Het wordt een beetje lichter om Sarahs hart. Het is alsof Nicolien nu niet helemaal aan vreemden overgeleverd is.
'Wat is ons landje toch klein.'
'Inderdaad', beaamt Jaap. 'Hoe gaat het met Marten?'
'Ach Jaap.' Sarahs hand speelt met haar gouden ketting. 'Marten sluit zich soms in zichzelf op. Ik ken hem zo goed. Het zit hem dwars dat Nicolien de deur uit is en toch is hij ervan overtuigd dat hij juist gehandeld heeft. Ik vind dat ook wel, maar het had misschien anders gekund. Zoals het nu gegaan is, is het zo definitief. Ik zie geen oplossing meer, ook voor de toekomst niet. Marten zal nooit zijn hoofd buigen en een stap terug doen. En Nicolien heeft datzelfde karakter. Dat heeft altijd al gebotst, hoe gek ze ook op elkaar waren. Ik weet dat dit vreemd moet klinken.'
Vol sympathie heeft Jaap geluisterd. Wat zou hij graag een oplossing vinden voor het dilemma waarin deze mensen verkeren. Maar dat is moeilijk. Marten verdraagt in dit geval geen kritiek op zijn handelwijze. Jaap kan niet anders dan aan de zijlijn meeleven.
En dan te bedenken dat ze nog niet weten wat hen nu weer boven het hoofd hangt. En dat is iets wat in hun leven wel zeer diep zal ingrijpen. Hoe zal Marten dat verwerken als hij het hoort? En Sarah? Zij met haar fijngevoelige aard, zal juist zij er niet onder lijden?
Jaap kijkt op zijn horloge, hij moet gaan. Hij staat op, legt even zijn hand bemoedigend op Sarahs schouder. 'Sarah, je moet me één ding beloven. Als er zich onverwacht dingen mochten voordoen, bij wie van jullie ook, waarschuw me dan direct. Ja?'

Sarah kijkt Jaap aan. Ze heeft er geen idee van waar hij heen wil. Wat kan er nu nog meer gebeuren? Maar Jaap kijkt zo ernstig. Ze gaat ook staan. 'Jaap, waar ben je bang voor? Dat Marten er onderdoor zal gaan?' Er is spanning in haar stem.
'Nee', zegt Jaap dan langzaam. 'Hiervoor niet. Maar je weet nooit wat er ooit nog kan gebeuren. Zorg dat je me dan belt.'
'Goed, ik zal eraan denken', belooft Sarah.
'Afgesproken.'
Jaap pakt haar beide handen. 'Sterkte met alles, Sarah.' Zijn stem klinkt bewogen.
Sarah denkt over zijn woorden na als hij allang verdwenen is. Wat bedoelt Jaap? Hij heeft ergens op gezinspeeld, op iets waar zij geen weet van heeft. Is er soms iets met Martens gezondheid? Is Marten wellicht bij Jaap op consult geweest? Zonder dat hij het tegen haar heeft gezegd? Zou er iets met zijn hart niet in orde zijn en wil hij dat voor haar niet weten? Het leek wel of Jaap haar ergens op wilde voorbereiden. Er zit een dreiging in de lucht. Ze zal Marten extra goed in de gaten moeten houden. Hem vooral niet opwinden. Maar dat is moeilijk, hij is zo kort aangebonden de laatste tijd. Ze moet zich soms geweld aandoen bij zijn uitvallen. Het zal nu echter zaak zijn dat ze zich beheerst. En vooral niet over Nicolien beginnen.
Vol zorg gaat Sarah de dagen door. Ze observeert Marten stilletjes. Ziet hij er niet extra vermoeid uit als hij thuiskomt? Eet hij minder? Ze zorgt ervoor dat ze 's avonds bijtijds naar bed gaan. Hoewel hij niet direct slaapt, krijgt zijn lichaam toch rust. Dat is belangrijk, weet ze.
Maar wanneer Marten twee avonden rond elf uur in zijn bed gestapt is, vindt hij het welletjes. De volgende avond, na een vergadering, zakt hij heerlijk onderuit in zijn stoel. Een fles en glas onder handbereik.
Wanneer Sarah tegen elven voorstelt om naar bed te gaan, lacht hij haar vierkant uit. 'Ik ben nog geen ouwe kerel, Saartje van me. Ik heb je deze week wel een plezier willen doen, maar nu is het welletjes. De avond begint pas. Niedek

wou dat ik nog een tijdje bleef napraten, maar ik heb hem gezegd dat ik dat wel bij jou ging doen.'
Marten lacht zijn vrouw toe. Wat voor een problemen er ook zijn, Sarah is zijn Sarah.
Sarah voelt een warme gloed naar haar gezicht stijgen. Wat houdt ze van Marten. Zij kent hem immers zoals niemand hem kent. Ze tuit haar lippen voor een zoen. En daarvoor komt Marten werkelijk uit zijn stoel.
'Saartje toch, je zou me bijna overhalen om naar bed te gaan.'
'Ik hou van je', zegt Sarah innig. Haar zorgen lijken zover weg. Jaap heeft vast niets bedoeld.
Het wordt een avond van vrede en harmonie. Ze koesteren zich in elkaars liefde. Te snel gaat de tijd. Vaag denkt Marten nog aan zijn werk. Er broeit wat onder de mensen, maar hij kan nog niet doorgronden wat het is. Het zal ook wel weer overgaan. In een werkgemeenschap kan een kleinigheid soms grote proporties aannemen. Hij kan morgen een van de chefs wel eens polsen. Tegen half een staat hij op. 'Ga je met me mee, Saartje?'

De volgende dag is Marten in een goed humeur, voor het eerst sinds tijden. Het valt ook wethouder Niedek op, die tegen tienen bij hem binnenloopt.
'Blij dat je goed te spreken bent, Nordholt.'
Marten grijnslacht. 'Ben ik dat dan niet altijd?'
'Hmm. Gewetensvraag.'
Niedek gaat op een hoek van het bureau zitten. Wipt er weer af, loopt naar het raam, vervolgens weer naar het bureau, maar gaat dan toch op een gewone stoel zitten.
'Man, wat ijsbeer je toch. Kun je je ei niet kwijt? Hoeveel ton heb je verduisterd? '
Niedek heeft de portefeuille Financiën onder zijn beheer. Hij kan daarom Nordholts vraag wel waarderen. Het maakt hem ook gemakkelijker om te beginnen.
'Ging het maar over geld, dat was lang zo erg niet', verzucht hij. Marten is opmerkzaam. 'Heb je andere problemen? Als je

ergens over praten wilt, ik luister.'
'Dat is het juist, het gaat over jou. '
'Over mij?' Marten is één en al verbazing. Dan meent hij te begrijpen wat de ander bedoelt. Hij fronst zijn wenkbrauwen. 'Hebben ze bij jou geklaagd? Ik weet dat ik soms onredelijk kan zijn. Maar dat heeft z'n reden. Maar daarover hoeven ze toch niet bij jou te komen? Weten ze niet dat ik hier zit?' Marten windt zich op, zijn humeur slaat om als een blad aan de boom.
'Nee, dat is het niet', haast Niedek zich te zeggen.
'Wat dan? Denken ze dat ik de gemeente aan het oplichten ben?'
'Nee nee, dat ook niet.'
Niedek haalt een zakdoek tevoorschijn en wrijft zich langdurig over zijn gezicht. Wat een toestand, waar is hij aan begonnen?
Marten begrijpt er niets meer van. Die Niedek is anders ook niet op zijn mond gevallen. 'Nou, vooruit man, zeg wat je op je hart hebt. Wat heb ik misdreven?'
'Je hebt... incest gepleegd.'
Even een afschuwelijke stilte, dan springt Marten overeind alsof hij gestoken wordt. 'Wat?' Zijn gezicht wordt grauw. 'Wat zeg je, kerel?'
'Er gaan geruchten dat je incest hebt gepleegd en daarom kom ik je waarschuwen.'
Marten zakt op zijn stoel terug. Ongelovig schudt hij zijn hoofd. 'Wie?' stoot hij dan uit.
'Ach, niemand in het bijzonder. Je weet hoe dat gaat met zo'n praatje. Een soort mond op mond reclame.' Niedek probeert door een grapje de zwaarte van het gerucht wat te kleineren, maar dat lukt niet. Marten is te zeer geschokt door wat hij gehoord heeft. Het grappige in Niedeks woorden gaat langs hem heen.
'Geloof jij dat ook?' vraagt hij dan op de man af.
'Nee, natuurlijk niet. Ze moesten hangen die zo'n bericht de wereld inbrengen. Maar wat doe je eraan? Ik geloof dat hier het hele apparaat al op de hoogte is, behalve jijzelf. En daarom

kwam ik je waarschuwen. Je kunt je er nu tegen wapenen voor het geval er ergens vandaag of morgen op gezinspeeld wordt. Gewoon blijven doen, Nordholt, dan sterven die praatjes vanzelf uit. Op mijn steun kun je rekenen en op die van het hele college.'
'Jullie hebben het al besproken', stelt Marten vast.
Niedek haalt z'n schouders op. 'Wat moest ik? Gisteren na de vergadering begonnen ze erover. Niemand gelooft het. Jammer dat de burgemeester nog steeds ziek is. Hij zou de aangewezen persoon zijn om zo' n gerucht de kop in te drukken.'
Marten weet nog steeds niet of hij waakt of droomt. Incest! Een van de ergste vergrijpen die hij kent. En juist dat schuiven ze hem in zijn schoenen. Hoe ter wereld...
Maar met de vraag is ook het antwoord daar. Nicolien! Nicolien die een kind verwacht en uit huis is gegaan.
Hij slaat zijn handen voor zijn gezicht. Tegen zulke vuile leugens kan hij zich niet verweren. Dit is niet iets wat hem alleen aangaat, hier betreft het ook zijn dochter. Zijn dochter die zijn bloed wel kan drinken. Wat zal ze lachen als ze het hoort.
'Nordholt', Niedek is bij hem komen staan, legt zijn hand op Martens schouder. 'Trek het je niet zo aan. Er zijn zoveel mensen die ergens vals van beschuldigd worden. De waarheid komt vanzelf aan het licht. En wij geloven in je. Wij weten dat je op de juiste manier van je vrouw en kinderen houdt. Dat is boven alle twijfel verheven, Nordholt.'
Marten kijkt weer op. 'Dank je voor je woorden. Maar ik moet dit even verwerken. Laat me maar alleen.'
Niedek gaat, maar hij is er nog niet gerust op. Het is ook wat wanneer je van zoiets beschuldigd wordt. Hij moet er niet aan denken. Voor hij het gemeentehuis verlaat, heeft hij nog een gesprek met Verhoog. Het is diens advies geweest om het Nordholt te vertellen. Nu komt hij het resultaat bespreken.
Marten zit nog steeds achter zijn bureau. Hij staart en staart, maar ziet niets. Incest! Dan is er een nieuwe schrik. Sarah. Hoe zal zij reageren als ze het te weten komt? Het doet pijn

om daar aan te denken. Hij moet haar dit besparen. Ze mag het niet te weten komen. Deze gruwelijke roddel zal hij voor zichzelf houden. Zijn Saartje; hoe goed hebben ze het de vorige avond gehad. Het leek of ze de grootste problemen verwerkt hadden. Ze konden weer aan zichzelf denken. Een illusie. Een nieuw monster is opgestaan om zijn geluk aan te vallen.
Ach Nicolien, weer Nicolien, maar nu buiten haar schuld.
Er wordt geklopt. Verhoog komt binnen. 'Nordholt, ik kom u sterkte wensen.'
'Dank je.'
Even spreken de mannen samen, dan gaat Verhoog weer.
Hoewel dit medeleven Marten goed doet, kan hij er nog nauwelijks over praten. Te rauw heeft dit bericht hem overvallen. Na een uur pakt hij zijn zaken in. Hij gaat naar huis.
Maar wanneer hij in zijn auto zit, weet hij dat hij zo niet bij Sarah kan komen. Ze zal zijn ontreddering zien. Hij rijdt en rijdt.
Het begint te regenen. In een dorp op wel veertig kilometer afstand van zijn woonplaats, stapt hij uit. In een gelegenheid drinkt hij een kop zwarte koffie. Neemt er wat later toch een broodje bij. Langzaam begint hij zich van de eerste schrik wat te herstellen.
Niedek heeft gelijk, hij moet gewoon blijven doen. Juist het wegdraven zoals hij nu doet, zal stof tot spreken geven. Ook bij de gemeente werken immers mensen die praatjes als deze maar wat graag zullen geloven. Gewoon blijven doen, mensen te woord staan en ze niet op hun schijnheilige tronies slaan, omdat hij op hun gezichten ziet wat ze denken, waar ze om gnuiven. Zichzelf beheersen. Al is het maar terwille van Sarah, juist terwille van Sarah.
Wist hij maar waar die praatjes vandaan kwamen, hij zou die kerel vermorzelen. Wie weet hoe lang er al over gesproken wordt. Op de laatste secretarissenvergadering heeft hij nog niets bijzonders aan de anderen gemerkt. Maar lang zal dat niet duren. Ook daar zitten kerels die meer op oude wijven

lijken. Wat een sensatie.
Marten kijkt door de beslagen ramen naar buiten. Veel kan hij niet zien, het regent nog steeds. Deze zaak is ook niet al te groot. Hoe kan zo'n zaak nu goed bestaan? Behalve hijzelf is er niemand. Ze zullen het van de weekenden moeten hebben. En van bruiloften waarschijnlijk.
Marten bestelt nog een keer koffie. Hij kan er niet toe komen om nu al naar huis te gaan. Hij heeft zichzelf nog niet voldoende onder controle.
Tom, denkt hij dan. Tom zal het ook te weten komen. En Mellie. Er zijn altijd wel mensen die je zogenaamd in vertrouwen iets overbrengen. Als ze Sarah daar maar niet over bellen, dat moet hij voorkomen. Hij kijkt op zijn horloge. Kan hij nu nog naar Mellie rijden? Nee, het is te laat.
Sarah zal straks op hem wachten. Sarah! Hij krijgt ineens haast. Wat doet hij hier ook. Hij hoort thuis te zijn bij Sarah, voordat een of andere onverlaat ook haar meent te moeten inlichten.
Hij betaalt zijn vertering en haast zich naar zijn wagen. Maar er liggen nog veertig lange kilometers tussen hier en zijn huis.

Sarah hoort Marten komen. Wat is hij fijn vroeg. Blij begroet ze hem. Maar wanneer Marten Sarah een zoen gegeven heeft, trekt hij haar opnieuw naar zich toe. Hij verbergt zijn gezicht een ogenblik in haar haar. 'Meisje, ik hou zoveel van je.'
Er is iets in zijn stem dat Sarah alarmeert. Niets laten merken nu. Misschien heeft hij zich niet goed gevoeld en is hij daarom zo vroeg thuis gekomen. Net doen of er niets is, alleen maar opletten.
Wat later drinken ze samen een aperitief, Marten neemt er nog een. Ze praten over de regen en over de dagen die al zo kort worden.
Ze spelen beiden een spel en weten het niet van elkaar.

Na de maaltijd gaat Marten naar zijn werkkamer. 'Ik heb nog veel werk te doen.' Maar dat is een uitvlucht. Hij kan

onmogelijk de hele avond tegenover zijn vrouw zitten en doen alsof er niets aan de hand is, terwijl zijn gedachten maar met één ding bezig zijn.
Later roept Sarah hem voor de koffie. Weer zitten ze samen in goede harmonie. Zonder dat hij er direct erg in heeft, staart Marten naar de perziken op het schilderij van Helmantel. Gave vruchten. In werkelijkheid is er niets gaaf. Overal zitten rotte plekken in. De mensen maken alles rot met hun vuile insinuaties.
Sarah ziet de pijnlijke trek over zijn gezicht gaan. Ze schrikt. Wat moet ze doen? Jaap bellen? Marten verbergt iets voor haar, dat is nu wel duidelijk. Maar zodra ze zich beweegt, kijkt Marten haar aan. Glimlacht. 'Wat is het goed bij jou, Sarah. Daar mag ik je wel eens voor bedanken.'
Sarah voelt een brok in haar keel. Nu weet ze zeker dat Marten iets heeft. Iets ergs. Wat kan ze voor hem doen? Mag ze praten, terwijl hij zelf aan dat praten blijkbaar nog niet toe is? En zo erg zal zijn ziekte ook nog niet zijn, niet dodelijk tenminste, anders had Jaap het toch wel gezegd. En Sarah beheerst zich, heel de lange avond.

Ze gaan naar bed. Sarah ligt wakker. Ze hoort hoe Marten zich omdraait. Nog eens, nog eens. Voorzichtig steekt ze haar hand uit. Ogenblikkelijk sluit zijn hand zich om de hare.
'Kun je niet slapen?' vraagt ze zacht.
Marten bromt wat.
'Is er iets?'
Marten ligt doodstil. 'Wat zou er moeten zijn?' Er klinkt duidelijk argwaan in zijn stem.
'Nee, niets, ik dacht zo maar.'
'Wat dacht je dan?'
Sarah zwijgt. Ze kan het immers nog niet zeggen. Maar zijn aandringen dan? Is dat niet een vage roep om hulp? En stel dat er eens iets ergs gebeurt zonder dat ze samen gesproken hebben? Dat kan toch? Hoeveel mensen sterven niet plotseling door een hartaanval?
Sarah voelt de tranen achter haar ogen branden. Ze kan

Marten niet missen. Ze slikt eens.
Op de een of andere manier merkt Marten dat Sarah het moeilijk heeft. Ze zal toch niet al op de hoogte zijn? Hij slaat zijn arm om haar heen, trekt haar tegen zich aan. 'Zeg het maar, Saartje.'
Dan huilt Sarah plotseling tegen zijn schouder. 'Marten, ik wil je niet missen.'
'Mij missen? Maar waarom dan?'
'Ik weet dat je ziek bent, waarom praat je er niet over?'
'Ik ziek, Sarah, je hebt toch geen koorts?'
Een dwaze hoop komt in Sarah omhoog. 'Jaap zei het.'
'Zei Jaap dat ik ziek ben?' Marten merkt niet dat hij Sarahs woorden steeds herhaalt.
'Nou ja, dat niet precies. Hij zei dat ik hem direct moest bellen als er iets mocht gebeuren en hij wenste me sterkte.'
'Wanneer heeft hij dat gezegd?'
'Vorige week. '
'Dus toen wist Jaap het al', zegt Marten dan bitter.
Nu is het Sarah die vragen stelt. 'Wat weet Jaap en wat weet jij dat ik blijkbaar niet mag weten?' Ze wil het bedlampje aandoen, maar Marten houdt haar handen tegen.
'Zul je flink zijn, Sarah? Het is niet zo prettig voor ons wat ik gehoord heb.'
'Gaat het... over Nicolien?' vraagt Sarah zacht.
Het valt Marten op dat Sarah ook direct aan Nicolien denkt als er iets minder prettigs gebeurt.
'Nee, het gaat niet over Nicolien, hoewel ze er toch ook mee te maken heeft. Althans, dat denkt men.'
'Zeg het maar.' Sarah is nu op alles voorbereid, maar nu Marten gezond blijkt te zijn, kan er niets zijn dat zo erg is. Ze voelt de vreugde in zich opkomen. Marten is niet ziek. Samen zullen ze alles aankunnen.
'Men verdenkt mij van incest.'
'Nee.'
Doodstil ligt Sarah. Dan klemt ze zich plotseling hevig aan Marten vast. 'O Marten! Hoe kunnen ze. Wie heeft je dat gezegd?'

'Niedek heeft me op de hoogte gebracht. Hij wist nauwelijks hoe hij me dat zeggen moest.'
Geen giftige pijlen zouden Sarah dieper kunnen wonden dan dit bericht. Dit is zo afschuwelijk, zo laag.
Marten streelt haar hoofd. 'Ik had je dit zo graag willen besparen.' Lang liggen ze nog wakker in het donker van de nacht, troost zoekend bij elkaar en niet wetend hoe ze zich moeten verweren tegen een vijand die onzichtbaar is.

Hoofdstuk 16

De tijd gaat opeens verschrikkelijk vlug, september gaat voorbij. Nicolien heeft haar babyuitzet nu klaar. Op de zolderkamer staat de wieg onder een laken te wachten, er zit nieuwe bekleding in met kleine, gele bloemen. Het is zo mooi geworden.
Nicolien gaat er regelmatig even naar kijken. Zal daar straks werkelijk haar kind in liggen? Dat kan ze zich niet indenken. Ze kan zich eigenlijk helemaal niet indenken dat ze straks een kind krijgt, ondanks haar zwaarder wordend lichaam.
Soms is er een gevoel van paniek. Zal zij ooit in staat zijn om alleen een kind op te voeden? En de bevalling, dat moet toch iets ergs zijn. Ze heeft er de afgelopen maanden zoveel mogelijk over gelezen, maar de werkelijkheid zal toch anders zijn. Zou mevrouw Jaght erbij willen zijn? Dat heeft ze nooit gevraagd. Met Gert praat ze er helemaal niet over. Is dat nu valse schaamte? Zou niemand merken dat ze daar wel eens over loopt te piekeren?
Alles is nog steeds goed, alleen begint ze wat slechter te slapen. Dat komt, omdat ze niet zo gemakkelijk meer kan liggen. Volgens de boeken is dat heel gewoon. Ze ligt 's nachts ook dikwijls tijden wakker, dan spookt alles door haar hoofd. Vooral dan denkt ze aan Anne. En soms is er een verlangen naar huis, naar vader en moeder, voor dat erge gebeurde. Dan huilt ze zacht in haar kussen.
Tegen niemand kan ze dat zeggen. Tegen mevrouw Jaght of Gert al helemaal niet. Ze zouden denken dat ze niet goed voor haar waren en zo is het niet. Ze zorgen juist erg goed voor haar. Maar Gert kan haar soms zo onderzoekend aankijken, net of hij iets vermoedt.
Half oktober is de broer van mevrouw Jaght jarig. Oom Frank en tante Mies zijn hier al eens geweest, dus Nicolien kent hen al. Willem en Erica zullen er een paar dagen blijven. Tante Mies heeft gevraagd of Nicolien ook direct meekomt, maar

dat doet ze liever niet. Gerts nachtdienst zit er bijna op, nog één nacht, dan heeft hij een paar dagen vrij.
'Wij komen wel samen zodra ik uitgeslapen ben', heeft Gert gezegd. Dit betekent dus dat Nicolien een nacht alleen thuis zal zijn. Erica is daar niet zo blij mee, maar Nicolien wuift haar bezwaren weg. Er gebeurt nooit iets in dit dorp en bovendien, wie zal een zwangere vrouw nu wat doen?
'Nu, dan gaan we maar. Zul je morgen voorzichtig rijden, Gert?' 'Natuurlijk, moeder. Maakt u zich maar niet ongerust.'
Gert kent de angst van zijn moeder sinds die fatale avond.
Erica geeft ook Nicolien een kus. 'Dag kind.'
Het ontroert Nicolien. Zij hoort er zo helemaal bij.
Samen met Gert kijkt ze meneer en mevrouw Jaght na. Het is al echt herfstweer, het waait hard en zo nu en dan klettert de regen tegen de ramen.
'Nergens beter dan binnen', vindt Gert. 'Moeten er nog boodschappen gedaan worden?'
'Niet dat ik weet.'
'Zoveel te beter, dan kom ik voor vanavond de deur niet meer uit.' Gert zakt lui onderuit in een stoel, vouwt een vakblad open. 'Even zien wat er besproken wordt.'
Weldra leest hij geïnteresseerd.
Nicolien loopt wat door de kamer, ze is blij dat mevrouw Jaght weg is, want ze voelt zich niet helemaal fit. Ze heeft een pijnlijk gevoel in haar rug. Van de baby kan dat niet komen, daar is het nog veel te vroeg voor. Zenuwen misschien omdat ze vannacht alleen in huis is? Dat is een lachertje. In Engeland is ze vaak genoeg 's nachts alleen geweest.
Cherry en Ann waren er natuurlijk wel, maar wat heb je aan zulke hummeltjes als er iets gebeurt? Wat lijkt het lang geleden dat ze voor Cherry en Ann zorgde. Hoe zou het met hen gaan? Het waren zulke bijdehandjes. Ze heeft de familie White beloofd dat ze zou schrijven, maar behalve een kaart voor de kinderen heeft ze nog niets verstuurd. Misschien kan ze hen straks, gelijk met een nieuwjaarswens een geboortekaartje sturen. Wat zullen ze opkijken.
De pijn zakt gelukkig wat weg, Nicolien gaat ook zitten. Ze

is vanmorgen in een boek begonnen maar het boeit haar niet. Ze heeft vandaag ook helemaal geen geduld om te lezen.
Gert kijkt op. 'Ben je moe?'
'Nee, hoezo?'
'Je ziet er moe uit.'
'Wat een compliment', probeert Nicolien te grappen.
'Maak je je ergens zorgen over?'
'Nee hoor, waarom zou ik me zorgen maken?'
Gert kijkt zo bezorgd. Daar kan ze niet tegen. Ze moeten op het ogenblik niet lief tegen haar doen, dan gaat ze huilen. Zie je wel, het prikt al achter haar ogen. Het is toch waar dat zwangere vrouwen labiel zijn. Vroeger had ze nooit last van tranen.
'Ik ga koffie zetten', ze staat op, maar ook Gert komt overeind.
'Geen denken aan. Ga maar rustig zitten, ik zorg daar wel voor.' Nicolien wil protesteren, maar Gert duwt haar zacht maar beslist in de stoel terug. 'Geen babbels, luisteren.'
'Ja broeder', antwoordt Nicolien gedwee.
Even later slaat de regen opnieuw tegen de ramen, de symfonie van de herfst. Het is goed om nu in een warme kamer te zitten en een beetje verwend te worden, al is het dan maar met koffie.
Dankbaar neemt Nicolien het kopje van Gert aan. Een schaaltje met belegde toastjes wordt naast haar neergezet.
'Je verwent me, Gert.'
'Dat mag ook wel eens.'
Ze kijken elkaar aan, seconden lang. Gert bedenkt hoe arm deze verwennerij, zoals ze het noemt, eigenlijk is. Wat Nicolien nodig heeft, is een arm om haar heen en een schouder om zo nu en dan tegen uit te huilen. Maar hij mag alleen een toastje aanbieden.
Nicolien wendt als eerste haar blik af. Nu zou Anne er moeten zijn. Dan zouden ze niet zo ver van elkaar af zitten. Dan zaten ze nu samen op de bank, dicht tegen elkaar aan. Ze slikt. 'Ik mis Anne soms zo.' De woorden zijn gezegd voor ze het weet. Maar tegen Gert kan ze dat rustig zeggen, hij begrijpt haar wel.

'Je mag wel over Anne praten.'
Even stilte, dan: 'Hij was in dienst. We schreven elkaar niet, maar Anne belde iedere week naar Engeland. Toen hij eens verlof had, is hij er een paar dagen geweest. Niet bij mr. White natuurlijk. Daarna...'
Ze slikt opnieuw. 'Daarna heeft hij met een andere militair een ongeluk gekregen. Ze waren alle twee dood. Ik kreeg pas bericht toen hij al begraven was. Zijn zus heeft me dat in het geheim geschreven, omdat zijn ouders nergens van wisten. Hij mocht niet met zo'n goddeloze meid omgaan.'
Nu huilt Nicolien toch. Gert zwijgt. Hoe graag zou hij nu willen opstaan om haar te troosten, maar hij mag het niet. Daar is een ander geweest maar wie haar hart en zinnen uitgingen. Hij kan alleen maar luisteren en meeleven.
Nicolien herstelt zich wat. 'Daarom kon ik ook tegen niemand zeggen wie de vader van mijn kind was. Als mijn vader dat wist, zou hij misschien naar Anne's vader gaan. En die zou alles ontkennen. Ik zou dat nooit willen, ik wou Anne's naam niet besmeuren. Daarom heb ik gezegd dat ik niet wist wie de vader was. Je begrijpt misschien wel welke suggesties dat wekt. Mijn vader vond me een gore slet en anderen zullen wel net zo denken.'
Nicolien zwijgt. Het is te erg geweest om allemaal te vertellen.
'Ik ben blij dat jouw kind uit liefde geboren zal worden', zegt Gert eindelijk.
'We zouden trouwen als bleek dat ik in verwachting was', zegt Nicolien zacht.
'Dus Anne heeft de consequenties van zijn liefde willen aanvaarden?'
'Ja.'
Nu blijft het stil in de kamer. Er valt niets meer te zeggen. Gert gaat nog een keer voor koffie zorgen. Als hij terugkomt, zegt hij: 'Eén ding is zeker, Nicolien. Jouw kind krijgt een fijne moeder.'
Daar kleurt Nicolien zowaar van. Ze lacht hem beschroomd toe. 'Het is lief van je om dat te zeggen. Als ik jullie toch niet

had...'
'... dan waren er wellicht anderen geweest.'
'Dat kan ik me niet indenken.'
'Hoeft ook niet, want je bent hier.'
'Gelukkig wel.' En na een tijdje: 'Gert, jullie geloven dat er niets zomaar gebeurt? Zomaar bij toeval?'
'Inderdaad.'
'Geloof je dan ook dat ik hier moest komen?'
'Ja, zo mag je dat wel zeggen.'
'Dus jij moest nachtdienst hebben toen ik in het ziekenhuis lag?'
'Ja.'
'Een gek idee.'
'Een veilig idee.'
'Misschien wel, ja. Maar waarom moest Anne dan sterven? En waarom jouw zusje?'
Nu haalt Gert diep adem. 'Nicolien, het uur van onze geboorte en het uur van ons sterven ligt in Gods hand. Als iemand jong sterft kunnen wij dat niet begrijpen. Dat kunnen we alleen door het geloof en in vertrouwen op de Heere leren aanvaarden. En dat vertrouwen moeten we ons leven lang leren.'
Gert heeft Nicolien weer heel wat te overdenken gegeven. Maar ook zelf bedenkt hij hoe vreemd het is dat hij zo gemakkelijk met Nicolien over deze dingen praat. Gemakkelijker dan met jongeren uit zijn eigen kerk. Die reageren dikwijls in de trant van: je moet niet zo vroom doen. Met die instelling heeft hij vroeger op de jeugdvereniging wel eens moeite gehad. Hij vroeg zich dan af of hij zich inderdaad vroom voordeed. Maar dat was het niet. Het leven met de Heere had de liefde van zijn hart, zo was hij opgevoed. Hij zou niet zonder de Heere kunnen. Eens heeft zijn zusje tegen hem gezegd: 'Wat moet jij sterk zijn, Gert.'
Dat was tijdens dat enerverende gesprek toen ze overspannen was.
Maar Gert weet dat hij niet sterk is. Hij heeft de hulp van de Heere zo nodig, iedere dag weer. Als hij Nicolien maar iets

kon laten begrijpen van die blijdschap die er is als je je leven in Gods hand weet.
De tijd vliegt om. Na het eten is Gert nog maar een paar uur thuis, dan moet hij naar het ziekenhuis. Maar voor het zover is, laat Nicolien hem een foto zien. 'Kijk, dit is Anne.'
Lang bekijkt Gert de foto, dan geeft hij hem terug. 'Als je wilt, mag je hem wel ergens neerzetten.'
Nicolien schudt haar hoofd. 'Misschien later.'
'Bewaar hem goed, ook voor je kind.'
Aan die woorden moet Nicolien denken als Gert vertrokken is. Eerst is ze nog even beneden gebleven, maar het is zo leeg nu ze weet dat er niemand meer thuiskomt. Ze zal maar naar bed gaan. Morgenmiddag gaat ze met Gert naar oom Frank en tante Mies, dan moet ze fit zijn. Wat is Gert een fijne vent. Hij praat zo vanzelfsprekend over haar kind. Het moet hem later maar oom noemen. Oom Gert, wat klinkt dat aardig. 'Mama, ik ga met oom Gert voetballen.' Jongens houden immers altijd van voetballen. En van auto's.
Nu moet ze aan Arnold denken. Gek dat ze ooit gedacht heeft dat Arnold verliefd op haar was. Dat is vast niet zo geweest, anders had hij wel eens wat van zich laten horen. Ach nee, natuurlijk niet. Zij krijgt immers een kind. Er zal geen jongen meer verliefd op haar worden. Er bestaat geen tweede Anne. Goed ook dat niemand weet waar ze nu woont. Ze gaat ook nooit meer naar haar oude woonplaats terug.
Nicolien draait zich voor de zoveelste keer om. Dat ze nu toch niet slapen kan. Het regent ook weer en het lijkt of het nog harder gaat waaien. Cherry was bang voor harde wind. Zal ze later nog eens naar Engeland gaan, als haar kind een paar jaar is? Dan neemt ze het mee.
'Hier heeft je mama gewerkt.'
'Waar was pappie toen?'
'Pappie was heel ver weg. Mama mocht niet naar hem toe.'
'Van wie niet?'
'Van een heel boze meneer niet.'
'Dat was gemeen. '
'Ja, heel gemeen.'

'Waar is die boze meneer nu?'
'Heel ver weg.'
'Kan hij niet bij ons komen?'
'Dat kan wel maar dat doet hij niet.'
'Waarom niet?'
'Omdat die meneer niet van mama houdt. Die meneer houdt alleen van zichzelf.'
Er klinkt een klein geluidje. Nicolien gaat weer verliggen. Waarom moet ze nu toch aan haar vader denken? Dat wil ze niet. Hij denkt ook niet meer aan haar. Hij vindt het vast fijn dat ze uit zijn leven verdwenen is. Zo'n slet van een dochter bestaat niet meer voor hem. Hij heeft nog maar één dochter en dat is Mellie. Met Mellie kan hij voor de dag komen. Met Mellie en Tom, de burgemeester. Dat zijn kinderen waar je eer mee in kunt leggen.
Weer draait Nicolien zich om. Het denken aan haar vader doet pijn. Want eens heeft ze toch van hem gehouden? Eens was er een vader die met haar speelde, die trots was op haar eerste zwemdiploma, die met haar meeging naar haar eerste tennisles. Maar die vader is er niet meer. Nu is er alleen nog maar een vreemde die haar haat.
Gert heeft gezegd dat ze hem moet vergeven, maar dat kan ze niet en dat wil ze ook niet. Haar kind zal nooit een opa hebben. Een oma dan? Ook dat weet ze niet. Zal haar moeder ooit nog komen als het kind er eenmaal is?
Het is zo moeilijk om aan al deze dingen te denken. Ze moet dat ook niet doen, het maakt haar onrustig. Ze moet slapen... slapen. Morgen gaat ze met Gert mee.

Gert heeft een drukke wacht, maar dat is goed ook. Nu cirkelen zijn gedachten niet steeds om Nicolien. Fijn dat hij straks een paar dagen vrij heeft. Hij zal eens een beetje extra op haar letten, ze zag er vanavond werkelijk moe uit.
Wanneer in de vroege morgen zijn wacht wordt afgelost, is hij hondsmoe. Thuis is alles nog stil. Hij heeft Nicolien ook verboden om er voor hem vroeg uit te komen. Na een douche duikt hij in bed. Slapen, dat is het enige wat hij wil.

En binnen tien minuten weet hij niet meer wat er om hem heen gebeurt.
Nicolien heeft de nacht half wakend half slapend doorgebracht. Ze moet een paar keer uit bed, voelt haar rug ook weer. Wanneer ze voor de tweede keer op het toilet is, ontdekt ze een spoortje bloed.
Daar schrikt ze hevig van. Dit kan toch niet? Haar kind zal nu toch nog niet komen? Nee, dat kan nooit. Ze is oververmoeid, daar zal het van komen. Gert vond ook dat ze er moe uitzag. Ze zal rustig in bed gaan liggen en niet opstaan voor morgenochtend tien uur. Gert slaapt toch wel tot twee uur. Als ze maar goed uitrust, is er morgen niets aan de hand. Zie je wel, ze voelt haar rug bijna niet meer.
Hoe laat is het? Bijna vier uur. Wat zal Gert nu doen? Ligt er al een andere patiënt op dat kleine kamertje? Vreemd idee dat Gert nu misschien bij een ander meisje zit en haar gezicht wast. Ach, onzin. Alle patiënten zijn niet gelijk en waarom zou daar nu per se weer een meisje moeten liggen? Het kan net zo goed een oude man of vrouw zijn. Of een jonge kerel. Als die wild wordt, moeten ze hem wel met hun drieën vasthouden. Gert vertelt eigenlijk nooit wat er allemaal in het ziekenhuis gebeurt. Dat mag ook niet, maar nu ze daar zelf geweest is, zou ze er best wat meer van willen weten. Ze kan er Gert morgen wel eens naar vragen, zien wat hij dan zegt.
Nicolien soest weer weg, om na een half uur opnieuw wakker te worden. Wat gaat de tijd 's nachts langzaam. Maar ze kan ook niet naar beneden gaan, ze moet rusten. Vanmiddag gaan ze naar oom Frank en tante Mies, die hebben ook geen kinderen.
Net als Jaap en Leni. Maar Jaap en Leni zijn nog jong, daar kan nog van alles gebeuren. Half zes, ze heeft toch weer geslapen. Nu voelt ze haar rug erger. Toch maar stil blijven liggen. Over een paar uur komt Gert al thuis. Daar moet je wel tegen kunnen, 's nachts werken en overdag slapen. Daar zou zij nooit aan kunnen wennen. Maar mensen als Gert denken niet aan zichzelf en wat wel of niet kan, die denken

alleen aan anderen.
Tegen half zeven gaat Nicolien er weer uit. Zie je wel, nu is er niets meer te zien, gelukkig. Maar ze ligt nauwelijks weer in bed of een felle pijnscheut schiet door haar lichaam. Nee, het kan toch niet waar zijn dat haar kind nu wil komen? Dan moet er iets niet goed zijn. Met kloppend hart ligt Nicolien te wachten, maar er gebeurt verder niets. Het wordt zeven uur, half acht. Weer voelt ze die pijn.
Ze hoort Gert thuiskomen. Zal ze hem roepen? Nee, dat doet ze niet. Gert heeft de hele nacht gewerkt, hij moet nu slapen anders kan hij vanmiddag niet naar oom Frank.
Ze hoort hem in de badkamer bezig, wat later gaat hij naar zijn kamer. Het wordt weer stil in huis. Bijna acht uur, zou Gert al slapen? Ze kan het in bed niet langer uithouden, ze gaat wat water drinken. Er snijdt soms iets door haar rug. Misschien is dat wel gewoon spierpijn. Haar spieren komen nu natuurlijk helemaal in de verdrukking. Ze trekt het gordijn open, het regent niet meer, maar het waait nog behoorlijk.
Ai, weer een scheut.
Nicolien gaat op de rand van haar bed zitten, ze rilt, niet zozeer van de kou als wel van de zenuwen. Ze hoeft zichzelf niet langer voor de gek te houden, die pijn is niet normaal. Ze moet een dokter bellen. Was Anne er nu maar. Maar Anne zal er nooit meer zijn. Nu het lijkt of haar kind wil komen, is ze alleen. En ze is bang voor wat komen gaat. Maar Gert is er toch?
Langzaam staat Nicolien op. Voorzichtig opent ze de deur van haar slaapkamer. Het is maar een paar stappen naar de kamer van Gert. Nicoliens hand gaat al naar de deurknop, dan staat ze plotseling stil. Wat wil ze doen? Gert roepen? Gert, die zijn slaap nu hard nodig heeft? Hij heeft al genoeg voor haar gedaan. Nicolien perst haar lippen op elkaar, ze gaat terug naar haar kamer, ze weet nu wat haar te doen staat.

Gert slaapt. Maar in de droom is er iets dat hem alarmeert. Wat is dàt toch? Hij is met Nicolien aan het fietsen. Ze laat

haar fietsbel steeds rinkelen. Waarom doet ze dat? Gert wordt half wakker, wil weer verder slapen. Het belgeluid is er nog steeds. Dan dringt het vaag tot hem door dat hij de telefoon hoort. Die hoeft hij nu niet aan te nemen. Hij draait zich om, slaapt weer.
Na verloop van tijd wordt hij weer wakker. Opnieuw hoort hij de telefoon. Kan Nicolien die niet aannemen? Of is ze er misschien niet? Maar wie belt er dan steeds? Gert kijkt op de wekker, elf uur, onwijs vroeg. Houdt die telefoon nooit op? Ook een doorzetter aan de andere kant van de lijn.
Gert gaat zijn bed uit. Hij kan wel even horen wie daar is, hij is nu toch klaarwakker. Hij loopt geeuwend naar de slaapkamer van zijn ouders.
'Met Gert Jaght.'
De stem van de huisarts in de hoorn. Dan zijn alle gedachten op één punt geconcentreerd. Gert heeft aan een paar woorden genoeg, hij begrijpt de situatie volkomen. Nicoliens baby is op komst, veel te vroeg uiteraard. En het kind ligt verkeerd. De dokter heeft Nicolien vanmorgen zelf naar het ziekenhuis gereden.
'Maar waarom heeft u mij niet geroepen?'
'Ik wist niet dat je thuis was. Dat heeft ze me onderweg pas verteld. Met de boodschap dat ik je in geen geval mocht waarschuwen. Je had je slaap hard nodig.'
De dokter grinnikt. Hij heeft niet zo'n medelijden met een gezonde jonge kerel.
Gert hoort nauwelijks dat de dokter lacht. Nicolien ligt daar in het ziekenhuis. Als het niet snel genoeg gaat, ligt ze misschien heel alleen daar op de verloskamer. Wat zal ze zich eenzaam voelen. 'Hebben jullie haar ouders bericht?'
'Nee, ook dat wilde ze onder geen beding. Daarom heb ik een half uur van mijn tijd opgeofferd om jou wakker te krijgen. Man, wat een opgaaf.'
Nu lacht Gert even. 'Schrijf maar bij op de rekening.'
'Dat beloof ik je, dat wordt een gepeperde nota.' Dokter Hagens mag Gert wel. Een geintje op zijn tijd is gezond.
'Wat ben je nu van plan?' informeert hij dan zakelijk.

'Ik ga er direct heen.'
'Prima idee. Maar eet wel wat van te voren, je weet niet hoe lang dit kan duren.'
'Komt voor elkaar.'
Weg is alle slaap. Gert kleedt zich in een recordtempo aan, gunt zich nauwelijks tijd voor een glas melk. Op weg naar het ziekenhuis is hij vol zelfverwijt. Is hij nu broeder? Hij had gisteren moeten zien dat er iets was. Hij heeft gefaald; en dat juist nu zijn ouders ook afwezig zijn. Hoe ellendig moet Nicolien zich gevoeld hebben. Hij is een broeder van niks, ligt te slapen terwijl er zulke dingen gebeuren. Dat Nicolien ook niets gezegd heeft. Ze had hem wakker moeten maken.
In het ziekenhuis hoort Gert dat Nicolien inderdaad op een verloskamer ligt. Hoever het met haar is, kan niemand zeggen. Er blijft hem niets anders te doen dan in de wachtruimte te gaan. Er zit al een man op leeftijd. Ze groeten elkaar. Gert loopt wat heen en weer.
'De eerste zeker?' vraagt de man.
Gert blijft verwonderd staan, kent die man Nicolien?
'Ja', antwoordt hij dan.
Een begrijpende glimlach. 'Voor mijn zoon is het ook de eerste. Maar hij is bij zijn vrouw.'
Gert voelt de terechtwijzing en het bloed schiet naar zijn hoofd. Dit is pijnlijk. Denkt die man werkelijk dat hij Nicolien alleen zou laten als ze zijn vrouw was? Maar het heeft geen zin om opheldering te geven. Niemand heeft daar ook wat mee te maken.
Hij loopt de gang op. Na een eindeloos lijkend kwartier krijgt hij een zuster te spreken en even later is hij op de hoogte. Alles gaat nu naar wens, maar het kan nog wel even duren. Een opluchting bij alle spanning.
'Doe me een plezier en ga even naar haar toe. Zeg maar dat ik hier blijf tot alles achter de rug is en dat ik voor haar bid.'
De zuster, die Gert wel kent, doet dit graag voor hem.
'Je moet de groeten hebben, maar je had niet moeten komen', glimlacht ze zodra ze terug is. 'Ik heb m'n collega's ook verteld dat je hier bent. Als het even kan houden ze je op de

hoogte.'
'Bedankt, je bent een beste.'
'Nou, sterkte met het wachten. Als ik jou was, ging ik eerst koffie drinken.'
Gert volgt haar advies op, gaat vervolgens naar de administratie. Hij heeft nog wat dingen voor Nicolien te regelen.
Zodra dit gedaan is, gaat hij toch maar weer naar de bewuste wachtruimte. De andere man is verdwenen. Zeker een hapje eten, of alles is voor hem al achter de rug.
Gert loopt naar het raam, kijkt van vierhoog naar beneden. Onder hem ligt de parkeerplaats, daar moet zijn wagen ook ergens staan. Allemaal milieubacillen.
Sympathiek dat dokter Hagens Nicolien zelf gebracht heeft.
Gert gaat zitten, hij is toch moe. Maar dat is niets, Nicolien zal het heel wat zwaarder hebben. Hij wou dat hij bij haar was, haar kon steunen, al was het maar door een bemoedigend woord. Maar dat is uitgesloten. Hij is niet meer dan een kennis van haar. Anderen staan haar nu bij. Anderen zullen wellicht haar gezicht wassen. Gert ziet weer het kleine krulletje bij haar oor. Dat wachten zo lang kan duren. Hij gaat weer wandelen, de gang af, deur door, andere gang over. Spreekt even met een collega, loopt dan toch terug. Hij durft nu niet lang weg te blijven.

Het wordt één uur, half twee. Nu zou hij wat moeten eten, zijn maag vraagt erom. Maar Gert denkt er niet aan om zijn post weer te verlaten. Soms sluit hij zijn ogen. Een voorbijganger zou menen dat hij daar zit te slapen, maar Gert hoort elk geluid. Rumoer van het bezoekuur, luide kinderstemmen, mensen die even in de wachtruimte blijven.
Ook dat gaat na verloop van tijd voorbij. Een collega brengt hem koffie met een paar broodjes. 'Er komt schot in', hoort hij van een ander. Dat wachten zo lang kan duren. Het is goed dat hij dit eens meemaakt. Nu kan hij zich nog beter indenken hoe familieleden van patiënten zich voelen als ze moeten wachten.

Gert kijkt kritisch de wachtruimte rond. Dit is een van de oudste gedeelten van het ziekenhuis. Er zijn al vage plannen voor verbetering, maar die zullen nog wel wat jaren moeten wachten. Het rijk zal eerst met meer geld over de brug moeten komen. Tot zolang zal alles wel bij het oude blijven. Maar hij moet er niet aan denken als er hier iets gebeuren zou. Dit gedeelte van het ziekenhuis is beslist brandgevaarlijk.
Gert kijkt voor de zoveelste keer op zijn horloge. Vier uur. Dat hij nu toch niets doen kan.
Er gaat ergens een deur, snelle stappen, een stem die zijn naam roept. Gert staat op, wacht.

Hoofdstuk 17

Nicolien weet niet wat het ergste is, de pijn of het gevoel van verlatenheid. Nu zal haar kind komen, twee maanden te vroeg. Er is vast iets niet goed, maar daar kan ze nu niet over piekeren. Ondanks het verplegend personeel om haar heen is het of ze alleen op de wereld is.
En heel ver op de achtergrond is Anne er nog. Maar Anne loopt van haar weg. Haarscherp is daar de droom weer. Waarom komt Anne niet terug nu zij regelmatig zoveel pijn heeft?
Soms ziet ze het gezicht van haar vader, triomfantelijk. 'Net goed, Nicolien, had je maar moeten luisteren.'
Nicolien kreunt zacht.
'Kom nu, zo erg is het nog niet', zegt een stem naast haar.
Nicolien perst haar lippen op elkaar. Het heeft geen zin om uit te leggen dat dat geluid niet van pijn kwam, niet van lichamelijke pijn. Niemand kan immers begrijpen hoe verlaten ze zich voelt.
Niemand?
'De Heere God is overal bij ons. Hij wil helpen als we Hem werkelijk aanroepen. We kunnen blindelings op Hem vertrouwen, omdat Hij doet wat Hij belooft...' Zo duidelijk hoort ze Gerts stem alsof hij naast haar staat. Maar Gert is er niet. Ze is alleen temidden van vreemden. Maar Gerts woorden dan? Is de Heere God werkelijk in deze kamer? Wil Hij haar helpen als ze Hem aanroept? Nicolien sluit haar ogen. Tussen twee pijnvlagen door formuleren haar hersens zinnen. Maar tenslotte kan ze ook dat niet meer, dan is het alleen maar haar hart dat schreeuwt om hulp.
Er komt weer een zuster binnen. 'Ik moet je sterkte wensen van Gert Jaght. Hij is hier dichtbij in de wachtkamer. Hij blijft tot alles achter de rug is en hij bidt voor je, dat moest ik je ook zeggen.'
Nu komt er kleur op Nicoliens gezicht. 'Doe hem de groeten

van mij, maar hij had niet moeten komen.' Ze draait haar hoofd om. De zuster hoeft haar tranen niet te zien, dan zal ze denken dat het van pijn komt. Maar dat is het niet.
Gert is gekomen, hij leeft op korte afstand met haar mee, ze is niet helemaal alleen. Verhoort de Heere God zo gauw een gebed? Wil Hij hiermee werkelijk zeggen: 'Stil maar, Nicolien, Ik zorg ook voor jou?'
Maar dan hoeft ze niet langer bang te zijn. Als God hier werkelijk is, dan kan Hij ook voor haar en haar kind zorgen. Dat moet ze geloven en dat wil ze geloven. Gert heeft het immers gezegd. Gert bidt ook voor haar.
Het is of Nicolien nieuwe kracht krijgt, heel de lange middag. En dan komt het ogenblik waarop de arts niet meer van haar bed wijkt. Nu kan ze ook niet meer denken. Al haar kracht is voor het nieuwe leven dat komen gaat.
Dan klinkt na ademloze seconden een klaaglijk geluid door de verloskamer, een nieuw mensenkind laat zich horen.
Moe, maar o zo dankbaar, voelt Nicolien even later haar kind op haar lichaam, een meisje.

Na de laatste spannende ogenblikken is het nu een drukte van belang. Ze wordt gefeliciteerd. Maar al Nicoliens aandacht is voor het kindje in haar arm. Haar dochter, het kind van Anne en haar. Maar Anne is zo vaag. Dit kind is reëel. Een gezond kindje, haar meisje.
'Zuster, Gert moet het weten.'
'Daar zorgen we voor.'
Nicolien sluit even haar ogen. 'Heere God, ik dank U.'
Later, als ze gewassen en verzorgd ligt te wachten om weggereden te worden, is Gert er plotseling. Ze ziet hem staan bij de deur en steekt impulsief haar handen naar hem uit. 'Gert, ik ben zo blij.' Haar ogen glanzen.
Gert moet wat wegslikken als hij naar het bed loopt. Daar ligt ze nu, een vermoeide maar blije jonge moeder. Hij drukt haar handen. 'Gefeliciteerd, meisje. Nu heb je een dochter.'
Er is een ogenblik stilte waarin ze elkaar glimlachend aanzien. Nicolien ziet dat Gert bewogen is, ze merkt ook dat hij nog

steeds haar handen vasthoudt, dat is een veilig gevoel.
'Nu ben je moeder, Nicolien.'
'Ja.' En even later: 'Dat je hier toch was, Gert.'
'Je had me moeten roepen, Nicolien.'
'Jij moest toch slapen?'
'Denk je dat ik het je ooit vergeven had als ik nergens van geweten had? Je verdient een pak voor je broek. Gelukkig dat onze dokter verstandiger was.'
Nicolien lacht zacht. Ze voelt dat Gert die luchtige toon aanslaat om zijn ontroering te verbergen. Zo heeft ze hem nog nooit gezien. Gert was immers de broeder die zichzelf altijd in de hand had, zo rustig en evenwichtig. Nu ziet ze voor het eerst dat hij ook anders kan zijn. Hij heeft zorgen gehad om mij, weet ze. Hoe heeft ze ooit kunnen denken dat ze alleen op de wereld staat? Gert zal haar altijd willen helpen.
'Gert, het is zo'n schatje.'
Gert knikt. 'Ik heb haar gezien, ze lijkt op jou.'
Er komen een paar zusters binnen. 'Wil het bezoek zich verwijderen?' zegt de ene. 'We gaan de kraamvrouw naar haar kamer brengen.'
Gert wil gaan.
'Ben je mal, je mag wel meegaan', zegt de andere zuster. Maar Gert maakt een afwerende beweging. 'Ik moet nog even wat doen. Waar komt ze?'
Met het kamernummer in zijn hoofd haast hij zich naar de begane grond van het ziekenhuis. In de hal vindt hij de bloemenkiosk gesloten, maar Gert weet waar hij de beheerder kan vinden. Natuurlijk gaat die met hem mee. 'Wat zal het zijn?'
Daar hoeft Gert niet over na te denken. Voor één keer schakelt hij zijn verstand uit.
De eersteklaskamer is klein maar comfortabel. Vanuit haar bed ziet Nicolien uit op een groot gazon met een eendenvijver. Bij haar bed, onder handbereik, staat een telefoontoestel.
'Nou, is dit geen prachtige kamer?' vraagt een zuster.
Nicolien beaamt dit. Ze vindt nu immers alles prachtig,

want er is zo'n juichend gevoel in haar. Ze heeft een baby, een lief klein dochtertje van bijna vier pond en alles is goed. Misschien hoeft ze niet lang in de couveuse.
De zusters gaan weg. Op de gang komen ze Gert tegen met zijn arm vol bloemen. Ze praten even. 'Je zult misschien wel een paar mensen op willen bellen, maar ik hoef jou zeker niet te zeggen dat je het kort moet maken, broeder Jaght? Onze jonge moeder moet rusten.'
'Ik zal eraan denken, zuster', zegt Gert gedwee.
Lachend lopen de zusters door.

Het eerste wat Nicolien ziet als de deur opengaat, zijn de rozen en daarboven het gezicht van Gert. Dan wordt de bloemenpracht op haar deken gelegd.
'Asjeblieft, omdat je zo'n wolk van een dochter gekregen hebt.'
Nu kan Nicolien wel lachen en huilen tegelijk. Haar gezicht vertrekt vreemd, maar de tranen winnen.
'Huil maar gerust even', zegt Gert. 'Ik ga een vaas zoeken.'
Even later is hij al terug. Nicolien kijkt ernaar als hij de vaas met water vult en de rozen schikt. 'Waar wil je ze hebben?'
'Hier, dicht bij me, dan kan ik ze ruiken.'
Daar staan ze nu, achter de telefoon. 'Wat zijn ze mooi, Gert. Ik heb je er nog niet eens voor bedankt. Dank je wel.'
Een zuster brengt koffie met een beschuit. 'Ik heb ook op jou gerekend, Gert. Je zult wel trek hebben.'
En dan is Gert weer de broeder die een patiënt helpt. Hij steunt Nicolien zodat ze gemakkelijk kan drinken.
'Ik voel me zo bibberig', bekent Nicolien.
'Geen wonder, de bevalling is net voorbij.' Gert ziet het krulletje weer bij haar oor en hij moet zich bedwingen om niet even zijn handen om haar gezicht te leggen.
'Hoe heet je dochter?' vraagt hij plotseling. 'Ik heb het expres niet aan de zuster gevraagd.'
'Als het een jongen geweest was, had ik hem Anne genoemd. Maar nu... Anneroos. Naar Anne en naar je zusje. Zal je moeder dat niet erg vinden?'

'Ik denk', Gerts stem klinkt schor. 'Ik denk dat mijn moeder daar heel erg blij mee zal zijn. Je moet het haar zelf vertellen.'
'Zou ik kunnen bellen?'
'Jazeker, maar eerst je eigen moeder, Nicolien.'
Nicolien maakt een schrikbeweging. 'En als mijn vader eens opneemt?'
Gert begrijpt het probleem. 'Ik bel wel. Krijg ik je vader, dan vraag ik naar je moeder en is je moeder direct aan de lijn, dan bereid ik haar vast voor. Zeg me het nummer maar.'
Terwijl Gert op de verbinding wacht laten zijn ogen Nicolien geen moment los. Hij moet voorzichtig met haar zijn, een kraamvrouw is nu eenmaal emotioneel. Hij ziet haar vingers aan de deken plukken en als vanzelfsprekend legt hij zijn hand over de hare.
'Met mevrouw Nordholt.'
'Goedemiddag, mevrouw Nordholt, u spreekt met broeder Gert Jaght vanuit het ziekenhuis.'
Met opzet heeft Gert de naam herhaalt. Nicolien weet nu dat haar moeder aan de lijn is terwijl mevrouw Nordholt met het ziekenhuis geconfronteerd wordt. Het blijkt dat mevrouw Nordholt daar ook direct iets achter zoekt.
'Broeder Jaght, is er iets met Nicolien? Iets ergs?'
'Er is wel iets met Nicolien, maar niet iets ergs. Integendeel. Maar wat er is, kan ze u beter zelf vertellen. Ik sta hier namelijk bij haar. Hebt u een ogenblik, dan zal ik haar de telefoon geven.'
Even bedekt Gert met zijn ene hand de hoorn. 'Zal ik weggaan, Nicolien?'
'O nee, blijf asjeblieft bij me.'
Gert reikt haar nu de hoorn, lacht haar bemoedigend toe. Een hoog bibberend stemmetje: 'Met Nicolien.'
'Kind, wat is er gebeurd?' Er klinkt werkelijk angst in Sarahs stem.
'Ik heb een baby gekregen, een meisje.'
'Nee, Nicolien. Is dat werkelijk waar? Maar dat kan toch nog niet? Is alles goed met je? En met het kind?' Sarah struikelt

over haar vragen.
'Ja, alles is goed.'
'Kind toch, van harte gefeliciteerd.'
Dit is teveel voor Nicolien. Zo echt gemeend klonken die laatste woorden. Nu komen de tranen weer.
Gert neemt haastig de hoorn van haar over. 'Mevrouw Nordholt, u zult begrijpen dat Nicolien zich rustig moet houden, vandaar dat ik het gesprek maar weer overneem. De baby is twee maanden te vroeg geboren, maar het is een prachtkind, bijna vier pond. Met Nicolien gaat alles naar wens. U komt maar eens gauw kijken, ik denk dat ze nog wel een dag hier is, misschien langer.'
'Ik stel me aan', bibbert Nicolien als het gesprek afgelopen is. 'Wat moet je wel van me denken, Gert.'
'Ik denk dat jouw reactie heel normaal is, meisje. Daar hoef je je echt niet voor te schamen. Zal ik nu mijn moeder even bellen?'
'Ja.'
Gert kent het nummer van oom Frank. Het duurt maar een paar tellen, dan heeft hij hem aan de lijn.
'Oom Frank, met Gert. Alvast van harte gefeliciteerd met uw verjaardag.'
'Dank je, Gert. Maar waar zit je ergens? We hadden jullie allang hier verwacht. '
'Dat was de bedoeling ook, maar er is iets tussen gekomen.'
'Sta je met pech aan de weg?'
'Nee, zo erg is het niet. Maar... tja, ik wou het eigenlijk eerst aan mijn moeder vertellen.'
'Mooie boel, geheimpjes voor je jarige oom. Maar hier komt ze aan, hoor.'
'Gert, met moeder. Is er iets gebeurd?'
'Ja, er is wel wat gebeurd, maar niet iets ergs.'
Terwijl Gert weer naar zijn moeder luistert, gebaart hij naar Nicolien. 'Wil je het zelf zeggen?'
Nicolien steekt haar hand al uit.
'Met Nicolien. '
'Ben jij daar zelf, Nicolien? Gelukkig. Ik was al bang dat er

iets met je zou zijn.'
'Maar er is ook iets met me. Ik heb een baby gekregen, een meisje.' Een paar seconden van ademloze stilte. Bij Nicolien komen de waterlanders weer en Gert neemt haastig de hoorn uit haar hand. 'Hier ben ik weer, moeder. U begrijpt dat Nicolien nog niet zoveel aankan.'
In het kort vertelt Gert de gebeurtenissen van deze dag.
'Maar dan kom ik naar huis', zegt Erica beslist. 'Jongen, ik ben gewoon uit m'n doen. Mag ik Nicolien nog even feliciteren?'
'Dat mag, als u het kort maakt.'
Een halve minuut later ligt de hoorn weer op het toestel.
Maar Nicolien heeft ondertussen een nieuw probleem. 'Hoe moet dat nu, Gert? Ze moet toch bij de burgerlijke stand aangegeven worden?'
'Dat kan morgen pas, maak je daar maar geen zorgen over. Jij gaat nu eerst rusten en nergens over piekeren. Vanavond kom ik weer, goed?'
'Ja, maar hoor eens...'
'Ja?'
'Ik wou je nog bedanken dat je hier in het ziekenhuis gebleven bent. Ik... ik voelde me zo alleen. Je begrijpt me wel. En toen heb ik gebeden. Jij hebt eens gezegd dat God altijd naar ons luistert. En toen was jij daar...'
En dan doet Gert wat hij al zo lang heeft willen doen. Hij strijkt langs het kleine krulletje bij haar oor. 'Ik begrijp je heel goed, meisje. Ga nu maar slapen. Tot vanavond.'
'Dag Gert.'
Nicolien kijkt hem na, nog even wuift hij, dan is ze alleen. Haar ogen gaan naar de bloemen naast haar bed. Rozen. Gert heeft haar rozen gegeven. Hij weet natuurlijk niet dat een jongen alleen rozen geeft aan het meisje van zijn dromen. Maar zij is er blij mee. Misschien is dit de laatste keer dat ze van een jongen rozen krijgt. Ze glimlacht. Gert is lief. Als hij er niet was...

Na het zo onverwachte telefoongesprek voelt Sarah haar

benen trillen. Ze moet gaan zitten maar veert direct weer op. Marten, Marten moet het weten. Zijn eigen nummer staat gelukkig in het geheugen van de telefoon. Het duurt even, dan: 'Nordholt.'
'Met Sarah. Kun je direct thuiskomen, Marten?'
'Is er wat?'
'Ja, maar ik vertel het je liever hier.'
'Ik kom.'
Marten legt de hoorn neer, staat op.
'Heren, ik moet er direct vandoor. Morgen praten we verder.'
'Maar Nordholt', protesteert er een, 'we zijn bijna klaar.'
Marten hoort nauwelijks wat de ander zegt, hij heeft zijn jas al aan. 'Tot morgen.' Dan is hij weg. Hij haast zich het gemeentehuis uit naar de parkeerplaats. Er moet iets ergs gebeurd zijn, Sarahs stem klonk zo vreemd. Natuurlijk met Nicolien. Hij start de wagen, geeft, zodra hij op de weg zit, vol gas. Waarom moet hij nu meteen aan zelfmoord denken? Daar is Nicolien toch geen meisje voor? Maar weet hij dat wel zeker? Dat dachten al die andere ouders ook van hun kinderen en toch worden er zoveel mensen mee geconfronteerd.
Martens mond wordt een grimmige streep. Er mag van alles gebeurd zijn, alleen dit niet. Dit zou Sarah niet overleven.
Hij moet zichzelf dwingen om zich aan de toegestane snelheid te houden. Waarom denkt hij ook direct het ergste? Het kan toch ook heel iets anders zijn? Misschien heeft Sarah een vreemde ziekte aan haar struiken ontdekt. Dwaasheid, daar zou ze nooit over gebeld hebben.
Als Nicolien maar niets overkomen is. Hij heeft nog liever dat ze een drieling krijgt. Barst!
Wat zijn dat voor gekke gedachten die daar door zijn kop spoken? Hij, de nuchtere Nordholt.
Maar stel dat er werkelijk iets met Nicolien is... Dat zou voer zijn voor de incestpraatjes. Marten haalt diep adem. Hij moet rustig blijven. Wat er ook gebeurd is, terwille van Sarah moet hij rustig blijven. Als Nicolien maar leeft. Als dat erge waar

hij even aan gedacht heeft maar niet waar is. Zijn wildebras. Maar dat is ze immers al tijden niet meer! Nicolien is een jonge vrouw die hem haat. Hij heeft daar aanleiding toe gegeven.
Voor haar bestwil weliswaar, maar dat begreep die stijfkop niet. Sarah lijdt eronder, hoewel ze dat probeert te verbergen. Zijn Saartje toch. En nu heeft ze hem nodig. Hij weet nog niet waarom, maar hij zal haar steunen, wat er ook mag zijn. Sarah hoeft door zijn toedoen niet nog meer te lijden.

Met een scherpe draai rijdt Marten de wagen tot voor de garage. Hij stapt uit en is in een paar stappen bij de voordeur. Nog voor hij de sleutel in het slot kan steken, doet Sarah de deur open. Hij stapt binnen, trekt de deur achter zich dicht. Dan zoeken zijn ogen Sarahs gezicht af. 'Zeg het maar.' Hij is bereid om iets te incasseren, wat het dan ook mag zijn. Het licht van de lamp valt over zijn gezicht, over zijn ogen die het ergste vrezen.
Sarah voelt de spanning waarin hij verkeert en plotseling weet ze dat haar telefoontje wel erg summier was.
'Nicolien', zegt ze. Ze slikt omdat er een prop in haar keel schijnt te zitten.
Martens armen vallen slap langs zijn lichaam, zijn gezicht wordt grauw. 'Wat is er met...?' Hij kan de zin niet afmaken.
Dan zegt Sarah en er klinkt een snik in haar stem: 'Nicolien heeft een dochtertje gekregen. We zijn opa en oma geworden, Marten.'
Het is teveel voor Sarah. Al de opgekropte spanning van de laatste maanden breekt zich nu baan in een bevrijdende huilbui.
Even is er een wilde vreugde in Marten, omdat Nicolien leeft, omdat dat erge niet gebeurd is. Maar met wrange zelfspot bedenkt hij dat hij wel de laatste mag zijn die met deze gebeurtenis blij is.
Maar dan wijken al die gedachten. Sarah heeft hem nodig. In een oogwenk heeft hij zijn jas los, laat die van zich

afglijden. Dan zijn zijn armen om Sarah heen. 'Saartje toch. Gefeliciteerd.' Hij neemt haar mee naar de kamer, trekt haar daar op zijn knie en doet alle dingen die een verliefde jonge kerel zou kunnen doen.
Langzaam bedaart Sarah. 'Geef me je zakdoek, Marten.' Haar stem is nog onvast. Ze probeert van zijn knie te glijden.
'Ben ik nu een eerbiedwaardige oma', spot ze met zichzelf.
Maar Martens handen houden haar vast. 'Jij bent de liefste grootmoeder van de hele wereld. Ik hou nog altijd van je.'
Later zitten ze toch als bezadigde mensen bij elkaar. Sarah heeft verteld wat ze weet en Marten heeft iets ingeschonken. Zijn gezicht staat ernstig als hij zijn glas heft. 'Sarah, wat er gebeurd is, kunnen we niet zo snel vergeten. Ik had het graag anders gewild. Toch hoop ik dat dit kind van Nicolien gelukkig zal worden. Proost!'
Ze klinken. En dan moet Sarah toch weer een zakdoek gebruiken. 'Je bent lief als je huilt', plaagt Marten.
'Malle vent.'
Buiten is het donker, maar in de bungalow is licht.

Bezoekuur in het ziekenhuis. Nicolien hoort de drukte op de gangen. Ze heeft na Gerts vertrek werkelijk even geslapen. Ze werd wakker toen een zuster kwam vragen wat ze wou eten. Nu ligt ze te wachten. Gert zal komen, dat heeft hij beloofd. En ze wil zo graag met hem praten.
Eindelijk gaat de deur open. Gert komt binnen. 'Hoe is het?'
'Goed. Fijn dat je er bent.'
'Ik ben niet alleen, ik heb bezoek voor je meegebracht.'
Dan is de kamer plotseling vol leven. Erica buigt zich over haar heen, zoent haar. 'Van harte gefeliciteerd, Nicolien.' Ze krijgt bloemen.
Meneer Jaght feliciteert haar. 'Nicolien, ik hoop dat je heel gelukkig met je kindje zult worden en dat de Heere jullie zal zegenen.' Oom Frank en tante Mies volgen. Weer felicitaties en bloemen. Het is bijna teveel.
'Maar u had niet moeten komen, u bent nog wel jarig', protesteert Nicolien zwak.

'Als die dochter van jou zo eigenwijs is om haar moeder van mijn verjaardag weg te houden, dan ben ik zo eigenwijs om haar daarover te gaan onderhouden.'
Nicolien lacht. 'En hebt u dat gedaan?'
'Natuurlijk.'
'En wat zei ze?'
'Wel, het is een onopgevoed kind. Ze deed zelfs haar ogen niet open.'
Opnieuw gaat de deur open. 'Gezellige boel hier', klinkt de stem van Jaap. Ook Leni heeft bloemen bij zich.
Dan zegt Gert: 'Nicolien, nu je toch zoveel bezoek hebt, kun je vertellen hoe je dochter heet.' Hij knikt haar warm toe. Nicolien voelt zich rood worden. Het is ineens zo stil. 'Anneroos. Anne-Rosalyn', zegt ze dan. En met een blik op Erica. 'Als u het goedvindt.'
'Goedvinden? Meisje, ik heb er geen woorden voor, het is geweldig.'
Erica kijkt naar Willem, haar ogen glinsteren verdacht. Nicolien ziet hoe hun handen elkaar vinden. Dan pakt Erica's andere hand die van Nicolien. 'Dank je wel, kind. Daar zijn we geweldig blij mee.'
Tien minuten blijven de bezoekers, dan gaan ze weer. Gert heeft hen goed geïnstrueerd.
'Jij gaat toch nog niet weg?' vraagt Nicolien.
Gert glimlacht. 'Als je je heel rustig houdt, blijf ik nog even.'
'Gelukkig.'
'Ik moet namelijk je bloemen nog verzorgen.'
'Ga je weg als je dat gedaan hebt?'
Gert hoort de lichte teleurstelling in Nicoliens stem. Daar hoeft hij verdraaid toch niet blij om te zijn. Het is heel gewoon dat ze nu graag iemand bij zich heeft om tegen te praten. Het had net zo goed een ander kunnen zijn. Maar dat is ook niet belangrijk. Het gaat ook niet om hém, het gaat om Nicolien zelf.
'Hoe rustiger jij je houdt, hoe langer ik blijf.'
'Goed broeder, ik zal zoet zijn.'
Nicolien moet lachen om het gezicht dat Gert trekt. Maar

voorlopig heeft hij zijn handen nog vol aan de bloemen. Hij is weer druk bezig bij de wastafel. Nicolien geeft hierbij het nodige commentaar. Er komt zo'n uitgelaten stemming over haar. Ze heeft een dochtertje, een lief klein meisje. Al het nare van deze dag is achter de rug. En ze heeft bezoek gehad, allemaal mensen die hun gelukwensen echt menen. En Gert blijft voorlopig nog. Aan haar ouders wil ze nu niet denken, die horen hier niet bij. Ze krijgt zin om Gert een beetje te plagen.
'Zeg Gert, jij hebt eigenlijk een verschrikkelijk gemakkelijke baan.'
'Ja, verschrikkelijk.'
'Want zeg nu zelf, een beetje bloemen op water zetten en bezoek regelen, daar word je toch niet moe van?'
'Dat is zo.'
'Dat blijkt wel', gaat Nicolien verder, 'want in je vrije tijd ga je met dezelfde energie verder.'
'Oh.'
'Dat krijg je natuurlijk extra uitbetaald?'
'Zeker, maar niet van het ziekenhuis.'
'Van wie dan?'
'Van de patiënt zelf.'
'Oei, ben je erg duur?'
'De rekening komt pas als je genezen bent.'
'Maar ik krijg natuurlijk korting, want ik ben je huisgenote.'
'Geen denken aan. Voor jou reken ik driedubbel tarief.'
Nu klinkt Nicoliens heldere lach door de kamer. 'Dat is je reinste...'
Haar zin breekt plotseling af, want de kamerdeur gaat open en in die deuropening verschijnt mevrouw Nordholt, gevolgd door Tom.

Hoofdstuk 18

De raadsvergadering is vervelend, maar dit ligt meer aan Marten zelf dan aan de agenda. Zodra wethouder De Gelder, als loco-burgemeester, de vergadering heeft geopend en de raad, pers en aanwezigen op de publieke tribune welkom heet, dwalen Martens gedachten af. Zal Sarah nu al bij Nicolien zijn?
Het heeft haar teleurgesteld dat hij niet met haar meegegaan is, dat heeft hij drommels goed gemerkt, al heeft ze dat niet met zoveel woorden gezegd. Maar toen zijn eerste vreugde, omdat er niet iets ergs met Nicolien gebeurd was, wat was geluwd, is langzaamaan het oude zeer weer bij hem boven gekomen. Nu heeft Nicolien haar kind, het kind dat hij haar heeft willen besparen, het kind van een onbekende dat zij ten koste van alles heeft willen krijgen. Daar is niets meer aan te doen.
Maar is er daardoor ook maar iets veranderd? Nee, nee en nog eens nee! Hij weet dat Sarah nu iets van hem verwacht, maar hij kan onmogelijk aan haar verwachting voldoen. Hij wil zich ook niet aan de vergadering van vanavond onttrekken, al is dit geen reden. Raadsvergaderingen zijn belangrijk en werk gaat voor privé. Sarah weet dit en het is nooit een probleem tussen hen geweest. Maar wanneer Marten eerlijk is, dan weet hij dat hij in een normaal geval deze vergadering met een gerust geweten overgeslagen zou hebben. Als er bij Mellie en Tom een baby gekomen was... Ja, dan kon hij de lieve opa spelen.
'Stik.'
De Gelder hoort iets. Hij kijkt over zijn bril naar de man die naast hem zit. 'Hebt u een opmerking over pagina drie van de notulen, Nordholt?'
'Nee, ga maar verder.'
Het moet niet gekker worden. Marten roept zichzelf tot de orde. Achtervolgen Nicoliens woorden hem nu al op de

vergadering? Maar ze heeft geen gelijk. Als alles normaal was, zou er voor hem geen verschil zijn tussen de kinderen van Mellie of Nicolien. Maar alles is niet normaal, daar heeft Nicolien wel voor gezorgd.
'De lieve opa spelen!'
Die woorden zijn vervloekt hard aangekomen. Onverwachts klinken ze in zijn oren. Is hij zo iemand die onderscheid maakt? Nee. Maar Nicolien had naar hem moeten luisteren. Nu zit ze in de problemen, al beseft ze dat nog niet.

En nu is hij dan opa.
Hoeveel kerels zitten er hier die ook al opa zijn? De Gelder, ja, die heeft al diverse kleinkinderen. En Graafland van de VVD misschien ook. Gek dat hij het van de anderen niet weet. Wat zouden ze zeggen als ze het wisten van hem? Opa Nordholt! Zouden ze hem feliciteren? Niedek vast wel. En de anderen? Of zouden ze toch geloof hechten aan die incestpraatjes?
Wat is het hier warm. Hij wou dat hij thuis was bij Sarah, maar Sarah is bij Nicolien. Ze staat op dit moment misschien wel bij haar kleindochter te kijken.
Marten gaat wat verzitten. Dat hij Sarah alleen heeft laten gaan! Hij heeft haar zelfs de groeten niet meegegeven. Dat heeft Sarah bezeerd, maar hij kon niet anders.
Hoe anders heeft hij zich dat vroeger voorgesteld.
Twee keer heeft hijzelf zo'n spartelend pasgeboren kindje in zijn handen gehouden. Wat een gewaarwording was dat. Nu heeft dat ene kindje zelf een kind gekregen, maar tussen hem en haar staat een muur van onbegrip en haat. Hij zal nooit de lieve opa kunnen spelen, die weg is geblokkeerd.
Een hamerslag roept Marten in de vergadering terug.
'Hiermee zijn de notulen vastgesteld', zo klinkt de stem van de voorzitter. 'We gaan over tot het volgende punt van de agenda.'
Marten bladert in zijn papieren. Hoe kan hij zijn aandacht nu bij de vergadering houden? Is het vaststellen van een bestemmingsplan, het krediet voor onderwijszaken of die begrotingswijziging werkelijk zo belangrijk? Voor zijn part

wordt de hele begroting gewijzigd. Kunnen de raadsleden elkaar fijn in de haren vliegen en afmaken. Voer voor de pers. Die lui zitten er toch alleen maar om te zien of ze ergens een smeuïg verhaal uit kunnen halen. Ze moesten eens weten dat Sarah alleen naar haar eerste kleinkind is. Hij ziet de kop al in de krant: Eerste kleinkind zorgt voor verwijdering tussen gemeentesecretaris Nordholt en zijn vrouw. En als ondertitel: Zijn de incestverhalen toch waar?
Er wordt koffie voor Marten neergezet. Dat heeft hij net nodig, het liefst met een flinke scheut cognac erin. Maar zoiets gaat niet.

Het valt de aanwezigen op dat Nordholt vanavond wel bijzonder afwezig is. Hij doet zijn mond geen enkele keer open. De Gelder heeft al een paar keer opzij gekeken. Ook Niedek, aan de andere kant van de voorzitter, heeft het idee dat Nordholt met zijn gedachten elders is.
Marten zelf heeft er geen erg in hoe er op hem gelet wordt. Tergend langzaam gaat voor hem de tijd. Nu wordt er gesproken over de nota milieubeleid. Op onderdelen zijn de meningen verdeeld. Iemand zegt dat we moeten denken aan de geslachten die na ons komen en al het mogelijke doen om het milieu zo zuiver mogelijk te houden, zelfs al kost dat offers.
De volgende geslachten, daar hoort het kind van Nicolien nu ook bij. Moet Marten aan het milieu denken terwille van dat kind? Maar dat kind zal nooit weten dat haar opa tijdens de behandeling van deze milieunota aan haar gedacht heeft. Dat kind zal haar opa nooit kennen. Haar moeder zal zijn bestaan negeren of het kind leren om hem te haten.
Het is hier ook zo heet. Marten kan het niet langer uithouden. Waarom kletsen die kerels ook zo lang?
Terwijl een van de raadsleden een vurig betoog houdt, stoot Marten de voorzitter aan. 'Ik voel me niet lekker, ik ga er vandoor.'
De Gelder kijkt opzij. 'Je ziet er beroerd uit. Moet iemand je brengen?'

'Nee, niet nodig.'
Ook Niedek heeft wat opgevangen, hij gaat Marten achterna.
'Nordholt, heb je een lift nodig?'
'Nee, dank je. Het gaat al beter.'
Toch loopt Niedek mee naar de buitendeur. Hij kijkt de vertrekkende Nordholt na. Die kerel maakt een beroerde tijd door. Straks zal er wel weer over hem gekletst worden. Dat er ook niets tegen zulke praatjes te doen is.

Door de donkere avond rijdt Marten naar huis, het regent weer. Nu moest Sarah er al zijn. Maar dat kan onmogelijk, daarvoor is de afstand te groot. Thuis draait hij de verwarming wat hoger. Hij voelt zich beslist koortsig, is ook wat licht in zijn hoofd. Een borrel zal hem goed doen.
Wat is het stil nu Sarah er niet is, dat valt hem anders nooit zo op. Hij wou maar dat ze terug was. Hij had haar ook niet alleen moeten laten gaan. Ze kan wel de snelweg houden, maar als er onderweg eens wat gebeurt? Is hij nu iemand die van zijn vrouw houdt? Hij had toch wel ergens in de buurt kunnen wachten als Sarah naar Nicolien was? Dan zou ze in elk geval niet alleen terug hoeven te rijden.
Marten drinkt zijn glas leeg. Het smaakt hem niet zo bijzonder. Toch vult hij het glas weer. Daarna zit hij weer stil voor zich uit te staren. Hij heeft geen lust om ook maar iets te doen.
Het liefst zou hij nu naar bed gaan. Maar dat kan niet, hij moet op Sarah wachten. Hoelang is het geleden dat Nicolien hier tegenover hem stond? Het lijkt nog zo kort, toch zijn er maanden voorbij gegaan. Marten heeft de dag vervloekt waarop ze met die boodschap kwam. Nu is daar niets meer aan te doen. Het heeft geen zin om zich daar nu nog over op te winden. Nicolien is haar eigen weg gegaan. Dat doet pijn. Nu woont ze bij vreemde mensen. Die mensen zullen straks haar dochtertje zien opgroeien. En hier zit hij en drinkt als eenzame opa een borrel. Opnieuw zou Marten willen vloeken, maar hij heeft geen fut meer. Zijn ogen worden zo zwaar.

Wanneer Sarah veel later thuiskomt, zit Marten in zijn stoel te slapen, zijn hoofd iets scheef gezakt. Voorzichtig loopt Sarah naar hem toe. Wat ziet hij er moe uit. Ze blijft staan, er is medelijden in haar. Alleen zij weet hoe ook hij lijdt onder deze hele situatie. Voorzichtig strelen haar vingers langs zijn wang. 'Marten.'
Marten wordt wakker. Even knipperen zijn ogen, dan komt er een flauwe glimlach. 'Sarah, je bent terug.'
Dan zitten ze bij elkaar, Sarah vertelt. En onder haar woorden ziet Marten zijn dochter, voor de tweede keer in korte tijd in een ziekenhuis. Sarah kan levendig vertellen.
Marten ziet het kleine kindje in de couveuse, alsof hij er zelf bij staat. Bijna vier pond, wat een wurm moet dat zijn. Maar ze lijkt op Nicolien, gelukkig maar. Het zou erger zijn als ze op die onbekende vader leek. Maakt dat dan ook maar iets uit? Nee toch! Nicolien zal immers nooit met haar dochtertje bij hem op bezoek komen. Ze zal wel zorgen dat hij het kind niet onder ogen krijgt. Alsof hij zo'n boeman is om zo'n kind wat aan te doen.
Sarah noemt de naam: 'Anneroos'. Marten haalt zijn wenkbrauwen op.
'Ik meen dat die overleden dochter van de familie Jaght ook een soortgelijke naam had, maar ik heb daar verder niet naar gevraagd. ' 'Nee, natuurlijk niet.'
Het is stil. Beiden denken ze er nu aan hoe het zou zijn als alles normaal geweest was. Dan had Nicolien haar dochtertje naar Sarah kunnen noemen. Nu draagt het kind de naam van een vreemde. Zij staan daar buiten.
'Was Mellie er ook?'
'Nee, Tom was alleen. We kwamen tegelijk bij het ziekenhuis aan. Mellie kon haar cursus Spaans onmogelijk overslaan.'
'Oh.'
'Mel geeft jou nog altijd gelijk, Marten.'
'Jij dan niet?'
'Ach, soms denk ik wel eens: waar maken we ons toch altijd zo druk over? Het leven is maar zo kort. We hebben gedaan wat we meenden te moeten doen. Maar... zouden we nu geen

punt kunnen zetten?'
Sarahs stem klinkt overredend. 'We zouden kunnen proberen te vergeten, Marten. Er kunnen nog zoveel mooie jaren komen. Jij hebt hier toch ook geen vrede mee?'
In de stilte die volgt is alleen nog het getik van de klok te horen. Marten gaat wat verzitten. Hoewel hij de laatste tijd zelf ook wel eens iets dergelijks heeft gedacht, komt hij in opstand nu Sarah deze dingen zo uitspreekt. Want wanneer hij hier op ingaat, betekent dit dat hij zijn kop zal moeten buigen. Hij zal naar Nicolien toe moeten gaan en als eerste zijn hand uitsteken. En dan? Wie garandeert hem dat Nicolien van die toenadering gediend is? Sarah vindt dat misschien vanzelfsprekend, maar hij is daar nog niet zo zeker van. Te groot was de haat in Nicoliens ogen toen ze die laatste keer voor hem stond. Moet hij het risico lopen dat hij door zijn dochter wordt afgewezen? Dat nooit!
Hij zal Sarah niets in de weg leggen wanneer ze Nicolien bezoeken wil. Ze mag haar voor zijn part ook hier thuis laten komen, als hij er dan maar niet is. Dat moet niet zo moeilijk zijn. Hij is nog wel eens een paar dagen afwezig voor zijn werk. Die dagen kan Sarah benutten. Hij wil haar het grootmoederschap niet onthouden, zo'n hond is hij niet. Maar meer moet ze niet van hem vragen.
Sarah heeft stil zitten wachten. Hopend, tegen beter weten in. Ze heeft op weg naar huis wel honderd keer de zinnen geformuleerd waarmee ze Marten wilde vermurwen. Hij kan ook niet weten wat er door haar heengegaan is toen ze bij dat kleine kindje stond, de dochter van haar dochter. Haar eigen vlees en bloed, ondanks alles. Het was of de jaren wegvielen, of ze bij haar eigen dochtertje stond. Die blondrossige haartjes, dat eigenwijze neusje, precies Nicolien vroeger. Daar in die ziekenhuiskamer heeft Sarah Anneroos voorgoed in haar hart gesloten. Ze heeft zich moeten bedwingen om het niet al te enthousiast tegen Marten te vertellen. Hij moet niet denken dat ze nu niet meer naast hem staat. Ze moet proberen om hem langzaam tot andere gedachten te brengen. Dat moet toch mogelijk zijn! Als hij Anneroos maar eens zou zien.

Maar Marten gaat niet op haar woorden in. Hij zit wat voorovergebogen, ze kan zijn gezicht nauwelijks zien. Ze weet dat ze het hem moeilijk maakt met haar woorden, maar zij is de enige die kan kloppen op het pantser rond zijn hart. Marten en Nicolien, haar man en haar dochter. Twee mensen van wie ze van houdt, maar die het elkaar zo moeilijk maken. Ergens, ergens moet toch een mogelijkheid tot verzoening zijn?
Sarahs ogen dwalen de kamer door. Ze blijven hangen bij het schilderij boven het ladenkastje. Het is een originele Helmantel en uniek in zijn soort vanwege het plastic bakje met pruimen. Hoe ligt dat fruit daar te pronken, de perziken met hun zachte huid. De lichtvlekjes op de kersen stralen werkelijk. Gave vruchten.
Anneroos is ook zo'n vrucht met haar zachte wangetjes. Marten houdt van mooie dingen. Hij zou ook van Anneroos gaan houden als hij haar zag. Ze zou Anneroos even in een lijst moeten vangen en hier in de kamer hangen. Sarah glimlacht om deze dwaze gedachten. Maar zal ooit dat kleine meisje nog eens door deze kamer lopen? Of zal het die andere vrouw zijn die ze oma gaat noemen? De vrouw in wiens huis ze op zal groeien?
Sarah bedwingt een zucht. Ze moet niet willen overhaasten, niets forceren. Ze moet in de eerste plaats naast Marten blijven staan. Maar in het verre ziekenhuis ligt een klein kindje en Sarahs armen hebben al zo lang geen baby gedragen.

Hoofdstuk 19

'Ik ben gewoon zenuwachtig.' Nicolien trekt de rits van haar winterjack dicht. Ze moet voortmaken, Gert staat op haar te wachten. Hij heeft de maxi-cosy al in de wagen gezet. 'Vergeet ik nu niets?'
'Welnee', zo stelt Erica haar gerust. 'Ga maar gauw. Des te eerder ben je weer terug.'
'Ja, tot straks dan.'
Voor het raam kijkt Erica hen na. Het is bitter koud voor eind november. Als het zo doorvriest, kan er over een paar dagen al geschaatst worden. De auto is uit het zicht verdwenen. Erica draait zich om maar haar gedachten nemen een geweldige sprong. Hoeveel jaar is het geleden dat er ijs geweest is? Dat was toen Rosalyn nog leefde, voordat Jaap en Leni gingen trouwen.
Rosalyn heeft toen ook nog op een foto in de krant gestaan. Ach Rosalyn... Nooit zal het verdriet verdwijnen. Het blijft schrijnen, diep in haar hart. Wat zou Rosalyn het leuk gevonden hebben dat er vandaag een baby in hun huis komt. Anneroos! Het kindje dat er niet had mogen zijn. De kleine Anneroos zal later horen naar wie ze genoemd is, maar zal het haar ook maar iets zeggen?
Erica haalt diep adem. Ze moet niet sentimenteel doen. Straks komt Nicolien met haar dochtertje terug, dan moet ze blij zijn en alles klaar hebben. En ze is ook blij, natuurlijk. Maar soms is het verleden weer zo heel dichtbij.
Ondertussen rijden Gert en Nicolien naar de stad. Nicolien speelt met haar wanten. Gek dat ze nu zo zenuwachtig is. Wat heeft ze de afgelopen tijd uitgekeken naar deze dag. En nu mag ze Anneroos halen, eindelijk. Sinds ze zelf uit het ziekenhuis was, hebben de weken haar lang geduurd. Zelf mocht ze immers na drie dagen al naar huis. Maar Anneroos wilde eerst niet groeien. Nicoliens hart bonst. Straks moet ze zelf de hele dag voor haar kindje zorgen.

Ze kijkt opzij naar Gert. 'Ik ben bang dat ik helemaal geen kind kan opvoeden. Ik word vast nooit een goede moeder.'
Haar heimelijke vrees durft ze nu eindelijk uit te spreken. Het is Gert immers die naast haar zit.
Gert kijkt even vluchtig opzij. 'Ik zou me daar maar geen zorgen over maken, Nicolien. Je zult zien dat dat straks vanzelf gaat. En bovendien is mijn moeder er ook. Zij zal je met alle liefde willen helpen.'
'Ja, gelukkig wel.'
Nicolien zucht diep. Het heeft na de bevalling lang geduurd voor ze zich weer een beetje fit voelde. Nu gaat het wat beter, mevrouw Jaght heeft ook goed voor haar gezorgd. Meneer Jaght kwam dikwijls een tijdje bij haar zitten praten, gezellig was dat.
Oom Frank en tante Mies zijn ook nog een paar keer geweest. Zij gingen dan ook mee naar het ziekenhuis, naar Anneroos. En er zijn mensen uit de kerk geweest, zomaar wildvreemde mensen die haar kwamen feliciteren en een cadeautje meebrachten. Van anderen kreeg ze kaarten. Dat was een verrassing.
Maar bij dat alles schrijnt het des te meer dat haar eigen zusje niets van zich heeft laten horen. Daar kan zelfs Toms tweede bezoek niets aan veranderen. Hij heeft het vermeden om over Mellie te praten en zij heeft niet naar haar gevraagd. Maar het was of ze tijdens dat hele bezoek tussen hen instond. Mellie en vader, dat zijn twee mensen die haar nooit vergeven zullen dat ze een kind heeft. Er trekt wat om Nicoliens mond. Ze wil niet aan hen denken. Nu helemaal niet, nu ze Anneroos gaat halen. Gelukkig dat Gert er is. Hij heeft een paar dagen vrij. Dat komt mooi uit. Als hij er toch niet was...
'Het is hier lekker warm, Gert.'
'Ik heb van tevoren de motor even laten draaien.'
'Ook ongezond voor het milieu', plaagt Nicolien.
'Maar wel gezond voor jou.'
'Denk je?'
'Ik weet het wel zeker, koukleumpje.'
'Ik ben zenuwachtig.'

'Dat hoeft toch niet?'
'Nee, maar ik ben het wel. Zou iedereen dat zijn?'
'Misschien.'
'Gelukkig dat jij vrij bent, nu hoefde je vader geen vrij te nemen.'
'Ja, dat kwam goed uit.'
Gerts handen houden het stuur wat steviger vast. Nicolien hoeft niet te weten dat hij dit expres zo geregeld heeft. Zodra Anneroos naar huis mocht, zou hij een paar dagen vrij krijgen. Hij vindt het heerlijk om samen met Nicolien haar kind op te halen. En verder zullen er de eerste dagen natuurlijk diverse boodschappen voor de baby gedaan moeten worden. Dan is het gemakkelijk als er iemand met een auto beschikbaar is. Met deze kou hoeven zijn moeder of Nicolien dan niet op de fiets naar het dorp. Nicolien is zelf ook de oude nog niet, al voelt ze zich weer een hele Piet. Ze is nog zo vlug moe en trekt soms nog zo wit weg. Ze zal nog een tijdje rustig aan moeten doen.
In het ziekenhuis is er geen tijd meer om zenuwachtig te zijn. Er worden wat formaliteiten vervuld, dan heeft Nicolien haar dochter in haar armen.
'Schatje, nu ga je mee naar huis', fluistert ze verrukt.
De zuster glimlacht tegen Gert. Anneroos wordt in de maxi-cosy gelegd en ondergestopt alsof ze naar de Noordpool moet. Dan bedankt Nicolien de zusters, geeft wat voor de feestpot. Eindelijk kunnen ze gaan.
Gert draagt Anneroos, Nicolien de tas. Nu zou ze willen jodelen, zoals ze eens in Zwitserland gehoord heeft. Het galmde tussen de bergen. Dat zou zij nu hier willen doen, nu ze voorgoed het ziekenhuis achter zich laat. Maar natuurlijk doe je zoiets niet. Nicolien zucht maar weer eens diep.
Wanneer ze beneden door de grote hal lopen, komt er een jongeman in werkkleding naar hen toe. 'Ha, Jaght. Ik wist niet dat je vader geworden bent. Gefeliciteerd man.'
Nicolien kleurt als een pioen. Dit is pijnlijk. Maar Gert lacht vrolijk. 'Je kunt niet alles weten, maar evengoed bedankt.'
Ze zijn buiten, de wagen staat dichtbij. Gert opent het

achterportier en nu maakt de kleine Anneroos haar eerste reis.
Nicolien durft nauwelijks naar Gert te kijken, maar Gert zegt heel gewoon: 'Die jongen werkt pas een paar weken bij de technische dienst. Je kunt het hem niet kwalijk nemen dat hij je aan zo'n oude vent wil koppelen. Maar ik zou wát trots zijn op een dochter als Anneroos.'
Er verschijnt een klein lachje bij Nicolien. 'Malle. Maar jij bent niet oud.'
'Dank je wel.'
Anneroos maakt geluid. Nicolien zit al achterstevoren. 'Zou ze wel warm genoeg zijn, denk je?'
'Ik denk eerder dat ze te warm is.'
Nicolien trekt het dekentje wat opzij, Anneroos is al weer stil. Gelukkig maar.
Als in een roes gaan deze dag en de weken die erop volgen voorbij. Er is nu zoveel te doen. Anneroos wassen, voeden, verschonen, voeden, verschonen, steeds maar door. Dat drie uurtjes zo vlug voorbij gaan. Nicolien krijgt een heilig respect voor moeders van grote gezinnen. Zij zou vast nooit een stel kinderen aankunnen. Ze is nu van Anneroos soms al doodmoe, terwijl hier steeds mevrouw Jaght is om haar te helpen. Aan het huishouden zelf hoeft ze helemaal niets te doen. Soms een beetje afwassen, anders niet. Maar dan bedenkt ze een beetje wrang dat zij toch nooit meer kinderen zal krijgen. Anneroos zal nooit broertjes of zusjes krijgen. Maar dat is niet zo erg. Aan een zus als Mellie heb je ook niets.
Anneroos is een voorbeeldige baby, daar is iedereen het over eens. Ze huilt wel eens, maar nooit lang. Na een paar weken mag Nicolien de fles om de vier uur gaan geven. Dat is een hele vooruitgang.

Het Kerstfeest nadert. Dat geeft een hele drukte. Erica is gewend om zelf een heleboel te bakken, want ook dit jaar zullen oom Frank en tante Mies een tijdje komen. Waarschijnlijk tot na nieuwjaar. En ze verwachten Jaap en

Leni toch zeker ook een van de feestdagen.
In al die drukte verschijnt dan plotseling mevrouw Nordholt. Sarah excuseert zich dat ze haar bezoek niet even aangekondigd heeft, maar Erica wil daar niets van horen. 'U bent altijd welkom wanneer u Nicolien en Anneroos wilt bezoeken. Daar hoeft u geen speciale afspraken voor te maken.'
Het valt Sarah op dat mevrouw Jaght zo nadrukkelijk 'Nicolien én Anneroos' zegt. Ze begrijpt ook wel waarom. Even kijken de twee vrouwen elkaar peilend aan, dan komt er een glimlach op Sarahs gezicht. 'U hebt dat juist gezegd. Ik wil inderdaad ook Anneroos graag bezoeken.'
Sarah blijft niet lang. 'Ik kwam eigenlijk even afscheid nemen. Morgen gaan we voor een paar weken weg.'
Een kwartiertje later doet Nicolien haar moeder uitgeleide. Ze kijkt de wagen na en voelt de bijtende kou niet. Morgen al gaan haar vader en moeder met Mellie en Tom naar de wintersport. Haar hele familie gaat vakantie vieren. Waarom is er nu weer dat gevoel van verlatenheid? Het moet heerlijk zijn om nu over de besneeuwde hellingen naar beneden te flitsen. Maar dat is nu voor haar voorgoed verleden tijd. Zelfs als zij een baantje krijgt, zal ze nog geen geld overhouden voor dure vakanties. Heeft haar moeder dit ook bedoeld toen ze zei dat ze haar jeugd en haar toekomst vergooide? Maar ze wil zichzelf niet beklagen, zij heeft Anneroos, het liefste kind van de hele wereld.
Nicolien huivert. Ze moet naar binnen gaan. Ze sluit de deur en gaat dan de trap op naar haar kamer. Voorzichtig buigt ze zich over de wieg. Anneroos slaapt, een klein knuistje tegen haar gezichtje gedrukt.
Lang kijkt Nicolien naar haar slapende dochtertje. Al zou ze haar hele leven nooit meer met vakantie kunnen gaan, dan kan haar dat niets schelen. Voor Anneroos heeft ze alles over. 'Lieve kleine schat', fluistert ze, 'wij gaan later samen fietsen, dan krijg jij een ijsje van me en misschien gaat oom Gert ook wel eens mee. En als Gert getrouwd is, dan...'
Nee, daar wil ze niet aan denken. Dat is vast nog heel ver weg.

Hoewel, Leni plaagde Gert laatst weer met die kleuterjuf. Zou er toch wat aan de hand zijn? Stel je voor dat Gert met de Kerstdagen zijn verloofde komt voorstellen.
Nicolien rilt plotseling, dan wordt ze kwaad op zichzelf. Het gaat haar toch niets aan als Gert zich wil gaan verloven? Hij heeft er de leeftijd voor. Hij zal dan vast niet lang wachten met trouwen. Misschien krijgt hij vlug kinderen. Een dochtertje als Anneroos, daar zou hij immers trots op zijn! Maar als Gert kinderen heeft, is hier voor Anneroos natuurlijk geen plaats meer. Ach, zij woont dan natuurlijk allang ergens anders. Als ze zelf kleinkinderen hebben, zullen meneer en mevrouw Jaght Anneroos wel snel vergeten. En Gert zal heel veel later misschien nog eens vragen: 'Moeder, we hebben vroeger een meisje met een kind in huis gehad. Weet u nog hoe het daarmee gaat?'
En zijn moeder zal antwoorden: 'Nee, we hebben de laatste jaren nooit meer iets van haar gehoord.'
Zo moet het gaan. Ze moet proberen zo vlug mogelijk op eigen benen te staan, dan kan de familie Jaght haar vergeten. Haar eigen vader wil immers niets van haar weten, hoe kan ze dit dan van anderen verlangen?
Voorzichtig beroeren Nicoliens vingers het zachte wangetje van Anneroos. 'Lieve schat, ik zal altijd voor je zorgen, altijd.' Haar stem trilt. Er wordt op de kamerdeur geklopt. Verward kijkt Nicolien op. 'Ja?'
'Mag ik even naar mijn petekind kijken?'
Nicolien kleurt. 'Kom maar binnen.' Als Gert nu maar niets aan haar merkt, het prikt zo achter haar ogen.
Terwijl Gert zich over de wieg buigt, doet Nicolien een paar passen terug. Maar ze kan haar ogen niet lostrekken van de man die daar bij haar kind staat. Broeder Jaght! Nee, Gert Jaght.
Haar benen trillen plotseling hevig, wild bonst haar hart. Nee, dit kan niet, dit is verschrikkelijk. Als dit waar zou zijn, dan heeft haar vader toch gelijk, dan is ze een slet. Ze heeft van Anne gehouden, zo kort geleden nog maar. En in die wieg ligt Anne's kind. Het is onmogelijk om nu gevoelens

van liefde voor een ander te koesteren. Ze moet gek zijn of misschien wordt ze dat wel. Na een bevalling kan er immers van alles gebeuren. Maar wat het ook is, ze zal koste wat het kost moeten voorkomen dat ze ook maar iets laat merken. Wat zouden meneer en mevrouw Jaght haar minachten, omdat ze al zo gauw een man aan de haak probeert te slaan. Om van Gert zelf nog maar niet te spreken. Hij zal nooit met een ongelovig meisje willen trouwen, en zeker niet met een meisje met een kind.
Nicolien keert zich om, trekt de kast open en begint wat te rommelen.

'Ik heb kaartjes voor een concert', zegt Gert dan plotseling. 'Morgenavond is het. Ga je mee?'
Nicolien moet even slikken. Tien minuten geleden zou ze hier blij mee geweest zijn, nu voelt ze zich opgelaten.
'Ik denk het niet, ik blijf liever bij Anneroos.' Gelukkig dat haar stem zo vast klinkt.
'Kan ik je niet overhalen? Moet ik dan alleen gaan?'
Hoe kan Nicolien daar nu antwoord op geven? Gert heeft zo gauw iets door. Ze wil iets uit de kast nemen, trekt een stapeltje zakdoeken mee. Ze hurkt neer om ze op te pakken.
'Is er iets, Nicolien?'
'Nee, niets.'
'Dan ga ik weer naar beneden.'
'Goed.'
Even aarzelt Gert nog. Nicolien heeft wel degelijk iets, maar ze wil er met hem niet over praten, dat is duidelijk. Misschien kan zijn moeder hem inlichten. Nog even kijkt hij naar die gebogen rug. Ze heeft wel erg lang werk met die zakdoeken. Dan gaat hij de kamer uit.
Erica meent inderdaad iets meer te weten. 'Nicoliens moeder is hier geweest, ze kwam goedendag zeggen, omdat ze op vakantie gaan. Ik denk dat Nicolien dat even verwerken moet. Ze ging vroeger natuurlijk mee, misschien wel naar de wintersport. Dat is natuurlijk niet leuk voor zo'n meisje, Gert.'

'Hmm.' Gert gaat niet op de woorden van zijn moeder in. Zou Nicolien werkelijk zo'n meisje zijn dat niet buiten vakanties kan? Dat kan hij zich nauwelijks indenken. Er moet iets anders zijn, iets wat dieper zit. Maar hij kan daar alleen maar naar raden.
Hij loopt de kamer in, trommelt met zijn vingers op een stoel, zet de radio aan en na een paar seconden weer uit. Dat ze nu niet met hem mee wil, daar heeft hij nooit aan gedacht. Het leek hem zo gezellig om samen een avond uit te gaan, misschien na afloop ergens iets drinken. Nou, dat kan hij dan wel vergeten. Hij is voor haar alleen maar broeder Jaght. Handig om binnen handbereik te hebben, maar verder ook niet.
Gert staat met een ruk stil. Het is gemeen van hem om zo over haar te denken. Hij mag niets van haar verlangen. Stel dat ze zou weten hoe het er met hem bijstond. Ze zou hem waarschijnlijk uitlachen. Ze kan ook niet weten dat hij hoe langer hoe meer van haar gaat houden. Als hij haar bezig ziet met Anneroos, dan fantaseert hij dat zijn vrouw daar bezig is. Zij helpt hun dochter voor de nacht. Straks zullen ze haar samen naar haar bedje brengen en dan naar hun eigen slaapkamer gaan...
Maar fantasieën zijn zelfbedrog. Nog steeds weet Gert zijn gevoelens te onderdrukken. Maar dat Nicolien nu ook niet met hem mee wil, geeft hem wel een dreun.

Zodra de deur achter Gert dichtgaat, komt Nicolien overeind. Ze moet even op haar bed gaan zitten, zo duizelig voelt ze zich. Ze is vast niet normaal. Ze heeft van Anne gehouden, zo onnoemelijk veel. Voor Anne heeft ze alles over gehad, voor Anne en voor het kind van Anne en haar. Maar dat van Anne is al zo lang geleden. Sinds hij er niet meer is, is er zo veel gebeurd. Soms als ze aan hem denkt, is zijn gezicht zo vaag.
Nicolien zoekt zijn foto op. Dan zit ze weer op de rand van haar bed. Ze moet slikken, slikken. Ze heeft van Anne gehouden, ze houdt nog van hem. Het is onmogelijk dat

ze nu van Gert kan houden. Het moet iets anders zijn. Iets lichamelijks alleen? Is zij zo iemand die van de een naar de ander vliegt? Een slet? Een hoer?
Die woorden van vader zal ze nooit vergeten. Maar als hij eens gelijk heeft? Als zij nu eens werkelijk zo'n allemansvriend wordt? Ze heeft er toch immers ook over gedacht om Arnold Scholten in te palmen? Als dat waar zou zijn, dan moet ze haar hele leven veranderen.
Dan mag ze nooit meer vriendelijk tegen jongens en mannen doen. Dan kan ze niet meer met Gert gaan wandelen als het voorjaar wordt. Dan kan ze geen grapjes meer maken met Jaap als hij met Leni op bezoek komt. Altijd en altijd zal ze er bij na moeten denken wat ze doet of zegt. Slet!
Nicolien knijpt haar ogen stijf dicht. Ze wil dat woord niet meer horen. Ze wil niets meer horen. Kon ze maar weggaan en zich ergens verstoppen waar niemand haar kon vinden, waar niemand haar kende.
Ze staat op en loopt een paar stappen door de kamer, voorzichtig om Anneroos niet wakker te maken. Ach Anneroos! Door dat kleine meisje is ze met handen en voeten gebonden. Door Anneroos zal ze moeten doen alsof er niets aan de hand is.
'Je vergooit je leven.'
Wie heeft dat tegen haar gezegd? Was het dokter Scholten? Ze weet het niet meer. Het doet er ook niet toe. Zij heeft voor Anneroos gekozen, het kind van Anne en haar. Van die keus zal ze levenslang de gevolgen moeten dragen. Nooit zal ze vriendelijk mogen doen tegen een andere jongen, ook niet tegen Gert. Maar dat is zo moeilijk.
Ze kijkt naar de foto van Anne, maar Anne is er niet meer. Als ze haar ogen sluit, ziet ze alleen Gerts gezicht en hoort ze Gerts stem. Die overredende stem van broeder Jaght. Gert heeft met haar gepraat, hij heeft haar wilde buien in het ziekenhuis bedwongen. Hij heeft haar gezicht gewassen. Gert heeft zo heel veel gedaan deze laatste maanden. Als Gert er eens niet geweest was!
Nicolien kijkt naar het witte lammetje met de rode puntmuts.

Dat heeft ze van Gert gekregen na die ene avond. Er kruipt een blos naar haar wangen. Waarom doet Gert zulke dingen? Hij is in het ziekenhuis gekomen, die lange dag van de bevalling. Hij heeft voor haar gebeden!
Nu slaat Nicolien haar handen voor haar ogen. Ze is zo moe. De gevoelens die door haar heengaan, kan ze nauwelijks verwerken. Maar één ding weet ze zeker, ze houdt van Gert. Anders misschien dan van Anne, maar toch houdt ze van hem. Gert is zo sympathiek. Maar dat mag Gert nooit weten en daarom zal ze zo gewoon mogelijk moeten doen. Dat betekent misschien dat ze met hem mee moet gaan naar dat concert. Zal ze dat kunnen? Met hem uitgaan, een hele avond naast hem zitten en toch niets laten merken?
Natuurlijk kan ze dat, moet ze dat kunnen. Ze moet de verhouding hier in huis zo zuiver mogelijk houden. Als ze stug gaat doen, zal mevrouw Jaght het direct merken. Dat mag nooit. En ondertussen kan ze naar andere kamers uitkijken. Zodra ze niet meer met Gert onder één dak woont, zal het gemakkelijker zijn om hem te vergeten.
Nicolien zucht diep, dan staat ze op. Het is bijna etenstijd, ze moet naar beneden gaan, tafel dekken en straks gezellig praten met meneer en mevrouw Jaght, met Gert. Ze moet haar eigen gevoelens aan de kant zetten. Ze is niet meer Nicolien Nordholt, een meisje van vlees en bloed, ze is nu alleen nog maar de moeder van Anneroos. Wat later hoort Erica Nicolien naar beneden komen. Ze komt de keuken binnen.
'Ha, wat ruikt het hier lekker.' Haar stem klinkt opgewekt. 'Kan ik al tafeldekken?'
Dat er een groot verschil zit tussen het nemen van een besluit en het uitvoeren daarvan, ontdekt Nicolien even later. De maaltijd is gezellig, zoals altijd. Niemand merkt hoeveel moeite het haar kost om onbevangen mee te praten, ook met Gert. Maar het lukt haar blijkbaar zo goed dat Gert een nieuwe poging waagt.
'Moeder, ik zit met een probleem.'
'Nou jongen, ik zou zeggen: leg het in de groep.' Erica lacht

in haar vuistje. Ze kent Gerts afkeer van die zogenaamde trainingskampen, waarin iedereen aan je sleutelen mag tot er niets meer van je overblijft. Ook nu humt Gert nadrukkelijk. 'Nou, zo groot is mijn probleem gelukkig ook weer niet. Ronald moet hier morgenavond in de buurt een koor begeleiden en ik bezit twee kaartjes voor dat concert. Een verpleegster bij ons is lid van dat koor en ik moest haar natuurlijk een plezier doen door te gaan luisteren. Maar nu komt het, ik ben op zoek naar iemand die met me mee wil.'
Gert zwijgt en neemt weer een hap.
'Misschien wil Nicolien?' vraagt Erica.
Nu moet Nicolien wel opkijken van haar bord. 'Anneroos', zegt ze zacht, terwijl ze kleurt, omdat niemand weet dat ze zich nu achter haar dochter verschuilt.
'Maar kind, wij zijn toch thuis? Daar hoef je je geen zorgen over te maken. Als je er zin in hebt, ga dan gerust.'
'Bovendien worden wij er weer jong van als we op een baby mogen passen', vult Willem plagend aan.
Nu kan Nicolien er niet meer onderuit en eigenlijk wil ze dat ook niet. Maar wanneer ze na het eten even met Gert alleen is, vraagt hij: 'Je bent niet boos op me?'
'Nee, waarom zou ik?'
'Gelukkig.'
Nicolien staat op het punt om naar boven te gaan. Met de deur al half open draait ze zich nog even om, haar ogen lachen. 'M.C.'
Gerts ogen zijn een vraagteken.
'Morele chantage', verklaart Nicolien, dan wipt ze de kamer uit. Achter haar hoort ze Gert lachen.

Hoewel er veel bekende melodieën bij zijn, gaat er de volgende avond veel van wat er gezongen wordt langs Nicolien heen. De hele avond is ze er zich nadrukkelijk van bewust dat Gert naast haar zit. Ze hoeft zich maar iets te bewegen of ze raakt hem aan. Wat is het toch waardoor ze zo plotseling van de kaart is? Het moet verbeelding zijn dat ze van Gert gaat houden. Maar waarom gloeit haar hele lichaam dan? Ze kent

dit gevoel van haar omgang met Anne en het maakt haar hypernerveus. Angstvallig probeert ze afstand te houden. Als Gert maar niets merkt. Ze probeert haar aandacht weer op de muziek te concentreren.
Die man achter het orgel is dus Ronald. Hij speelt goed, al heeft zij daar dan niet veel verstand van. Jammer dat ze hem niet kan zien. Maar een tijdje later krijgt ze daar de kans voor. Er zal een soliste zingen, die begeleid wordt op de piano.
De piano staat voor in de kerk. Ja, dat is Ronald, de man die ze op de foto's gezien heeft. Even kijkt ze opzij naar Gert. Wat zou er in hem omgaan? Ronald zou zijn zwager geworden zijn.
Het wordt weer stil, dan klinken er zachte accoorden, alsof er op een harp gespeeld wordt. Nicolien kijkt naar de soliste. Wat een jong meisje is dat nog. Zou dat niet doodgriezelig zijn om zo voor al die mensen te staan zingen? Hoor, ze zet in. Zacht klinkt de stem, terwijl de pianoklanken als harpaccoorden er omheen zweven. Het is doodstil in de kerk.
Nu volgt het tweede couplet: Entre les deux bras de Marie, dort... dort... dort le petit fils...
Nu moet Nicolien wel aan Anneroos denken. Dat kleine kindje in Maria's armen, Gods Zoon, is dus werkelijk zo klein geweest als Anneroos.
Ze luistert weer, kijkt naar het donkere hoofd achter de piano. Zou die Ronald nog steeds verdriet hebben om Rosalyn? Of zou er ook in zijn leven al een ander zijn? Kan ze daar Gert wel eens naar vragen of zou dat te pijnlijk zijn? Misschien is het toch beter om het niet te doen.
Het lied is uit. Gert kijkt even opzij, glimlacht. Nicolien buigt zich over haar programma. Dat ze ook zo snel kleurt.
Wanneer het concert is afgelopen, weet Nicolien dat ze eigenlijk maar bitter weinig echt heeft gehoord.
Ze rijden naar huis, er valt een enkele sneeuwvlok, morgen is het Kerstfeest.

Hoofdstuk 20

'Schuitje varen over de baren...'
Nicolien zingt zacht, terwijl ze Anneroos in haar armen wiegt. Anneroos kraait van plezier. 'Maar nu ga je in de box, kleine boef. Mama moet de rommel nog opruimen.' Zodra Nicolien dat gedaan heeft, zorgt ze eerst voor een kopje koffie. Het gebeurt bijna nooit dat mevrouw Jaght 's morgens weg is. Wacht, ze hoort de post. Eerst even kijken wat er is.
Behalve de krant, wat tijdschriften en drukwerken, ligt er een stevige witte envelop op de deurmat. Ze keert hem om, op de envelop prijkt het wapen van haar vroegere woonplaats en het schrijven is aan haar gericht.
Wat wordt haar hier toegezonden? En door wie? Vader misschien? Nee, natuurlijk niet. Toch trillen haar handen als ze de envelop opent. Er zit een dubbele kaart in, Nicolien vouwt hem open.
Het eerste wat ze ziet is de naam van haar vader, in dikke letters gedrukt. Ze moet zich dwingen om rustig te lezen. Het schrijven is de aankondiging van het vijfentwintigjarig ambtsjubileum van de heer Marten Nordholt, gemeentesecretaris. En tegelijk een uitnodiging voor de receptie die gehouden zal worden op vrijdag 12 februari a.s. om vier uur in de ontvangsthal van het stadhuis.
Doodstil staat Nicolien in de hal. Het is of de kaart in haar handen brandt. Langzaam wordt haar gezicht donker. Hoe durft haar vader haar deze kaart te laten sturen? Denkt hij werkelijk dat ze zal komen om hem geluk te wensen? Dat doet ze nooit! Voor het oog van de mensen de aardige vader spelen, dat wil hij wel. Maar ondertussen kan hij haar bloed wel drinken. Hoe durft hij!
Driftig scheurt ze de kaart doormidden. Dan gaat ze naar de kamer terug. Ze legt de post op tafel. Anneroos maakt pruttelgeluidjes, ze trapt met haar voetjes. Nu moet Nicolien haar dochtertje wel uit de box halen en stevig tegen zich

aandrukken. 'Lieve kleine schat, ik doe het niet. Ik ga daar niet heen, nooit!'
Anneroos kijkt en lacht. Heftig kust Nicolien haar gezichtje. 'En jou moest ik laten vermoorden, jij mocht niet leven.'
Anneroos grijpt met haar handjes in Nicoliens haar. Nicolien voelt het niet. Die andere pijn is veel erger. Dat zwarte verdriet diep in haar hart, dat ze steeds wegduwt, maar dat zo onverwachts naar boven komt.
Nordholt! Jubileum!
Wat een feest zal dat worden. Hoeveel mooie woorden zullen daar straks gesproken worden. Ze ziet en hoort het voor zich. 'Nordholt, van harte...' Vader en moeder en daarnaast natuurlijk Mellie en Tom, in vol ornaat. Dat is net iets voor Mellie. En voor vader ook natuurlijk. Met zo'n dochter kan hij voor de dag komen. Wat zal Mellie genieten als ze zo in het middelpunt staat. Een foto in de krant, goed voor Toms carrière. Haar moeder heeft hier niets van gezegd. Zou ze wel weten dat vader haar een uitnodiging heeft laten sturen? Maar ze gaat niet, geen denken aan!
Anneroos wordt moe, Nicolien brengt haar naar boven. 'Slaap maar lekker, meisje. Jij weet nog niets van boze mensen. Jij ziet alleen mensen die van je houden zoals meneer en mevrouw Jaght. En Gert is ook lief maar dat mag hij nooit weten.'
Nicolien gaat weer naar beneden. De witte envelop trekt als een magneet. Opnieuw neemt ze de kaart eruit. Past de twee stukken tegen elkaar en leest. Twaalf februari, dat is al over ruim twee weken. Nicolien kent de ontvangstzaal van het stadhuis wel. Vader heeft haar die eens laten zien. Het is een prachtige zaal met hoge vensters, waartussen grote schilderijen hangen. Ook is er een geweldige schouw met veel houtsnijwerk. En voor die schouw staan twee grote koperen kandelaars. Ze zijn wel een meter hoog en erg oud. Ze vond het indertijd allemaal nogal indrukwekkend. Maar zij was toen nog klein, niet ouder dan twaalf jaar.
Het is onbegrijpelijk dat zij eens een vader heeft gehad die van haar hield, die met haar lachte en uitging. Of zou vader nooit echt van haar gehouden hebben? Deed hij alsof, terwille

van mama en Mellie?
Ze wou dat die rotkaart nooit gekomen was, want nu denkt ze natuurlijk de hele dag aan niets anders. Maar ze gaat toch niet!
Nicolien legt de kaart weer neer en pakt de krant. Maar ze kan haar gedachten niet bij het nieuws bepalen.
Vader viert zijn jubileum!
Hoe kan hij straks feestvieren terwijl hij nog niet zo lang geleden zijn eigen dochter de deur uitgeschopt heeft? Terwijl hij een kleindochtertje heeft van wie hij het bestaan negeert? Geen enkele keer heeft hij haar moeder immers een boodschap meegegeven. Wat voor een man is haar vader toch? Is hij zo'n harde egoïst die altijd alleen maar aan zichzelf denkt? Was dat vroeger ook zo?
Nee, vroeger niet. Vroeger was er een vader die haar kwam voorlezen toen ze ziek was. Hoeveel eeuwen is dat geleden? Ze moet aan iets anders denken. Ze ziet haar kopje staan, de koffie is koud geworden. Ze gaat een nieuw kopje inschenken en de radio aanzetten. Misschien is er wel een leuk programma.
Maar terwijl ze nu haar warme koffie drinkt, komen de gedachten toch weer. Hoe zal haar moeder er uitzien? En Mellie? Dit is voor MeI natuurlijk dé gelegenheid om er chique uit te zien. Een ambtsjubileum van je vader is natuurlijk wel even iets anders dan de opening van een of andere winkel. Ze zou MeI daar best eens willen zien. Dat moest kunnen. Ze ging er dan bijvoorbeeld heen als serveerster. Een zwarte pruik en een zwarte bril op. Een wit schortje over een zwarte jurk, niemand zou haar herkennen. Die dienstertjes worden toch meestal door de aanwezigen over het hoofd gezien. De meeste belangstelling gaat uit naar het blad met drankjes of hapjes.
Zij liep daar dus door de zaal naar de jubilaris. Natuurlijk eerst naar hem. Vader neemt een glas, bedankt haar minzaam. Dan naar haar moeder. Dat wordt moeilijker, mama probeert immers gewoon te doen. Ze brengt nu regelmatig iets voor Anneroos mee. Maar ook haar moeder heeft nog

nooit gevraagd of zij weer eens naar huis komt. Dus die vriendelijkheid zit niet zo diep als het lijkt. Wel, mama neemt ook een glas, zegt even een paar woorden tegen haar.
Dan is Mellie aan de beurt. Natuurlijk kijkt Mel haar niet aan, voor Mel is een dienstertje onbelangrijk. Ze neemt met spitse vingers een glas en praat ondertussen met Tom verder. Dan komt Tom. Hij zal wel een grapje tegen haar maken terwijl hij zijn glas uitzoekt. Mellie haalt haar wenkbrauwen heel even op, zodat niemand er erg in heeft. Wanneer iedereen in de zaal voorzien is van een drankje, wordt er natuurlijk een toost uitgebracht. De burgemeester neemt hiertoe het woord. Of is die man nog ziek? Doet er ook niet toe, iemand vraagt om stilte. Maar voor hij begint te praten, loopt zij opnieuw met haar blad naar voren. Ze gaat naar de jubilaris en zegt: 'Waar is uw andere dochter? Ik heb nog een glas voor Nicolien.'
Doodse stilte!
Haar vader loopt rood aan, haar moeder wordt wit, Mellie valt flauw, alleen Tom verandert niet. En terwijl op dat moment iedereen door elkaar begint te praten, verdwijnt zij in het niets.
Nicolien schudt geërgerd haar hoofd. Wat een kinderachtige dingen bedenkt ze toch. Het helpt niet om in gedachten wraak te nemen.
Ze staat op en loopt naar het raam. Het is zulk grijs winterweer, de hele lucht zit dicht. Er is natte sneeuw voorspeld en de weilanden lijken nu eerder grauw dan groen. Er is geen vogel te zien. Kan haar ook niets schelen. Voor haar part gaat de zon nooit meer schijnen, alles is toch even ellendig.
Als Anne haar nu eens kon zien? Natuurlijk kan dat niet, ze weet niet eens waar Anne nu is. 'In de hemel', zeggen ze hier. Maar waar is die hemel dan? Bestaat er wel werkelijk een hemel? Gert gelooft daar zo rotsvast in. Geloofde Gert maar niet. Was hij maar zoals bijvoorbeeld Tom. Gert zal nooit met een ongelovig meisje trouwen. Met haar dus helemaal niet, want zij heeft bovendien ook nog een kind. Zijn vriendelijkheid voor haar is alleen maar beroepshalve.

Misschien vindt hij haar wel een interessant geval: een ongehuwde moeder. Als hij volgt hoe zij zich er doorheen slaat, kan hij daar later in het ziekenhuis misschien zijn voordeel mee doen.
Gert begint een nachtmerrie voor haar te worden. Ze is vuurbang dat hij iets van haar gevoelens merken zal. Ze probeert niet op hem te letten als hij in de kamer is, maar kan zij het helpen dat ze wel luisteren moet als hij zich over Anneroos buigt en allerlei lieve onzin tegen haar zegt? En Anneroos is stapel op hem, ze begint te kraaien als ze zijn stem hoort.
Het is beslist niet goed voor haar gemoedsrust dat ze hier nog steeds woont. Maar wanneer ze bedenkt hoe het zal zijn als ze hier weggaat, trekt er een verlammend gevoel door haar heen.
Zou Gert haar missen als ze hier niet meer woonde? Dat zal ze nooit weten. Ze gaat staan en neemt de envelop op. Een paar maanden geleden zou ze hem aan de familie Jaght hebben laten lezen. Nu doet ze dat niet. Ze moet weer zelfstandiger worden. Het gaat ook niemand iets aan, want ze gaat er toch niet heen.
Nicolien gaat naar boven en bergt de uitnodiging in haar kast.

De dagen gaan voorbij. Erica merkt wel dat Nicolien wat stiller wordt, maar ze praat er nog niet met Willem of met Gert over. Het kan door de sombere winterdagen komen, sommige mensen hebben daar veel hinder van. Ze probeert het ondertussen thuis zo gezellig mogelijk te maken, doet 's middags al vroeg de schemerlampjes aan, nodigt eens iemand uit. Maar al haar goede zorgen schijnen niet door Nicolien opgemerkt te worden.
Wanneer het weer zondag geweest is, wordt het nog erger. Nicolien zit nu dikwijls op haar eigen kamer en wanneer ze beneden is, kan ze zo afwezig zijn. Erica wordt nu werkelijk bezorgd. Die blik van Nicolien doet haar aan haar eigen dochter denken toen die overspannen was. Wordt Nicolien

dat soms ook? Het zou geen wonder zijn na alles wat ze het laatste jaar heeft meegemaakt.
Erica kan niet weten wat Nicolien bezighoudt. Zij heeft zondagmiddag op Anneroos gepast. Nicolien is met Willem naar de kerk geweest, Gert was naar het ziekenhuis.
De dominee heeft gepreekt, zoals altijd. Maar Erica weet niet dat hij dit keer alleen voor Nicolien Nordholt gepreekt heeft. Zijn woorden waren wel door iedereen te horen, maar ze waren voor Nicolien bestemd.
Niemand weet dit, alleen Nicolien zelf en... God?
Nicolien huivert als ze daaraan denkt. De preek ging over Gods liefde voor de mensen. Het is alsof ze de stem van de predikant weer letterlijk hoort. 'Broeders en zusters, we hebben pas geleden het Kerstfeest gevierd, het feest van Jezus' komst op aarde. Wij zijn daar zo blij mee, wij zijn daar zo dankbaar voor, dat de Heere Jezus op aarde kwam om voor onze zonden te lijden en te sterven. Daar zingen we van en daar danken we de Heere steeds voor. Heel vroom is dat. Maar wat doen we nu zelf? God heeft ons bevolen Hem lief te hebben boven alles en onze naaste als onszelf. Nu, dat eerste gaat nog, daar doen we ons best wel voor. Maar dat tweede? Onze naaste liefhebben als onszelf? Als die naaste ook lief voor ons is, is dat niet zo moeilijk. Maar als het eens anders is? Als juist die naaste ons steeds weer kwetst? Ons verkeerd behandelt? Wat doen we dan? Kunnen we hem dan vergeven en liefhebben, ondanks alles? Of haten we hem? Als we de Heere werkelijk oprecht willen liefhebben, dan zullen we ook dat tweede gebod in praktijk moeten brengen...' Nicolien heeft geluisterd met bonzend hart.
Eens heeft ze Anne beloofd om naar de kerk te gaan. Om te leren het te begrijpen. Nu weet ze dat Anne bedoeld heeft: te leren geloven. En geloven houdt ook in: de Heere liefhebben en naar Zijn wil leven. Dus ook de naaste liefhebben en vergeven. Daar heeft ze ook eens met Gert over gesproken. De dominee heeft gezegd wat Gert ook zei.
Maar dat is zo moeilijk. Dat kan zij niet. Ze kan beter maar niet meer naar de kerk gaan, zij zal de Heere toch nooit zo

liefhebben zoals het moet. Zij hoort bij het andere kamp, bij de ongelovigen.
Maar ze heeft het Anne beloofd en ze moet het Anneroos later ook leren. Anneroos is Anne's kind toch?
Toen Anneroos geboren moest worden, heeft ze gebeden, werkelijk gebeden. En toen was Gert er, Gert heeft gezegd dat de Heere God altijd doet wat Hij belooft.
Maar als zij werkelijk wil geloven, dan zal ze... nee dat doet ze niet, dat mag God niet van haar vragen. Dat zal Anne's bedoeling ook niet geweest zijn.
Ze moet daar niet zo'n probleem van maken, misschien bestaat God niet eens en heeft haar vader toch gelijk. Haar vader!
Onderin haar kast ligt die witte envelop. Er is een kind geboren in Bethlehem, een kleine baby als Anneroos. De hele wereld weet van het Kerstfeest. Iets van het christelijke geloof moet dus wel waar zijn. Dan moeten alle mensen naar Gods geboden leven. Dat betekent: God liefhebben en de naaste.
Het is een cirkel waar je niet uit ontsnappen kunt. Nicolien wordt er zo moe van. Maar als ze aan haar vader denkt, begint alles in haar weer te steigeren. Kon ze nu maar eens rustig met Gert praten. Maar daar durft ze niet aan te beginnen. Als ze dat doet, dan kan ze zich vast niet goedhouden en Gert heeft al genoeg met haar meegemaakt. Voordat ze naar bed gaat, staat ze lang bij Anneroos te kijken. 'Klein meisje', fluistert ze zacht. 'Jij weet niet dat het allemaal om jou begonnen is. Als jij niet gekomen was...'
Anneroos slaapt, een blosje op haar wangetjes.
Nicolien gaat ook naar bed, maar het duurt lang voor zij slaapt. Ze hoort de anderen naar boven komen. Nu gaat Gert naar zijn kamer. Zou Gert merken dat ze hem ontloopt? Hij kan haar soms zo aankijken. Dan zou ze het liefst willen gillen.
Hoelang kan ze dit nog volhouden? Was het maar dertien februari, dan hoefde zij zich nergens meer zorgen om te maken. Ze is stapel om zich zorgen te maken. Vader doet dat ook niet. Die lacht misschien in zijn vuist. Hij viert straks feest...

Omdat mevrouw Jaght boodschappen doet, neemt Nicolien de telefoon aan. 'U spreekt met de familie Jaght, met Nicolien Nordholt.'
'Dag Nicolien, met Tom. Hoe gaat het?'
'Hallo Tom. Goed.'
'En met Anneroos?'
'Uitstekend, ze groeit goed.'
'Fijn, ik kom beslist binnenkort weer eens naar haar kijken.'
'Doe dat.'
'Maar nu iets anders. Ik wil graag eens rustig met je praten en dat zal waarschijnlijk niet bij de familie Jaght thuis kunnen. Is er daar in de buurt een gelegenheid waar we af kunnen spreken?'
Nicolien verstrakt. Het jubileum, gaat het door haar heen. Tom wil vast over dat jubileum praten.
'Kun je het niet door de telefoon zeggen?'
'Dat zou wel kunnen, maar dat doe ik liever niet.'
Gejaagd gaan Nicoliens gedachten. Ze moet rustig blijven, Tom is haar zwager. Ze kon altijd goed met hem opschieten. Het is normaal dat hij haar eens spreken wil.
'Er is hier in het dorp een hotel', zegt ze dan onwillig, 'hotel De Zwaan. Het staat midden in het dorp, het kan niet missen.'
'Mooi. Kun je vanmiddag om drie uur?'
'Alleen als mevrouw Jaght thuis is.'
'Goed, dan spreken we dat af. Kan het niet, bel me dan omstreeks een uur of twee hier op mijn werk.'
'Goed.'
'Zal ik je tegen drieën komen halen?'
'Nee, ik rij er zelf wel heen.'
'Zoals je wilt. Tot vanmiddag, Nicolien.'
'Tot vanmiddag.'
Nicolien legt de hoorn neer. Waarom krijgt ze hartkloppingen van dit gesprek? Misschien wil Tom wel over heel iets anders praten, over Mellie bijvoorbeeld. Of hij heeft een baantje voor haar. Ach nee, hij weet niet eens dat ze een baan zoekt. En waar zal hij anders over willen praten dan over de situatie thuis? Als het niet iets bijzonders was, kon hij net zo goed

hier komen. Maar hij hoeft er zich niet mee te bemoeien. Hij wil zeker op haar gemoed werken. Nou, dat kan hij wel vergeten.
Nicolien zit zich op te winden.
Ze is van top tot teen geladen als ze die middag bij hotel De Zwaan van haar fiets stapt. Ze heeft mevrouw Jaght niet verteld waar ze heenging en Erica heeft niets gevraagd, alleen gewaarschuwd: 'Kijk goed uit, het wordt behoorlijk mistig.'
Tom zit al in zijn wagen te wachten, hij stapt uit zodra hij haar ontdekt. Hij schudt zijn hoofd als hij haar witte gezicht ziet. 'Dag Nicolien, ik had je toch beter kunnen halen, je ziet er zo koud uit.'
'Welnee, ik dop mijn eigen boontjes.' Uitdagend kijkt ze hem aan. Nu weet Tom in elk geval waar hij aan toe is, maar hij gaat niet op haar woorden in.
'Kom, binnen zal het beter zijn.'
Tom hangt de jassen weg. 'Waar wil je zitten?' Dan bestelt hij koffie. Het valt Nicolien op hoe beleefd ze hier geholpen worden. Als je ook met een burgemeester uitgaat, denkt ze spottend.
Tom vraagt weer naar Anneroos, maar hoe graag Nicolien anders ook over haar dochtertje praat, nu heeft ze daar geen geduld voor. 'Waar wou je me over spreken?' Ze kijkt Tom strak aan.
Peinzend kijkt Tom terug. Hij houdt van zijn schoonzusje, maar ze is net zo'n dwarskop als zijn schoonvader. Het is dat hij het zijn schoonmoeder beloofd heeft.
'Ik wil open kaart spelen, Nicolien. Je moeder zit met een vraag die ze liever niet zelf stelt. '
Nicolien haalt haar wenkbrauwen op. 'Sinds wanneer is mama bang om mij iets te vragen?'
'Waarschijnlijk sinds jullie verhouding enigszins beschadigd is.'
'Zeg maar rustig: kapot. Maar dat is mijn schuld niet.'
'We praten nu niet over de schuldvraag, alleen over het feit dat ik hier zit, min of meer op verzoek van je moeder.'

Nicolien maakt aanstalten om op te staan. 'Dan heeft het geen zin om te praten. Ik dacht dat jij me iets had te zeggen. Als mama wat heeft, kan ze er zelf mee komen. Ik hoef geen onderhandelaars.'
Er vlamt iets in Toms ogen. 'Blijf zitten', zegt hij dan streng. 'Ik stap niet voor de lol uit mijn werk. Gedraag je als een volwassene.' Nicolien knippert met haar ogen bij deze terechtwijzing. Zo heeft ze Tom nog nooit meegemaakt.
'Ga je ook zo met Mellie om?' zegt ze dan boos. 'Dat zal leuk zijn. Maar als ik nu blijf zitten, Tom van der Griend, dan is dat niet omdat ik als een schoolkind naar je luister. Maar omdat ik je altijd graag mocht.'
Hoe uitdagend haar woorden ook klinken, ze kan niet verhinderen dat haar stem trilt. Tom hoort het en zijn korte boosheid zakt weg. 'Laten we elkaar dan op grond van wederzijdse genegenheid aanhoren', stelt hij voor.
Nicolien knikt. 'Mooie burgemeesterszin', zegt ze dan spottend.
'Het doet er niet toe wat voor een zin het is, als we het over de inhoud maar eens zijn', gaat Tom rustig op haar woorden in.
Ze drinken hun koffie, dan zegt Tom: 'Je moeder heeft je een kaart laten sturen voor het ambtsjubileum van je vader. Ze wil graag weten of die kaart overgekomen is en wat je van plan bent te doen.'
'Ik ben niets van plan.'
'Je hebt die kaart dus gekregen?'
'Ja.'
'Wat dacht je toen?'
'Dat zijn mijn zaken.'
'Ben je van plan erheen te gaan?'
'Natuurlijk niet.'
Tom kijkt even naar buiten. Hij moet het anders aanpakken, dit lijkt te veel op een kruisverhoor. Mellie moest eens weten waar hij mee bezig is. Nee, nu niet aan Mellie denken.
'Nicolien', hij buigt zich wat naar voren, 'er gebeuren soms dingen die ons heel erg pijn doen. Onvergetelijk veel pijn,

denken we dan. Maar is het het waard om in je leven altijd te blijven mokken? Jouw vader heeft je niet zo aardig behandeld, dat had anders gekund. Nee, laat me uitpraten. Het zal dubbel hard aangekomen zijn, omdat het juist je eigen vader was die je zo behandelde. Dat was erger dan wanneer het een vreemde geweest zou zijn. Maar nu kun je twee dingen doen. Je kunt levenslang dat onrecht, al of niet vermeend, koesteren en daardoor je hele leven vergallen. Of je kunt een streep zetten en aan een nieuwe periode in je leven beginnen. Zou dit jubileum van je vader niet dé gelegenheid zijn voor een nieuw begin?' Langzaam en nadrukkelijk zegt Tom de laatste woorden, zijn ogen laten Nicolien geen moment los. Hij ziet haar gezicht verstrakken.
'Je moeite is vergeefs, Tom. Het is te laat om opnieuw te beginnen.'
'Voor herstel van verhoudingen is het nooit te laat.'
'Jouw streepje is wel erg simpel. Er is té veel gebeurd.'
'Zeg nooit té, Nicolien. Natuurlijk is er veel gebeurd. Wij hadden je niet zo alleen moeten laten. Daar ben ik zelf ook schuldig aan.'
'Prettig dat je dit zegt, maar het verandert niets aan de zaak. Vader kan mijn bloed wel drinken.'
'En jijzelf?'
'Ik het zijne', klinkt het cru. Maar Nicolien kijkt Tom bij deze woorden niet aan.
Tom zucht onhoorbaar. Zo komt hij geen stap verder. Nicolien houdt zich alleen maar groot, daarvan is hij overtuigd. Maar hoe kan hij daar doorheen prikken?
'Je vader is het laatste jaar oud geworden.'
'Dat worden we allemaal.'
Nu fronst Tom toch zijn wenkbrauwen. Heeft hij zich dan altijd vergist? Is Nicolien werkelijk zo'n harde bliksem zoals Mellie zegt? Denkt zij alleen maar aan zichzelf? Dat kan hij niet geloven. Ergens moet er toch nog iets zijn van dat spontane schoonzusje dat hij vroeger heeft leren kennen. Hij kijkt op zijn horloge.
'Ik hoef niet langer beslag te leggen op je kostbare tijd', zegt

Nicolien.
Verhip, wat een haaibaai is dat toch. 'Mijn tijd is inderdaad kostbaar, ik heb straks weer een bespreking. Maar wanneer ik jou tot andere gedachten zou kunnen brengen, had ik daar met liefde uren voor over.'
'Ga je straks met hetzelfde verhaal naar vader toe?' klinkt het uitdagend.
Tom schudt zijn hoofd. 'Nicolien, Nicolien, als je alles eens wist.'
'Ik weet meer dan me lief is.'
'Je weet alles nog niet.'
'Zeg dan wat je te zeggen hebt. Als je een boodschap voor mijn moeder over moet brengen, moet je het goed doen.'
Weer schudt Tom zijn hoofd. 'Wat ik nu ga zeggen, gaat buiten je moeder om. Als ze het wist, zou ze het me waarschijnlijk verbieden.'
'Dat moet dan wel iets buitengewoon interessants zijn.'
'Buitengewoon is het wel, maar interessant? Verre van dat.'
'Ik ben benieuwd.'
'Men zegt dat jouw vader incest met je heeft gepleegd.' Tom benadrukt ieder woord. Hoe zal ze hierop reageren?
Nicolien lacht, hard en koud. Dan wordt haar gezicht weer strak. 'En als ik dat nu eens niet ontken?'
'Nicolien!' Geschokt gaat Tom verzitten. Dit kan immers niet waar zijn. Zo boosaardig kan Nicolien toch niet zijn? Of... is er toch iets aan de hand? Dan wordt hij kwaad op zichzelf omdat hij ook maar even aan de onschuld van zijn schoonvader twijfelt.
'Nu heb je tenminste iets om over na te denken als je straks handen staat te schudden', zegt Nicolien koud. Ze staat op. 'Bedankt voor je kostbare tijd, tot ziens.'
Tom haalt diep adem. Hij moet zich geweld aandoen om haar niet door elkaar te schudden en daarom doet hij geen moeite om haar tegen te houden als ze gaat. Hij bestelt nog een kop koffie. Zijn bemiddelingspoging is mislukt. Hoe dolgraag zou hij die beroerde situatie uit de wereld willen helpen, maar daar moet wel medewerking voor zijn. Zijn

schoonvader kapt ook elk gesprek over deze zaak af. Het spijt hem voor zijn schoonmoeder.
Maar dat Nicolien zó zou reageren!
Hij ziet hoe ze buiten op haar fiets stapt en zonder om te kijken wegrijdt. Ze verdwijnt in de mist.

Ogenschijnlijk rustig rijdt Nicolien het dorp uit. Buiten de bebouwde kom merkt ze pas goed hoe mistig het is. Mist is gevaarlijk. Rosalyn Jaght is in dichte mist verongelukt. Misschien gebeurt dat nu met haar ook wel. Maar hier is bijna geen verkeer.
Het bonst zo in haar hoofd en haar benen trillen. Ze is nog juist op tijd bij Tom weggegaan. Bij hem is ze hard geweest, keihard. Dat moest ze wel zijn om zichzelf te kunnen beheersen.
Is ze al bijna thuis? Alles zit hier door de mist potdicht. Nicolien gaat steeds langzamer rijden. De mist maakt haar haren vochtig, haar gezicht. Daar is het pad naar de rivier. Ze draait haar stuur. Een eind verderop eindigt het pad. Ze zet haar fiets tegen een paaltje en gaat verder lopen, het dijkje over, dan het laatste stuk naar het water. Het gras is nat, Nicolien voelt het niet. Daar is een krib, er groeit wat mos tussen de stenen. Die stenen zijn glad, ze moet opletten om niet uit te glijden. Aan het eind gaat ze zitten, zomaar op de natte stenen. Haar voeten zoeken een steunpunt, vlak boven het water dat grijs is als de mist. Het kolkt langzaam om de krib. De wereld is klein geworden, een paar vierkante meter.
'Je vader is oud geworden.'
Die woorden wil Nicolien niet horen, want dan krijgt ze een beeld voor ogen dat medelijden opwekt.
'Je vader heeft incest met je gepleegd.'
Hoe lang gaat die roddel al rond? Heeft haar moeder dat geweten, al die keren dat ze bij haar geweest is? Maar ze heeft er niets van gezegd. Hoe graag haar moeder ook een verzoening tot stand heeft willen brengen, hiervan heeft ze niets gezegd. Ze heeft geen morele druk op haar uitgeoefend.

Deze laster hebben haar ouders alleen gedragen.
En wat heeft zij gedaan toen Tom het haar vertelde? Ze heeft iets gesuggereerd. En dat is minderwaardig. Tom zal haar verachten. Want wat haar vader ook gedaan heeft, dit heeft hij niet verdiend.
Straks viert hij zijn jubileum. Daar zal zij ontbreken. Dat zal weer nieuwe voeding aan die roddels geven. Er zullen opmerkingen worden gemaakt, bedekt of openlijk. Haar vader zal zich er niet tegen kunnen verweren. Zij heeft nu immers een kind en zij is het huis toch uitgegaan. Thuis ligt die witte kaart. Haar vader heeft die dus niet zelf laten sturen. Hij zal ervan uitgegaan zijn dat ze toch niet komt. Hij kent haar.
Incest!
Waarom doet dat woord zoveel pijn? En waarom heeft ze nu zo'n medelijden met haar vader?
'En vergeef ons onze schulden, gelijk ook wij vergeven...' Die woorden uit dat gebed kent ze al uit haar hoofd. Maar zij zal zoiets nooit kunnen bidden, want zij kan niet vergeven. Nooit!
'Alleen kunnen we dat niet', heeft Gert gezegd. 'We hebben de hulp van de Heere nodig. '
Maar hoe kan zij vergeven? In haar bedje ligt de kleine Anneroos, het kind dat niet geboren mocht worden. Zij heeft haar belofte aan Anne gehouden. Zij kon toch niet naar haar vader luisteren?
Incest!
Er is maar één persoon op de wereld die aan die roddels een eind kan maken, dat is zijzelf. Maar dat kan ze niet, want dan moet ze naar haar vader gaan.
Slet!
Zo ziet haar vader haar en is ze dat ook niet? Ze is in staat geweest om Arnold Scholten te bedriegen. Nu beeldt ze zich in dat ze van Gert houdt. Heeft ze wel ooit van Anne gehouden? Een hoer neemt het niet zo nauw met de liefde.
Als haar vader die dingen maar nooit gezegd had, ze doen zo'n pijn. Incest!

Zou haar vader ook pijn voelen bij die beschuldiging?
Het lijkt wel of het al donker wordt. Zou het al zo laat zijn? Of komt het door de mist?
Het water van de rivier is onheilspellend grauw. Het zal wel ijskoud zijn. Iemand die daarin valt, leeft niet lang. Er wordt gezegd dat een verdrinkingsdood niet erg is.
Langzaam komt Nicolien overeind, ze is zo stijf. Er glijden tranen over haar wangen. Ze hoeft maar één stap te doen. Er zitten draaikolken in de rivier, die zullen haar mee naar de diepte trekken. Misschien vinden ze haar nooit. Dan is het net alsof ze nooit geleefd heeft. Voor Anneroos zal wel gezorgd worden. Misschien willen Jaap en Leni haar wel adopteren. Of Gert. Of mag een man alleen geen kind adopteren? Dat weet ze niet eens. Maar Gert zal wel trouwen, dan heeft Anneroos een nieuwe vader en een nieuwe moeder. Zal het lang duren voor ze haar gaan zoeken? De mensen zullen denken dat het een ongeluk geweest is, de stenen zijn hier zo glad. Maar zal Gert zich ook laten misleiden?
Nee, nu niet aan Gert denken, straks is alles voorbij.
Voorbij? In de Bijbel staat dat er een leven na dit leven is. Gert gelooft dat vast. Maar als Gert eens geen gelijk heeft? Ze hoeft maar één stap te doen, niemand ziet het.
'Weet dat de Heere God ons overal ziet, overal bij ons is.'
Waarom moet ze nu weer aan Gerts woorden denken? Als God er is, kan Hij er toch niets aan veranderen als zij springen wil.
Het grijze water lokt. Kom toch, hier is het zacht, hier kun je slapen. Denk niet aan je vader die oud wordt en een verschrikkelijk schuldgevoel zal krijgen. Hij zal dan nooit meer die incestverhalen tegen kunnen spreken, net goed. En misschien krijgt Mellie nooit kinderen, dan zullen je vader en moeder het betreuren dat ze hun enige kleinkind niet gewenst hebben.
Nicolien rilt. Als ze aan die heimelijke stem toegeeft, zal ze Anneroos nooit meer in haar armen houden. Het is of ze een stem hoort zingen: 'Entre les deux bras de Marie...' Eens is er in Bethlehem een Kind geboren. Dat Kind is later als Man,

uit liefde voor de mensen, gestorven aan een kruis. Vader zegt dat godsdienst waanzin is. Maar Anne geloofde het en ze heeft Anne beloofd...
Nicolien wankelt en in dat ondeelbare ogenblik waarin haar zwarte gedachten bijna werkelijkheid worden, weet ze dat ze niet sterven wil. Ze wil leven en voor Anneroos zorgen. En vader? Ach, vader... Maar de stenen zijn glad en voeten die glijden, vinden niet zo gauw een steunpunt. Nicolien gilt.

Erica is onrustig. Hoe lang is Nicolien nu al weg? Al ruim een uur. Voor een boodschap had ze allang terug kunnen zijn. Er zal toch niets gebeurd zijn? Voor de zoveelste keer loopt ze naar het raam. Maar de wereld is zo klein, ze kan de weg nauwelijks zien.
Ze heeft Anneroos haar fruit gegeven. Het kleine ding ligt nu tevreden in de box.
De telefoon gaat.
'Met mevrouw Jaght.'
'Mevrouw Jaght, u spreekt met Van der Griend. Kan ik mijn schoonzusje even aan de lijn krijgen?'
'Nicolien is niet thuis. '
'Dat is jammer. We zijn vanmiddag zo plotseling uit elkaar gegaan, ik had haar nog even willen spreken. Wilt u haar vragen of ze mij belt zodra ze thuiskomt?'
'Ik zal het doen.'
'Hartelijk dank, dag mevrouw Jaght.'
'Goedemiddag.'
Verbijsterd legt Erica de hoorn neer. Nu weet ze zeker dat er iets is. Nicolien heeft haar zwager gesproken. Waar en waarover? En daarna is ze niet thuisgekomen. Waar is Nicolien? Het is zo mistig. Ze zijn plotseling uit elkaar gegaan. Misschien zijn er woorden gevallen. Nicolien is de laatste tijd zo afwezig. Wat kan er gebeurd zijn?
Erica sluit haar ogen. 'God, help dit kind. Breng haar veilig terug. Heere, help ons.' Ze hoort een auto stoppen en even later komt Gert binnen. Erica vergeet hem te begroeten. 'Gert, gelukkig dat je er bent.'

Gejaagd vertelt ze wat ze weet en vermoedt. In een mum heeft Gert zijn jas weer aan. 'Rustig blijven, moeder. Ik ga haar zoeken.'
Beheerst loopt hij de kamer uit, maar eenmaal buiten is zijn rust ver te zoeken. Hij stapt in zijn wagen en rijdt onverantwoord hard de weg af. Ver hoeft hij niet te gaan, er is waarschijnlijk maar één plek waar ze zal zijn. Nog voor hij de wagen uit is, ziet hij de fiets staan. Hij heeft er geen erg in dat hij het portier achter hem open laat staan. Hij rent al, het dijkje over, een weiland door.
Er klinkt een gil. Een luguber geluid in de dichte mist. Met een paar pantersprongen is Gert op de krib.
Nicolien kan haar evenwicht niet bewaren, ze is door de kou ook zo stijf geworden. Terwijl ze voorover glijdt, slaat ze wild met haar armen om zich heen. Maar ze valt niet, het grijze water dat al zo dichtbij kwam, sluit zich niet boven haar hoofd. In plaats daarvan trekt er iemand met een geweldige ruk aan haar arm. Ze wordt bij het water weggesleurd.
'Nicolien, niet doen', hijgt een stem. Twee armen tillen haar op en dragen haar weg van dat gevaarlijke water. Dan wordt ze weer neergezet, maar die armen blijven om haar heen. 'Nicolien toch, wat was je van plan?'
Gerts stem klinkt zo zacht. Hij hijgt nog. Nicolien voelt zijn hart bonzen. Ze weet niet dat haar wangen nog nat van de tranen zijn. Ze maakt een klein klaaglijk geluid, kijkt naar hem op. 'Ik wou het niet echt, Gert. Ik gleed uit.' De afschuwelijke schrik staat nog in haar ogen. 'Ik ben bang, Gert. '
'Dat hoeft nu niet meer. Kom maar, we gaan naar huis.'
Dicht naast elkaar gaan ze voort. Gerts arm ligt om haar schouder. Om hen heen wolkt de mist. Al verder ligt de rivier achter hen. Plotseling blijft Nicolien weer staan. 'Waarom ben je hier, Gert? Waarom ben jij er altijd?' Groot en zwart staan haar ogen in het witte gezicht. 'Weet je niet dat ik een slet ben, een hoer?' Haar lichaam schokt.
Gert laat niet merken hoe ontdaan hij eigenlijk nog is. De wetenschap dat Nicolien had kunnen verdrinken, wanneer hij ook maar een minuut later gekomen was, doet hem

inwendig beven. De woorden 'ik wou het niet echt', lieten aan duidelijkheid niets te wensen over. Even moet de gedachte in haar opgekomen zijn om in het water te springen. Natuurlijk zal ze kunnen zwemmen, maar bij deze temperatuur en met zo'n instelling is het nog maar de vraag of ze er op eigen kracht weer uitgekomen zou zijn.
Automatisch slaat hij ook zijn andere arm weer om haar heen, hij drukt haar tegen zich aan.
Nicolien duwt haar hoofd beschaamd tegen zijn jas, ze kan niet goed meer denken.
'Dwaas meisje', zegt Gert dan. 'Die woorden wil ik nooit meer van je horen. Jij bent de liefste Nicolien van de hele wereld.' Zijn handen strelen.
Nicoliens hoofd komt weer omhoog. Eén lange zucht: 'Gert!' Dan kust Gert haar.
Van ver klinkt de misthoorn van een trein, maar zij staan op een eiland, omringd door grijze muren.

Traag opent Nicolien haar ogen, weet even niet waar ze is. Droomt ze? Maar de man die in een hoek van haar kamer zit te lezen, is zo reëel, dat ze ineens klaarwakker is. Gert zit daar! Dan is er ook de herinnering: de rivier, de mist. En tenslotte Gert, alleen maar Gert. Hij heeft haar mee naar huis genomen en haar direct iets laten drinken. Daarna heeft hij haar in bed geholpen. Maar er is nog iets, ze moet gedroomd hebben. En in die droom heeft Gert haar in zijn armen genomen en gekust. Daar bloost ze van.
Maakt ze geluid? Gert kijkt op, komt dan direct naar haar toe. 'Hoe gaat het, meisje?' Hij buigt zich over haar heen, neemt haar handen. Nicolien merkt wel dat hij haar pols voelt. Ach ja, broeder Jaght. De droom is weg, verdrietig draait ze haar hoofd wat om, wil overeind komen. Maar Gert houdt haar tegen. 'Nog even blijven liggen, als je te vlug overeind komt, word je misschien duizelig.'
Zijn stem klinkt zo warm, daar kan ze nu niet tegen. 'Waarom ben je zo lief voor me?' Haar mond beeft.
'Kun je dat niet raden, Nicolien?'

'Ik ben nooit goed in raadsels geweest.'
'Dan zal ik het antwoord op je lippen leggen.'
Nu is het geen droom. Gert zoent haar werkelijk. Nicolien huivert. Dit kan immers niet. 'Gert, je moet je vergissen. Ik ben niet zoals jij denkt.'
Gert lacht zacht. 'Wordt het dan geen tijd dat wij elkaar eens goed leren kennen?' Zijn handen gaan strelend langs haar gezicht, spelen even met het krulletje bij haar oor.
Met een zucht sluit Nicolien haar ogen, haar lichaam ontspant zich. Ze kan alles nog niet zo gauw verwerken, maar een ding weet ze: Gert is er, Gert zal er altijd zijn.

Hoofdstuk 21

Het heeft al een paar dagen flink gevroren, ook nu staat er een koude oostenwind. Maar de zon schijnt en dat geeft aan deze dag iets feestelijks.
'Ik ben zo zenuwachtig', zegt Nicolien.
Gert lacht. 'Dat was je ook toen we Anneroos uit het ziekenhuis gingen halen, weet je nog?'
'Ja, maar nu ben ik het veel erger.'
Even legt Gert zijn hand op haar knie. 'Ik ben toch bij je.'
'Gelukkig wel, maar ik wou toch dat het voorbij was.'
Achter hen ligt Anneroos te kraaien, ze speelt met haar handjes. 'Als vader me nu straks eens negeert', piekert Nicolien verder.
'Daar moet je je geen zorgen over maken. Je moeder zal in elk geval blij zijn als ze je ziet.'
'Geloof je dat?'
'Ik weet het wel zeker.'
Gert heeft zijn aandacht weer bij het verkeer. Het is hier abnormaal druk. Nicolien kijkt het raampje uit. Dat ze nu toch naar het jubileum van haar vader gaat! Niemand weet dat ze komt, ze heeft gisteren het besluit pas genomen.
De dagen die achter haar liggen zijn verwarrend en heerlijk tegelijk geweest. Ze heeft nooit kunnen denken dat Gert van haar houdt. Maar hij heeft haar dit op de enig mogelijke manier duidelijk gemaakt. Daarna hebben ze samen gepraat, over alles. Haar gesprek met Tom en over de preek over Gods liefde. 'Maar mijn vader is mijn naaste niet meer, Gert', heeft ze in afweer gezegd. En nog, nu ze op weg naar die receptie is, zou ze de wagen willen laten keren en teruggaan.
Wat zou Anne denken als hij haar nu kon zien? Ze kan met Gert over Anne praten, dat is zo fijn. 'Je mag Anne nooit vergeten', heeft Gert gezegd. 'Later zal Anneroos misschien willen weten hoe haar eigen vader was. Dan moet jij haar dat rustig kunnen vertellen.'

Gert begrijpt haar zo goed. Hij begrijpt ook dat ze nog niet kan geloven zoals hijzelf en zijn ouders doen. Ze hebben daar ook met meneer en mevrouw Jaght over gesproken. Ze heeft daar erg tegenop gezien, maar het is zo meegevallen.
'We zullen veel voor jullie bidden', heeft meneer Jaght tenslotte gezegd. 'Dat moeten jullie zelf ook doen. God heeft beloofd dat Hij Zich laat vinden door wie Hem oprecht aanroepen. En Gods beloften zijn altijd waar. Vergeet dat nooit.' Toen heeft meneer Jaght met hen gebeden.
Nicolien heeft dat ervaren als een heilig ogenblik.

De volgende dag heeft mevrouw Jaght gebak gehaald. 'Omdat ik er een lieve dochter bij krijg', heeft ze Nicolien in het oor gefluisterd. Het is bij de familie Jaght niet moeilijk om lief te zijn. Maar lief zijn voor iemand als haar vader? Vergeven? Toch vergeven?
Gert heeft geen dwang op haar uitgeoefend, wel geadviseerd. Maar dat is zo moeilijk. Ze kan niet zomaar alles vergeten! Pas gisteravond heeft ze eindelijk haar besluit genomen. Gert is deze dagen vrij, dus dat was geen probleem. En nu zijn ze dan op weg. Anneroos heeft haar mooiste jurkje aan. En voor zichzelf heeft ze vanmorgen nog iets nieuws gehaald, samen met Gert. Vader zal zich straks niet voor haar hoeven te schamen.
Was alles maar vast voorbij.
Plotseling doet de wagen gek, Gert rijdt de pechstrook op. 'Dat lijkt verdacht veel op een lekke band.'
Het is een lekke band. Haastig gaat Gert aan het werk, terwijl het verkeer langs hen raast. Nicolien loopt wat heen en weer. Wat is die wind koud. Het duurt gelukkig niet lang, dan kunnen ze weer rijden. Maar Gerts handen zijn nu niet bepaald schoon.
Nog geen vijf minuten later komen ze in een file terecht. Stilstaan, een paar meter rijden, weer stilstaan. Een ambulance gaat hen voorbij.
'Ik hoop niet dat er iets ernstigs gebeurd is', huivert Nicolien.

'Je moet niet direct het ergste denken. Bij botsingen komen ook vaak alleen maar breuken en kneuzingen voor', stelt Gert haar gerust.
'We komen straks te laat', ontdekt Nicolien even later.
'Welnee, misschien alleen wat later, maar dat is geen ramp.' Anneroos slaapt rustig, zij weet niets van de onrust van haar moeder. Het duurt nog zeker een kwartier voor ze verder kunnen rijden. Er blijkt een kop-staart-botsing plaatsgevonden te hebben. Diverse beschadigde wagens staan nog aan de kant. De politie regelt het verkeer over één rijstrook.
Nicolien maakt een verdachte neusbeweging. 'Ruik jij ook wat ik ruik?'
Gert snuift. ' Anneroos', zegt hij dan.
'Hoe kan ze dat nu doen', zegt Nicolien verwijtend.
Gert barst in lachen uit. 'Je bent kostelijk. Wat weet dat kind daar nu van?'
'Lach jij maar, wat moeten we nu?'
'Een gelegenheid zoeken waar je haar kunt verschonen. Dan kan ik meteen mijn handen wassen.'
Bij de eerstvolgende afslag rijdt Gert van de snelweg af. Een hotelletje is gauw gevonden. Natuurlijk is er gelegenheid voor mevrouw om de baby te helpen, ze krijgt een kleine kamer toegewezen. Ondertussen reinigt Gert zijn handen, bestelt dan koffie. Het is voor Nicolien goed om even iets te drinken.
Maar de tijd gaat door en het is al ver over vieren wanneer ze de snelweg weer oprijden.

Tom is de eerste die opstaat. 'Ik denk dat het tijd wordt om te gaan.' Sarah ziet bleek. Ze heeft zó gehoopt. Gehoopt en gewacht, maar Nicolien is niet gekomen. Tom is de enige die daarvan weet, Sarah heeft Marten niets van die kaart voor Nicolien verteld. Tom vindt het ellendig voor zijn schoonmoeder, maar na het gesprek met Nicolien heeft hij niet veel hoop meer gehad. Té diep zit het zeer bij haar. Enfin, ze moeten er vandaag het beste maar van maken. Uiteindelijk is

vijfentwintig jaar een hele tijd en zijn schoonvader verdient het beslist om eens in het zonnetje gezet te worden. Hij is een harde werker.
Tom rijdt zijn schoonouders. Marten zit naast hem. 'Het is eigenlijk grote flauwekul', foetert hij.
Tom glimlacht. 'Dat zegt u ook niet als het anderen betreft.'
'Nee, maar voor mij hoeven ze die drukte niet te maken. Ze hebben me gewoon gedwongen.'
Marten denkt aan de gesprekken met Niedek en Verhoog. En hij weet ook wel wat bij hemzelf de doorslag gegeven heeft: die vervloekte praatjes. Daar schijnt nog steeds geen eind aan te komen. Jaap Scholten komt niet voor niets regelmatig even aanwippen. Welnu, ze zullen hun zin krijgen. Hij zal zich laten bewieroken, al is het alleen maar om Sarah.
Sarah zelf is ogenschijnlijk de rust zelf. Nu niet meer aan Nicolien denken, dit is Martens jubileum. Er moet een opgewekte vrouw naast hem staan. Later is er wel weer tijd voor dat andere.
Maar wanneer ze bij het stadhuis aankomen, is er toch even de hoop: stel dat Nicolien hier is. De mantels worden weggehangen en klokslag vier uur wordt Marten met zijn gezin de grote zaal binnengebracht. Er klinkt applaus.
Het is een mooi gezicht, die vier mensen in hun feestelijke kleding. Marten draagt een donkergrijs kostuum. Op Sarahs verzoek draagt hij daar een vlinderstrikje bij. 'Wat moet ik toch met zo'n opdondertje', heeft hij gemopperd. Maar hij heeft Sarah toch haar zin gegeven.
Bij de schouw staan de erezetels. De kaarsen in de kandelaars branden en ook de kroonlampen in het midden van de zaal verspreiden een feestelijk licht.
Terwijl ze naar hun plaatsen lopen, gaan Sarahs ogen vriendelijk glimlachend over de aanwezigen. Geen Nicolien! De glimlach blijft. Ze weet niet met hoeveel spanning hun komst verwacht is. Jaap Scholten zet zijn tanden even op elkaar als hij hen ziet. Sarah heeft hem om advies gevraagd toen ze die kaart naar Nicolien wilde laten sturen. 'Altijd doen', heeft hij geadviseerd. Hij begrijpt wat het voor haar is

nu Nicolien toch verstek laat gaan. Die drommelse meid ook, precies haar vader. Kijk Marten zelf eens ironisch lachen, alsof hij het hele spul hier voor aap zet. Niet doen, jongen, daar win je niets mee.
Els heeft in eerste instantie alleen aandacht voor Sarahs kleding, maar dan wint ook bij haar het medelijden het. Als de helft van je dochters ook afwezig is!
Er wordt koffie met gebak geserveerd. Het geroezemoes klinkt op. 'Zie je dat er maar één dochter bij is? Het is vast geen zuivere koffie. Hoe zou mevrouw Nordholt dit nu ondergaan? Ach, ze kan toch niet anders. Zou jij in zo'n geval een receptie houden? Nee, maar sommige mensen hebben nu eenmaal een plaat voor hun hoofd. '
De ceremoniemeester neemt nu het woord, hij tikt even tegen de microfoon, het wordt rustig in de zaal. 'Jubilaris, mevrouw Nordholt, meneer en mevrouw Van der Griend, dames en heren...'
Met gepaste aandacht luistert Marten naar het welkomstwoord. Van de Ploeg maakt er werkelijk iets aardigs van. Applaus. Hierna kondigt hij de eerste spreker aan. Namens burgemeester en wethouders krijgt loco-burgemeester De Gelder het woord. Opnieuw een officieel begin: 'Nordholt, mevrouw, familie, geachte verdere aanwezigen.'
Er klinkt gerucht, de grote deur zwaait wijd open. De Gelder kijkt over zijn bril, neemt hem dan af. 'Komt u binnen.'
Nu zijn alle ogen op die deur gericht en daar verschijnen, als binnen de omlijsting van een schilderij, twee jonge mensen met een baby. Hoewel hij Nicolien niet persoonlijk kent, weet De Gelder onmiddellijk wie die jonge vrouw moet zijn. Dat rossige haar, het kan niet missen. En dat kleine ding is warempel ook al rood. Reclame voor de partij, bedenkt hij met humor.
Even is er een geroezemoes, dan wordt het doodstil in de zaal. 'Hartelijk welkom', klinkt in die stilte de stem van De Gelder. En met een handbeweging: 'Als u onze jubilaris eerst wilt begroeten?' Hier neemt hij graag de tijd voor, er is immers genoeg over Nordholt geroddeld. Dit kan niet mooier. Hij

kijkt naar Niedek die samenzweerderig zijn duim opsteekt.
Door de grote zaal gaat Nicolien, Anneroos op haar arm. Dicht naast haar gaat Gert. Ze ziet de mensen niet langs wie ze loopt. Ze ziet dokter Scholten niet, wiens gezicht een en al glans is. Ze ziet maar vier mensen en daarvan eigenlijk maar één.
Nog een paar meter...
Automatisch heeft ook Marten naar de deur gekeken, dan staat zijn hart stil. Daar is Nicolien! Nicolien met het kind op haar arm. Nicolien die hij geen kaart heeft laten sturen. Nu komt ze onder doodse stilte naar hem toe. Zijn handen zoeken houvast op de leuningen van zijn stoel. Dan komt hij overeind.
Breed staat Marten daar. Hij is alleen in de zaal. Nee, niet alleen, zijn dochter is er ook. Het kind van Sarah en hem.
'U houdt alleen van uzelf. Straks kunt u de lieve opa spelen.'
Die stem heeft hij nooit het zwijgen op kunnen leggen. Die stem heeft hem achtervolgd, maandenlang. Die stem hoorde bij het meisje dat als een furie voor hem stond. Nu komt ze naar hem toe.
De spanning in de zaal is te snijden. Even legt Gert zijn hand bemoedigend tegen Nicoliens rug. Ze voelt het nauwelijks, ze heeft alleen oog voor haar vader. Vader oud? Nee. De glans van zijn haar is doffer geworden, er zijn rimpels in zijn gezicht verschenen, maar zoals hij daar staat, vierkant en massief, is dat woord niet op hem van toepassing. Daar staat haar vader! Toch haar vader!
Nog een paar meter...
Hun ogen hechten zich in elkaar. Het is of ze elkaars diepste gevoelens willen peilen.
Nicolien staat stil. 'Het spijt ons dat we te laat zijn, we hebben onderweg pech gehad. Maar toch van harte gefeliciteerd, vader.' Ze steekt haar hand uit.
Alleen de mensen die dichtbij staan, horen de lichte trilling in haar stem.
Marten haalt diep adem, dan zegt hij extra luid, zodat iedereen het kan horen: 'Geen excuses, kind, een dochter

komt nooit te laat.' Hij neemt haar hand en trekt haar naar zich toe, dan kussen ze elkaar.
Is het om haar ontroering te verbergen, of is ze nu toch weer even een enfant terrible? Nicolien heft Anneroos naar Marten op. 'Anneroos, geef opa eens een kusje.' Voor hij erop bedacht is, heeft Marten het kind in zijn armen. Anneroos kraait, haar handje grijpt het vlinderstrikje stevig vast.
'Hoera voor opa Nordholt', roept een stem in de zaal.
Els kijkt verschrikt naar Jaap, maar een luid applaus volgt op zijn woorden.
De fotograaf die de reportage verzorgt, neemt zijn kans waar. Dit moet vereeuwigd worden. In het geroezemoes dat volgt, begroet Nicolien haar moeder.
'Kind', meer kan Sarah niet zeggen. Ook Mellie en Tom worden begroet. Gert volgt Nicolien op de voet. Gedienstige handen schuiven twee stoelen bij, dit keer naast Marten. Gert wijst Nicolien de plaats naast haar vader, ze gaan zitten terwijl Sarah Anneroos van Marten overneemt.
Dan tikt De Gelder tegen de microfoon, het wordt weer stil.
'Na deze aangename onderbreking zal ik proberen mijn speech af te maken.' Zijn woorden klinken door de zaal. Ook de familie Nordholt heeft zich weer tot luisteren gezet.
Na De Gelder komen andere sprekers. Iemand uit de gemeenteraad, iemand namens de hoofden van dienst, een ander namens het personeel, een afgevaardigde uit de kring van secretarissen. Er worden cadeaus aangeboden, bloemen voor Sarah. En tussen de toespraken door wordt er voor iets te drinken gezorgd.
Anneroos begint rumoerig te worden, Gert ontfermt zich over haar. Ze valt tenslotte op zijn schoot in slaap. Nicolien ziet het, even lachen hun ogen in elkaar, dan zijn ze weer vol aandacht voor de spreker. Maar ook aan een receptie komt een eind.
Marten zal een dankwoord spreken. Hij heeft dat niet voorbereid, wat betekenen nu zo'n paar woorden! Maar wanneer hij achter de microfoon staat, is hij vreemd ernstig. Hij kijkt de zaal rond, daar zitten en staan ze: raadsleden,

ambtenaren van zijn secretarie, collega's uit andere gemeenten, kennissen, de pers. Niedek knikt hem warm toe. Fijne kerel is dat, ook als wethouder.
Dan kijkt hij naar zijn gezin. Daar zit Sarah. Lief en leed hebben ze gedeeld, al langer dan vijfentwintig jaar. Maar dit laatste jaar meer leed dan lief. Nu ligt er zo'n intense vreugde op haar gezicht dat hij er warm van wordt. Zijn Saartje toch. Naast haar zit Mellie, hij moet even tegen haar lachen. Tom is ook een fidele vent. Die twee zullen het samen wel rooien. Het laatst kijkt Marten naar Nicolien en de jongeman die naast haar zit. Nicoliens hand ligt in die van Gert. In Gerts andere arm rust de slapende Anneroos. Het lijkt er verdacht veel op dat Nicolien voor de tweede schoonzoon zorgt, Gert Jaght, die uit een christelijk nest komt. Nee, daar nu niet aan denken.
Er zijn maar een paar seconden voorbij gegaan, dan begint Marten te spreken. In sobere woorden bedankt hij de sprekers, haalt een paar dingen uit het verleden aan. Zegt dan: 'Natuurlijk gaat mijn grootste dank uit naar mijn vrouw, die al die jaren naast me heeft gestaan. Sarah, ook vanaf deze plaats wil ik je daarvoor mijn oprechte dank betuigen. Jij was er altijd, in goede en kwade tijden.'
In de zaal zijn al de gezichten welwillend luisterend naar Marten opgeheven, dan worden er wenkbrauwen gefronst. Wat zegt Nordholt nu?
'We kunnen niet alles naar onze hand zetten. Die kwade tijden waren er vooral dit laatste jaar. U hebt allen ongetwijfeld gehoord welke verhalen de ronde deden. Misschien hebt u daar zelf aan meegedaan.'
Marten pauzeert even, kijkt de aanwezigen aan. Hij weet wat er nu gedacht wordt. Men kan een speld horen vallen.
'Tegen laster is geen verweer mogelijk', gaat Marten dan verder. 'Maar daar willen we nu een punt achter zetten. Ik ben dankbaar dat ik vandaag met mijn hele gezin mijn ambtsjubileum mag vieren. En bij dat gezin hoort nu ook mijn kleindochter. Ze lijkt op haar moeder, kijkt u maar naar de kleur van haar haar. En daarom lijkt ze ook een beetje op

mij. Ik ben daar blij mee. Ik heb gezegd.'
Er wordt geapplaudisseerd. Niedek is de eerste die gaat staan en onder deze ovatie loopt Marten naar zijn plaats terug. Wanneer hij langs Nicolien komt, legt hij even zijn hand op haar schouder. Nicolien moet slikken. Die laatste woorden van haar vader waren voor háár bestemd. Hij is blij dat ze gekomen is en nu heeft hij in het openbaar Anneroos erkend; het kleinkind dat hij eerst niet wenste. Haar gedachten gaan verder. Ze heeft gebeden of de ontmoeting met haar vader mocht meevallen. Het is meer dan dat geworden. Vader heeft haar gerehabiliteerd. Wat heeft Gert eens gezegd? God belooft niet alleen, God doet ook. Hoe ervaart ze dit nu. Uit haar hart stijgt een dankgebed.